Biblioteca

Monica McCarty

Monica McCarty

EL GUARDIÁN

Traducción de
Sergio Lledó

CISNE

Título original: *The Ranger*
Publicado por acuerdo con Ballantine Books, sello de Random
House Publishing Group, división de Random House, Inc.

Primera edición: octubre, 2011

Printed in Spain – Impreso en España

ISBN: 978-84-9989-210-8 (vol. 76/9)
Depósito legal: B-29656-2011

Compuesto en IT's gràfiques, S. C. P.

Impreso en Novoprint, S. A.
Energia, 53. Sant Andreu de la Barca (Barcelona)

M 9 9 2 1 0 8

*A Andrea y Annelise,
que siempre tienen champán,
pompones o sabias palabras para mí.
En otras palabras:
camarera, animadora y Obi Wan Kenobi
personificados en dos agentes fabulosas.
Gracias por todo*

AGRADECIMIENTOS

Quiero agradecer especialmente a todo el equipo de Ballantine, sin cuyo apoyo en cada uno de los pasos del camino, desde el departamento de arte hasta los de ventas, edición, producción y publicidad, este libro no habría sido posible. Poniendo en orden todo esto está, por supuesto, mi fabulosa editora, Kate Collins, cuyo entusiasmo y juiciosos comentarios son de un valor incalculable. ¿Quién podría creer que hemos hecho seis libros en tres años?

Al contrario de lo que se suele creer, la escritura no es una ocupación solitaria. Tengo la fortuna de contar con un maravilloso grupo de amigas escritoras en las que confiar cuando necesito airear mis ideas, dar con una solución para algún problema de la trama o dotar de vida a los personajes. No sé qué sería de mí sin vosotras, desde las que llamo a diario (Jami Alden, ponte en pie), hasta aquellas con las que nos reunimos para almorzar y nos enviamos correos (ahora os toca a vosotras: Bella Andre, Veronica Wolff, Barbara Freethy, Carol Culver, Penelope Williamson, Tracy Grant y Anne Hearn). Mi buena suerte en cuanto a amigas escritoras ha alcanzado las más altas cotas. Catherine Coulter no es solo una de las más grandes autoras de novelas románticas de todos los tiempos, también es una anfitriona fantástica. Gracias por las deliciosas comidas, esa fantástica vista y la excelente compañía. ¡Tus almuerzos son los mejores! Cuando necesito dar un pequeño salto y cruzar el charco, sé perfectamente a quién tengo que llamar: mi colega «Onica», Veronica. Estoy ansiosa por que llegue el «Mommy Abandonment Tour 2010»: Vuelven las Yanquis (y nuestra oportunidad para redimirnos en el concurso de preguntas del pub). Cuando se trata de campear el terreno de los negocios en la escritura y aprender cosas acerca de la industria, la sede nacional de RWA se ha convertido en un divertido bar universitario en el que aprendo de los mejores. Barbara Samuel y Christy Ridgeway: ¡Estoy deseando que llegue ya el año que viene!

Gracias a Emilie y Estella, de Wax Creative, no solo por la preciosa página web, sino también por estar al tanto de todo lo último y lo mejor, para que yo no tenga que hacerlo.

Y por último a Dave, mi fuente de inspiración constante (en serio, no me río… más bien es algo así como una sonrisa entusiasta sin sonido alguno), y a Reid y Maxine, que jamás pierden la oportunidad de promocionar mis libros gritando por toda la librería: «¡Mamá, tienen tu libro!».

LA GUARDIA DE LOS HIGHLANDERS

Invierno de 1307-1308

Con el rey Robert Bruce:

Tor MacLeod, Jefe: líder de las huestes y experto en combate con espada.

Erik MacSorley, Halcón: navegante y nadador.

Gregor MacGregor, Flecha: tirador y arquero.

Eoin Maclean, Asalto: estratega en lides de piratería.

Ewen Lamont, Cazador: rastreo y seguimiento de hombres.

Lachlan MacRuairi, Víbora: sigilo, infiltración y rescate.

Magnus MacKay, Santo: guía de montaña y forja de armas.

William Gordon, Templario: alquimia y explosivos.

Robert Boyd, Ariete: fuerza física y combate sin armas.

Alex Seton, Dragón: dagas y combate cuerpo a cuerpo.

Con los ingleses:

Arthur Campbell, Guardián: exploración y reconocimiento del terreno.

PREFACIO

Año de Nuestro Señor de mil trescientos siete

Las tornas han cambiado, pero Robert Bruce todavía está lejos de poder cantar victoria en su persecución del trono escocés.

Con una Inglaterra desolada por la muerte de su mayor adversario, el rey Eduardo I, Bruce concentra sus esfuerzos en derrotar a los enemigos internos. Muchos de sus compatriotas siguen oponiendo resistencia, siendo los Comyn, los MacDowell, el conde de Ross y los MacDougall los más importantes.

Bruce, con la ayuda de su banda secreta de guerreros de élite, conocida como la Guardia de los Highlanders, continúa su estrategia revolucionaria de táctica pirata, sembrando a su paso la destrucción entre las tierras enemigas, que será recordada durante generaciones enteras. Somete a los MacDowell en Galloway antes de marchar al norte en dirección a las Tierras Altas. Después de asegurarse treguas temporales con Ross y los MacDougall, Bruce ataca a los Comyn en Inverlochy, Urquhart, Inverness y Nairn. Pero justo cuando la victoria parece estar al alcance de su mano, el aspirante al trono contrae una extraña enfermedad que lo deja a las puertas de la muerte. Los enemigos son el frío y el hambre, ya que sus hombres se ven obligados a esperar a que pase el invierno envueltos en la incertidumbre.

El año anterior, cuando todo parecía perdido y Bruce tuvo que huir de su reino como fugitivo, puso sus esperanzas en la Guardia de los Highlanders para que le ayudaran a sobrevivir. Ahora, para derrotar a los poderosos nobles que se interponen en su camino, los necesitará más que nunca.

PRÓLOGO

Iglesia de San Juan, Ayr, Escocia,
20 de abril de 1307

Arthur Campbell no estaba allí. O al menos se suponía que no debía estar. Había informado a Bruce de la entrega de la plata, que tendría lugar en la iglesia esa noche a su paso por el norte, camino de las guarniciones del castillo de Bothwell. Había cumplido con su parte de la misión.

Los hombres de Bruce estaban escondidos entre los árboles a poco menos de cincuenta metros, esperando a que los jinetes hicieran aparición. Arthur no tenía que estar allí. De hecho, ni tan siquiera debería estar allí. Lo más importante era proteger su identidad. Tras dos años pretendiendo ser un caballero leal al rey Eduardo, había puesto demasiado en juego para arriesgarlo todo por un mal presentimiento. En el caso de que lo descubrieran, no tendría que preocuparse únicamente de las explicaciones que daría a los ingleses. Los hombres de Bruce pensarían que era lo que a todas luces parecía ser: el enemigo.

Solo unos pocos hombres conocían la verdadera filiación de Arthur. Su vida dependía de ello. Y a pesar de todo ahí estaba él, oculto entre las sombras de la arboleda que cubría la ladera de la colina por detrás de la iglesia, por la sencilla razón de que no podía quitarse de la cabeza la sensación de que algo saldría mal. Demasiados años confiando en esas corazonadas para empezar a ignorarlas en ese momento.

El tañido de la campana de la iglesia perturbó aquella tumba de oscuridad. Completas. El momento de la oración nocturna. Había llegado la hora. Se quedó completamente quieto, con los sentidos aguzados, atentos a cualquier señal que delatara la aproximación de los jinetes. Sabía por su exploración inicial del terreno que los hombres de Bruce estaban apostados en los árboles del camino que llevaba a la iglesia. Eso les ofrecía una buena visión de cualquiera que llegara, dándoles también espacio suficiente para emprender la retirada en caso de que los ocupantes de la iglesia, que servía como hospital improvisado para los soldados ingleses, tuvieran conocimiento del ataque.

Había que admitir que San Juan no era el lugar idóneo para lanzar una ofensiva. Si los soldados ingleses heridos no significaban una amenaza suficiente en sí, la guarnición de soldados posicionada en el castillo de Ayr, a menos de un kilómetro, habría debido servir para que los hombres de Bruce lo pensaran mejor.

Sin embargo, no les quedaba más remedio que actuar de acuerdo con la información que poseían. Arthur había averiguado que la plata cambiaría de manos esa noche en la iglesia, pero desconocía qué camino tomarían. Al haber al menos cuatro rutas posibles para salir de la ciudad hacia Bothwell, no podían estar seguros de cuál de ellas escogerían los jinetes.

Pero en ese caso concreto la recompensa que obtendrían merecía el riesgo. La plata, que tal vez ascendiera a cincuenta libras y que estaba destinada al pago de la guarnición del castillo de Bothwell, podría alimentar durante meses a los cuatrocientos guerreros de Bruce ocultos en los bosques de Galloway. Por añadidura, capturar aquella plata significaría más que una gran ayuda para Bruce, porque también heriría a los ingleses en su orgullo, algo que era justamente la intención de esos ataques sorpresa: eran rápidos y violentos asaltos concebidos para que el enemigo permaneciera inquieto, interferir en sus comunicaciones, hacerle olvidar las ventajas que suponían su superioridad en cuanto a dotación, armamento y medios y, sobre todo, sembrar el terror en su seno. En otras palabras, aquello significaba luchar como él siempre lo había hecho: como un highlander.

Y estaba dando resultado. A los cobardes ingleses no les gustaba viajar en grupos pequeños sin un ejército que los protegiera, pero Bruce y sus hombres les daban tantos quebraderos de cabeza que el enemigo se veía obligado a usar tácticas furtivas, como intentar introducir la plata a través de diferentes mensajeros y sacerdotes.

De repente Arthur se quedó inmóvil. Presentía la llegada de alguien, a pesar de que no se produjera sonido alguno. Miró en dirección al camino y lo escudriñó en la oscuridad. «Nada.» Nada que señalara la llegada de los jinetes. Pero tenía los vellos de la nuca erizados y todos sus instintos le decían lo contrario.

Entonces lo oyó. Un suave pero inconfundible crujir de hojas aplastadas bajo unos pies que se acercaban por la espalda.

«Por la espalda.»

Blasfemó. Los mensajeros llegaban a través del sendero de la playa y no por el camino de la villa. Los hombres de Bruce los verían, pero el ataque estaría mucho más cerca de la iglesia de lo que querían. Estaban entrenados para enfrentarse a lo imprevisible, pero aquello era arriesgado, demasiado arriesgado. Deseó con todas sus fuerzas que el sacerdote no decidiera salir a echar un vistazo. Lo último que quería en ese momento era cargar con la muerte de un clérigo. Bastante ennegrecida estaba ya su alma.

Escuchó con atención. Eran dos pares de pisadas las que oía. Una era ligera; la segunda, más pesada. Crujió una rama. Luego otra. Se estaban acercando. Un momento después, apareció en el camino que quedaba a sus pies la primera de dos siluetas embozadas en capas. Alto y corpulento, aquel hombre avanzaba con esfuerzo por el serpenteante sendero y apartaba las ramas para el soldado que iba detrás. Arthur entrevió el brillo del metal y el colorido tabardo que llevaba bajo las pesadas capas de lana cuando pasó junto a él. Un caballero.

Sí, estaba claro que se trataba de ellos.

La segunda figura se acercó un tanto. Era un hombre más

bajo y delgado que el anterior y de andares mucho más gráciles. Arthur descartó rápidamente a este último como amenaza menor y se encaminó hacia el primero, pero algo hizo que se detuviera. Miró la segunda silueta con más atención. La oscuridad y la capucha que ocultaba su rostro hacían borrosos los detalles, pero no podía dejar de pensar que algo no cuadraba. Los pies de ese soldado no parecían rozar el camino que tenía ante sí. Llevaba algo bajo el brazo. Parecía una canasta.

Se le vino todo abajo. Cielo santo. No era el mensajero, sino una muchacha. Una muchacha con el don de la oportunidad. Su intuición no le había fallado. Algo malo pasaría, sin duda. Estaba claro que si la muchacha no se apartaba del camino, los hombres de Bruce cometerían el mismo error que él. Atacarían tan pronto como la chica y su caballeresca compañía aparecieran ante ellos, lo cual estaba a punto de suceder. La muchacha pasó a su lado, dejando una leve fragancia de rosas que lo sumió en la más absoluta de las inquietudes. «Volveos», le pedía en silencio. Entonces ella se detuvo y ladeó la cabeza un tanto en su dirección, haciendo creer a Arthur que tal vez hubiera oído su silencioso ruego. Sin embargo, hizo caso omiso y continuó su camino, directa hacia una trampa mortal.

Jesús... Menudo desastre. La misión acababa de irse al cuerno. Los hombres de Bruce estaban a punto de perder el factor sorpresa y de matar a una mujer en el proceso.

No debía intervenir. No podía arriesgarse a que lo descubrieran. Se suponía que tenía que permanecer entre las sombras, proceder desde ellas. Y no inmiscuirse. Hacer lo que fuera necesario para proteger su identidad: matar o morir. Bruce contaba con él. Las preciadas cualidades de reconocimiento por las que ingresó en las fuerzas de élite conocidas por el nombre de Guardia de los Highlanders jamás fueron tan valiosas como en ese preciso momento. La habilidad que tenía Arthur para ocultarse entre las sombras y penetrar en lo más profundo de las líneas enemigas para conseguir información sobre terrenos, rutas de abastecimiento, fuerza y posiciones del contrario resultaba más importante que nunca ahora que esos ataques sorpresa se convertían en el sello de la guerra de estrategias de Bruce. No podía arriesgarlo todo por una sola muchacha. Por todos los santos, se suponía que ni tan siquiera debía estar allí.

«Dejadla marchar.»

El corazón le palpitaba con más fuerza a medida que la muchacha se acercaba. Él no se inmiscuía. Permanecía en las sombras. No era asunto suyo. Bajo el pesado yelmo de metal, el sudor se acumulaba sobre sus cejas. Tan solo tenía una fracción de segundo para decidir… «Maldita sea.»

Emergió desde detrás de los árboles. Aquello era una auténtica locura, pero no podía quedarse allí quieto mientras contemplaba el encuentro de una chica inocente con la muerte. Tal vez pudiera interceptarlos antes de que los vieran. Tal vez. Aunque tampoco estaba seguro de la posición de todos los hombres de Bruce. Se movió sigilosamente entre las sombras para situarse tras ella. Con un rápido movimiento, llevó la mano hasta su boca para impedir que gritara. La agarró por la cintura con el brazo y la apretó con fuerza contra sí. Tal vez con demasiada fuerza. Podía sentir cada una de sus femeninas curvas contra su cuerpo, particularmente el suave trasero que apretaba entre sus piernas. Rosas. Volvió a olerlas. Un olor, más intenso ahora, que le hizo sentirse extrañamente embriagado. Aspiró con ganas y percibió algo más. Algo caliente y mantecoso con un tenue aroma a manzanas. Tartas, pensó. Las de la cesta.

Sus forcejeos lo despertaron de aquel momentáneo abandono. «No os haré ningún daño, muchacha», susurró. Pero su cuerpo no parecía estar de acuerdo con él y se enardecía como las llamas de un incendio ante los forcejeos de la chica. Una acometida de lujuria se abría paso a través de él. La muchacha tenía unas caderas pequeñas, pero notaba sobre su brazo el inconfundible peso de dos grandes y arrebatadores pechos. Su entrepierna se inundó de calor. No era capaz de recordar la última vez que había estado con una mujer. Menudo momento para ponerse a pensar en eso.

Su escolta debió de oír el movimiento. El caballero dio media vuelta.

—¿Milady?

Al ver que Arthur la apresaba hizo ademán de blandir la espada.

—¡Chitón! —advirtió Arthur con cautela. Habló en voz baja, para evitar tanto que nadie más los escucharan como que la muchacha lo reconociera—. Solo intento ayudaros. Tenéis que salir de aquí. —Aflojó un poco la mano con la que tapaba su boca—. Os soltaré, pero no gritéis. No, a menos que queráis que caigan sobre nosotros. ¿Entendéis?

La muchacha asintió, de modo que le quitó la mano de la boca.

Ella se volvió para mirarlo. A la luz de la luna que dejaban pasar los árboles todo cuanto Arthur veía eran unos ojos enormes y redondos que lo miraban fijamente bajo la holgada capucha de su capa.

—¿Que caiga sobre nosotros quién? ¿Quién sois vos?

Tenía una voz dulce y suave, con un volumen que por suerte era el justo para que no llegara a oídos de los hombres de Bruce. Eso esperaba. Lo miró de los pies a la cabeza. Esa noche, como todas aquellas en las que estaba de servicio, viajaba ligero, y solo portaba una cota de malla ennegrecida y perneras con polainas de cuero. No obstante eran de buena calidad y, junto con yelmo y las armas, hacían que resultara obvio que se trataba de un caballero.

—No sois un rebelde —observó ella, confirmando lo que ya habían adivinado sus instintos, que no era amigo de Bruce.

—Contestad a la dama —dijo su acompañante—, o probaréis el acero de mi espada.

Arthur reprimió sus ganas de reír. Aquel hombre era todo fuerza bruta y se movía con la soltura de una barcaza gigantesca. Pero, consciente de su situación, no quiso perder el tiempo probándole al soldado lo equivocado que estaba. Tenía que sacarlos de allí tan rápida y sigilosamente como fuera posible.

—Soy un amigo, milady. Un caballero al servicio del rey Eduardo.

Al menos por el momento.

De repente se quedó completamente quieto. Algo había cambiado. No era capaz de precisar cómo lo sabía. Simplemente notaba una advertencia en lo más profundo de su ser y tenía la sensación de que el aire era diferente. Los hombres de Bruce se acercaban. Los habían descubierto.

Maldijo. Aquello no podía salir bien. No había tiempo para convencerla con palabras dulces.

—Debéis partir ya —dijo con una voz férrea que no daba cabida a las discusiones.

Advirtió que un brillo de inquietud se encendía en la mirada de la muchacha. Al parecer, también ella presentía el peligro. Pero era demasiado tarde. Demasiado tarde para todos.

Le dio un fuerte empujón que la hizo caer tras el árbol más cercano, momentos antes de que el suave silbido de las flechas atravesara el aire de la noche. La flecha dirigida a la muchacha dio contra el árbol que la protegía, haciendo un ruido seco, pero hubo otra que sí alcanzó su objetivo. El escolta emitió un quejido al tiempo que la flecha, perfectamente lanzada, atravesaba la cota de malla para alojarse en sus entrañas.

Arthur apenas tuvo tiempo para reaccionar. Se volvió en el último instante, lo justo para que la flecha que se dirigía a su corazón se le clavara en el hombro. Apretó los dientes, agarró la flecha y la partió. No creía que la punta se hubiera hincado demasiado hondo, pero tampoco quería correr riesgos intentando sacarla en ese momento.

Bruce y sus hombres lo habían confundido con uno de los mensajeros. Un error comprensible, pero que le ponía en la terrible tesitura de combatir a sus compatriotas o traicionar su identidad. También podía huir. ¿Cómo no iban a darse cuenta de que se trataba de una muchacha? Aún así, no acababa de creérselo. Si la abandonaba, moriría. Casi no pudo considerar ese pensamiento, ya que al siguiente instante se desataron todos los infiernos. Los hombres de Bruce habían caído sobre ellos y salían de la oscuridad como demonios del averno. El escolta de la dama, que aún se tambaleaba por la flecha, recibió un lanzazo en el costado y un mazazo en la cabeza. Se desplomó con un ruido seco y cayó derribado al suelo como si de un roble enorme se tratara.

Arthur oyó los gritos de espanto tras él y se adelantó al impulso de la muchacha, interponiéndose en su camino antes de que esta avanzara para ayudar al soldado caído. Ya no precisaba su ayuda. Pero uno de los hombres de Bruce debió de percatarse del movimiento. Lo que ocurrió después no fue más que una reacción instintiva. Ocurrió demasiado aprisa para poder explicarse de otro modo. Una lanza surcaba el aire con intención de alcanzarla de lleno. Arthur no pensó, simplemente reaccionó. Se adelantó y agarró al vuelo la lanza a pocos centímetros de su cabeza. Con un rápido movimiento la puso en su rodilla y la rompió en dos, tirando los restos astillados al suelo. Oyó que la muchacha daba un grito ahogado, pero no se atrevía a apartar la vista del grupo de hombres que corrían hacia él.

—¡Resguardaos tras ese maldito árbol! —gritó con furia antes de girarse a su izquierda para interceptar un mandoble.

Al hacerlo el hombre dejó un flanco descubierto, pero Arthur no quiso aprovecharlo. Blasfemó mientras repelía otro golpe. ¿Qué diablos debía hacer? ¿Revelar su identidad? ¿Le creerían? Podía escapar de allí luchando, pero ¿qué le sucedería a la muchacha? Momentos después alguien le ahorraba la decisión, para bien o para mal. La voz de un hombre llegó desde los árboles.

—¡Deteneos!

Los guerreros parecían confundidos, pero respondieron de inmediato a la orden del recién aparecido y se detuvieron en seco. Segundos después, una figura de aspecto familiar salía de entre las sombras.

—¿Qué demonios hacéis aquí, Guardián?

Arthur negó con la cabeza sin poder creerlo y salió al encuentro del guerrero vestido de negro que surgía de detrás de los árboles: Gregor MacGregor. Eso sin duda explicaba el disparo perfecto que acababa de presenciar. Gregor MacGregor era el mejor arquero de las Highlands y hacía honor al nombre de guerra, Flecha, que Bruce había elegido para proteger su identidad como miembro de la Guardia.

No estaba muy seguro acerca de si debía agradecer o no la presencia de su otrora enemigo, convertido en compañero de la Guardia de los Highlanders y al mismo tiempo en lo más parecido a un amigo que tenía. Algo que había cambiado cuando obligaron a Arthur a salir de la Guardia de los Highlanders hacía más de año y medio. En aquel momento ninguno de sus compañeros conocía la verdad, ni siquiera MacGregor. Cuando oyeron que se había unido al enemigo pensaron que era un traidor. Y, aunque al final conocieran la verdad, su misión como espía lo mantenía al margen.

Unieron sus antebrazos, y a pesar de las dudas iniciales, Arthur se encontró a sí mismo sonriendo bajo el yelmo. Dios, tenía muchas ganas de verlo.

—Veo que nadie ha estropeado aún esa cara tan bonita —dijo, consciente de lo mucho que molestaba a MacGregor que le recordaran su buena apariencia.

MacGregor rió.

—Lo siguen intentando. Me alegro mucho de veros. Pero ¿qué estáis haciendo aquí? Tenéis suerte de que viera cómo atrapabais esa lanza.

Arthur había salvado la vida de MacGregor en una ocasión haciendo eso mismo. No era tan difícil como parecía, siempre que fueras capaz de sobreponerte al miedo. La mayoría no podía. Pero él no conocía el miedo.

—Perdón por lo de la flecha —dijo MacGregor señalando su hombro izquierdo, en el que la sangre brotaba alrededor de la varilla astillada, que todavía sobresalía del brazo varios centímetros.

—No es nada —dijo Arthur encogiéndose de hombros.

Había sufrido heridas peores.

—¿Conocéis a ese traidor, Capitán? —preguntó uno de los hombres.

—Sí —dijo MacGregor antes de que Arthur pudiera advertirle—. Y no es ningún traidor. Es de los nuestros.

Maldición. La muchacha. Se había olvidado de ella. Cualquier esperanza de que no hubiera oído a MacGregor o entendido el significado de sus palabras se desvaneció en cuanto sintió el sobresalto que habían provocado en ella.

También lo oyó MacGregor, que sacó su arco, pero Arthur lo detuvo.

—Estáis a salvo —dijo—. Podéis salir, muchacha.

—¿Muchacha? —preguntó MacGregor para después maldecir por lo bajo—. Así que eso es lo que pasa…

Arthur asintió.

La mujer salió de detrás del árbol. Cuando Arthur se adelantó para tomarla por el codo se puso tensa, como si su contacto la ofendiera. Sí, lo había oído muy claro.

Con todo aquel caos la capucha se le había caído, descubriendo paso a una melena larga y brillante de cabellos cobrizos que caían por su espalda en unos rizos abundantes y espesos. Su insolente belleza parecía tan fuera de lugar que por un momento lo dejó boquiabierto. Pero después un rayo de luna alcanzó su cara y Arthur quedó sin respiración por completo. Era preciosa. Unos ojos grandes de pestañas enormes dominaban su diminuto rostro en forma de corazón. Tenía una nariz pequeña y ligeramente torcida, barbilla puntiaguda y cejas arqueadas tímidamente. Sus labios le hacían una boquita de piñón rosada de formas perfectas, y su piel… su piel era tan suave y blanca como la nata. Tenía el aspecto dulce y vulnerable de un animal de pelaje aterciopelado, como si fuera un conejo o un gatito.

Aquella inocente fragancia a feminidad no era en absoluto lo que él esperaba. Parecía algo de lo más incongruente en medio de una guerra. No pudo más que permanecer en silencio sin salir de su asombro al ver que el hijo de perra de MacGregor se adelantaba, se desprendía del yelmo y le ofrecía una mano con galantería.

—Mis disculpas, milady —dijo con una sonrisa ante la que habían sucumbido la mitad de los corazones femeninos de las Highlands. La otra mitad todavía no lo había conocido—. Esperábamos a otra persona.

Arthur oyó el predecible suspiro de la muchacha cuando esta contempló la cara de aquel al que se conocía como el hombre más apuesto de las Tierras Altas. Sin embargo la chica recuperó la compostura enseguida y, para su sorpresa, se comportó de manera muy lúcida. La mayoría de las mujeres en ese momento balbucearían.

—Obviamente. ¿O es que el rey Capucha ha declarado la guerra a las mujeres? —preguntó, haciendo uso del mote que los ingleses daban al rey proscrito—. ¿O tal vez a simples sacerdotes? —añadió mirando hacia la iglesia.

Para ser una persona rodeada de enemigos demostraba no tener miedo alguno. Aunque esa fina capa forrada de armiño no la hubiera delatado, habría sabido que era una mujer de la nobleza simplemente por su comportamiento orgulloso.

MacGregor hizo una mueca.

—Tal y como he dicho, ha sido un error. El rey solo declara la guerra a aquellos que le deniegan lo que le pertenece por derecho.

La muchacha chasqueó la boca como muestra de su desacuerdo.

—Si hemos acabado con esto, había venido a buscar al sacerdote. —Bajó la mirada a su escolta abatido—. Es demasiado tarde para mi hombre, pero tal vez pueda aliviar en algo a los que aguardan en el castillo.

Extremaunción, observó Arthur. Probablemente para soldados heridos en la batalla de Glen Trool de la semana anterior. A pesar de tener el rostro cubierto por el yelmo siguió hablando en voz baja para preservar su persona todo cuanto pudiera. Ya había expuesto lo suficiente su doble identidad. No quería brindar a la joven una oportunidad para poder identificarlo. Probablemente sería pariente de alguno de los nobles que habían enviado a Ayr para dar caza a Bruce. Se aseguraría de mantenerse lejos, muy lejos del castillo.

—¿Cuál es vuestro nombre, milady? ¿Y por qué viajáis con un guardián tan nefasto?

La muchacha lo miró por encima del hombro, arrugando su minúscula nariz con expresión severa. Siendo tan chata podría haber parecido algo ridículo, pero se las arregló para manifestar su desdén de una manera sorprendentemente eficaz.

—Ir a buscar un sacerdote no suele ser una tarea demasiado peligrosa, como supongo que incluso un espía será capaz de reconocer.

A Arthur se le torció el gesto por completo. Así le expresaba su gratitud. Tal vez hubiera debido abandonarla a su suerte.

MacGregor rompió una lanza en su favor.

—Debéis vuestra vida a este hombre, milady. Si él no hubiera intervenido —dijo, y miró al escolta caído—, los dos estaríais muertos.

Sus ojos se abrieron al percatarse de ello y unos dientecitos blancos mordieron la suave almohadilla de su labio inferior. Arthur sintió otro inesperado tirón bajo el cinto de su espada.

—Lo siento —dijo dirigiéndose a él en voz baja—. Os lo agradezco.

La gratitud de una bella mujer no era algo que quedara sin efecto. Sintió con más fuerza la presión que subía por su entrepierna, y el tono cantarín aterciopelado de su voz le hizo pensar en camas, cuerpos desnudos y palabras de placer susurradas.

—Vuestro brazo... —La muchacha lo miró con incertidumbre—. ¿Es grave la herida?

Antes de que Arthur pudiera formular la respuesta, oyó un ruido. Su mirada se dirigió de los árboles a la iglesia y percibió las señales de movimiento.

Maldición. El ruido del ataque debía de haber alertado a los ocupantes de la iglesia.

—Tenéis que partir —dijo a MacGregor—. Ya vienen.

MacGregor había comprobado de primera mano las habilidades de Arthur muchas veces como para dudar de él. Hizo señas a sus hombres para que se pusieran en marcha y los guerreros de Bruce volvieron a esconderse entre las sombras de los árboles.

—La próxima vez será —dijo MacGregor antes de unirse a ellos.

Arthur lo miró a los ojos comprendiendo a qué se refería. Esa noche no habría plata. En unos momentos la iglesia sería un avispero de hombres y estaría iluminada como una almenara, advirtiendo del peligro a cualquiera que se acercase.

Bruce no podría contar con la plata para el aprovisionamiento de sus hombres a causa de una muchacha. Tendrían que confiar en lo que pudieran cazar y rapiñar del campo hasta que se presentara una nueva oportunidad.

—Será mejor que también vos partáis —dijo la muchacha con severidad. Cuando vio que dudaba, suavizó un poco sus palabras—. Estaré bien. Marchad. Y gracias —añadió tras una pausa.

Sus ojos se encontraron en la oscuridad. A pesar de que resultara del todo ridículo, por un momento Arthur se sintió vulnerable. Pero ella no podía verlo. Con el yelmo bajado las únicas aberturas del acero eran dos estrechas ranuras para los ojos y los pequeños conductos para respirar. Aun así, sintió algo extraño. Si no estuviera escarmentado, habría dicho que era una conexión. Pero él no sentía conexión con ninguna mujer extraña, y mucho menos con las enemigas. Maldita fuera, si no tenía conexión con nadie. Tenía ganas de decir algo, el diablo sabría qué, pero no tuvo la oportunidad. Las antorchas aparecieron a las puertas de la iglesia. El sacerdote y varios de los soldados ingleses heridos se aproximaban en su dirección.

—De nada —dijo para volverse a adentrar en las sombras, allí donde pertenecía.

Era un espectro. Un hombre que no existía. Justamente como le gustaba que fuera. Se sumergió en la oscuridad perseguido por la exclamación de alivio de la muchacha al echarse en brazos del sacerdote.

Sabía que podía arrepentirse de lo sucedido aquella noche. Al salvar la vida de la joven no había sacrificado simplemente la plata, sino también su identidad. Pero no podía arrepentirse por ello. Ya habría más plata. Además, era poco probable que sus caminos volvieran a cruzarse. Se encargaría de ello personalmente.

Su secreto estaba a salvo.

Por el momento.

1

Castillo de Dunstaffnage, Argyll, Escocia,
24 de mayo de 1308

«Por favor, que esté ya muerto. Por favor, que todo haya acabado.»

Anna MacDougall soltó la canasta en el suelo y se arrodilló a los pies de su padre, rezando por oír las noticias que pondrían punto y final a esa guerra que había marcado cada uno de los días de su existencia.

Literalmente.

Anna nació en un día señalado de la historia de Escocia: el diecinueve de marzo del año de Nuestro Señor de mil doscientos ochenta y seis. El mismo día en que el rey Alejandro III quiso estar junto a su joven esposa e, ignorando el consejo de sus hombres, cabalgó en aquella noche tormentosa hasta Kinghorn, en Fife, para resbalar por el camino en un acantilado que le llevaría a la muerte. La lujuria del rey dejó al país sin un heredero directo al trono, con un resultado de veintidós años de guerra y de conflictos para determinar quién tenía que portar la corona.

Hubo un momento en el que se disputaban el trono catorce aspirantes. Pero la verdadera batalla siempre estuvo entre los Balliol-Comyn y los Bruce. Cuando Robert Bruce decidió encargarse del tema personalmente y asesinó al líder de sus competidores, John Comyn el Rojo, primo del padre de Anna, se convirtió para siempre en enemigo de sangre de los MacDougall. El desprecio hacia Robert Bruce solo era comparable con el que le inspiraban sus parientes los Mac-Donald. Las acciones de Bruce obligaron a los MacDougall a una precaria alianza con Inglaterra. Incluso Eduardo Plantagenet era preferible a tener un Bruce en el trono.

Así que rezaba por la muerte de Robert Bruce. Desde el preciso momento en que les llegó la noticia en medio de la contienda de que Bruce estaba en el lecho de muerte aquejado de una misteriosa enfermedad, Anna había rezado para que esta se lo llevara consigo, para que la naturaleza derrotara al enemigo. Por supuesto aquello de rezar por la muerte de un hombre era un pecado horrible. Lo sería rezar por la muerte de cualquier persona, incluso por la de un asesino sanguinario como Robert Bruce. Las monjas de la abadía estarían escandalizadas.

Pero no le importaba. No, si aquello significaba el final de esa maldita guerra olvidada de Dios. Una guerra que ya se había llevado a su hermano junto a su prometida y que se había cobrado su precio no solo en su anciano abuelo, Alexander MacDougall, lord de Argyll, sino también en el hijo de este, John MacDougall, lord de Lorn, el padre de Anna.

Su padre apenas pudo recuperarse de sus recientes dolores en el pecho. No sabía si aguantaría mucho más. Los últimos triunfos de Bruce no hicieron sino empeorar su estado. Era un hombre que odiaba perder.

Costaba creer que solo hiciera un año de que aquel rey Capucha huyera con unos cuantos partidarios y su causa a todas luces perdida. Y sin embargo, el rey fugitivo estaba de vuelta y conseguía redoblar su apuesta por el trono de Escocia, en buena parte gracias a la muerte de Eduardo I de Inglaterra.

Así que, ya fuera pecaminoso o no, Anna rezaba por la muerte de su enemigo. Haría con gusto la penitencia por esos malvados pensamientos si aquello significaba proteger a su padre y a su clan del hombre que quería verlos muertos. Aparte de eso, tal y como las monjas le habían dicho incontables veces antes, jamás estuvo destinada para la vida monacal. Cantaba demasiado. Reía demasiado. Y lo más importante, jamás prestó tanta devoción al Señor como sentía por su familia.

Anna estudió el rostro de su padre, escrutándolo en busca de alguna reacción, en tanto que este abría el sobre de la carta y la leía. Era tal su ansiedad que ni tan siquiera se molestó en llamar a su escribano. Tenía la fortuna de poder encontrarse con él a solas en su cámara justo después de que acabase el consejo con sus hombres. Su madre, que siempre revoloteaba a su alrededor quejándose y dando muestras de su irritación, había salido al jardín a supervisar la recolección de unas hierbas para una nueva tintura sugerida por el sacerdote, que ayudaría a aliviar el encharcamiento de los pulmones de su padre.

Enseguida se percató de que no eran buenas noticias. Un acceso de ira enrojeció el apuesto rostro de su padre, los ojos le brillaron como si tuviera fiebre y frunció la boca hasta adoptar una expresión de disgusto. Era una mirada que inspiraba terror en los corazones de los guerreros más curtidos, pero que en Anna solo provocaba preocupación. Sabía reconocer al padre amoroso que había tras esa ruda fachada de guerrero. Se asió con tanta fuerza al brazo del sillón con forma de trono de su padre que se clavó el relieve de la madera tallada en la mano.

—¿Qué ocurre, padre? ¿Qué ha pasado?

Su padre alzó la vista para mirarla. Anna se vio invadida por un acceso de pánico al ver cómo se encolerizaba. Los ataques de ira de su padre siempre fueron una visión aterradora, que rivalizaba con el famoso mal genio angevino de los reyes Plantagenet de Inglaterra, pero después del ataque que había sufrido lo fueron aún más si cabe. Fue la ira lo que le causó los dolores en el brazo y el pecho en la ocasión anterior. Unos dolores que le habían paralizado, cortado la respiración y dejado postrado en el lecho durante casi dos meses.

Arrugó el pergamino en el interior de su puño hasta convertirlo en una bola.

—Buchan ha huido. Han derrotado a los Comyn.

Anna tuvo que parpadear. Le llevó un momento comprender lo que su padre acababa de decirle, ya que parecía algo imposible. John Comyn, conde de Buchan, pariente del John

Comyn lord de Badenoch asesinado, era uno de los hombres más poderosos de Escocia.

—Pero ¿cómo…? —preguntó—. Bruce estaba a las puertas de la muerte.

Su padre siempre había animado a sus hijos a que hicieran preguntas. Deploraba la ignorancia, incluso en las mujeres, y por esa razón había insistido en que todas sus hijas se educaran en el convento. Pero al ver su expresión colérica y la rigidez de su cuerpo a Anna casi le entraron ganas de retirar la pregunta.

—Ese vergajo se las arregla para hacer milagros incluso desde el lecho de muerte —dijo de mala gana—. El pueblo empieza a pensar que es un héroe o algo así, como si fuera el segundo advenimiento de Arturo y la corte de Camelot. Buchan tenía a ese hijo de perra acorralado cerca de Inverurie, pero sus hombres flaquearon cuando vieron al Bruce encabezando el ejército —dijo aporreando la mesa con el puño y derramando el vino que contenía su copa—. Los Comyn corrieron como gallinas al ver que llevaban a un enfermo a la batalla. ¡Huyeron de un maldito inválido!

Su rostro enrojeció tanto que las venas de la sien parecían a punto de estallarle.

El miedo le atenazó el pecho a Anna, no porque temiera la ira de su padre, sino por el peligro que ello suponía para su salud. Luchó por reprimir las lágrimas que afloraban en sus ojos, porque su indómito orgullo entendería esas lágrimas como una señal de que lo veía débil. Él era un poderoso guerrero y no un hombre necesitado de mimos. Pero esa guerra imponía sobre él los certeros efectos de un lento veneno. Si pudiera conseguir que su padre superara ese problema con Bruce, todo saldría bien. ¿Por qué no había sucumbido el falso rey a la enfermedad tal y como se suponía que haría? Si hubiera ocurrido así, todo aquello habría acabado.

Tenía que calmarlo. En lugar de servirse de súplicas o de lágrimas, tomó de la mano a su padre y se esforzó por sonreírle burlonamente.

—Será mejor que no permitáis que Madre os oiga hablar de esa forma en mi presencia. Ya sabéis que os culpa de que mi vocabulario no sea el de una damisela. —Por un instante pensó que sus palabras no habían surtido efecto, pero la bruma de ira comenzó a disiparse de su rostro poco a poco. Cuando al final la miró como si realmente la estuviera viendo, Anna añadió de manera inocente—: ¿Tal vez tendría que llamarla?

Su padre dejó escapar una fuerte carcajada que se confundió con la tos de sus pesados pulmones.

—No te atrevas. Me obligará a pasar por el gaznate otra de esas asquerosas pociones. El Señor sabe que lo hace por mi bien, pero podría llevar a la perdición a un santo con esa preocupación constante. —Negó con la cabeza y le dirigió una mirada de afecto, dando a entender que era plenamente consciente de lo que acababa de hacer—. No tienes nada que temer, ¿sabes? Estoy como un roble. Pero eres una muchacha muy astuta, Annie querida —añadió entornando los ojos—. Te pareces más a mí que ningún otro. ¿No es eso lo que siempre te he dicho?

Anna se puso tan contenta con el cumplido que se le marcaron los hoyuelos

—Sí, padre.

Este continuó como si ella no le hubiera respondido.

—Desde aquel día en que entraste en mi cámara con el pulgar en la boca, le echaste un vistazo al mapa de la batalla y pusiste a nuestros hombres en la posición de ataque perfecta.

Anna rió, sin recordar realmente aquel día, aunque había oído la historia muchas veces antes.

—Pensaba que aquellas figuras talladas eran juguetes —dijo.

—Sí, pero tus instintos eran puros. —John MacDougal suspiró—. Pero temo que no será tan fácil en esta ocasión. Buchan escribe que buscará refugio en Inglaterra. Una vez derrotados los Comyn, el usurpador vendrá a por nosotros.

¿Nosotros? Anna tragó saliva. El miedo se apoderó de su ser.

—Pero ¿qué hay de la tregua?

Hacía meses, cuando dio comienzo su marcha hacia el norte, Bruce dedicó sus esfuerzos a luchar contra los hombres de Argyll, amenazándolos por tierra y por mar. Su padre, enfermo y con menos hombres, pactó una tregua, tal y como había hecho el conde de Ross en el norte. Anna tenía la esperanza de que aquella tregua significara el fin de las batallas.

—Expira en los idus de agosto. Cabe esperar que al día siguiente tengamos al enemigo ante nuestras puertas. Ya ha expulsado a los MacDowell de Galloway, y ahora que los Comyn han huido…

Su padre volvió a expresar su descontento frunciendo el ceño. Al darse cuenta de que la cólera lo acometía de nuevo Anna le recordó:

—El conde de Buchan jamás fue un buen general en la batalla. Vos mismo lo dijisteis muchas veces. El rey Capucha no habría tenido tanta suerte luchando en vuestra contra, que sin duda es la razón primordial por la que aceptó la tregua. Dal Righ está todavía muy fresco en su memoria.

Su padre juegueteó con el broche de plata maciza que llevaba al cuello. Aquel cristal ovalado rodeado de diminutas perlas era un talismán que le recordaba lo cerca que habían estado de capturar al rey figitivo. Tenían a Bruce literalmente en sus manos cuando el broche se desenganchó durante el forcejeo.

La sombra de una sonrisa apareció alrededor de su boca, y Anna supo que aquellas palabras habían sido de su agrado.

—Tienes razón, pero nuestra victoria anterior no le hará detenerse en esta ocasión. Somos lo único que se interpone en su camino a la corona.

—Pero ¿qué pasará con el conde de Ross? —preguntó—. ¿Es que no va a luchar a nuestro lado?

La boca de John MacDougal adoptó un gesto severo.

—No podemos contar con Ross. Se negará a dejar sus tierras sin protección. Pero intentaré persuadirle de que debemos unir nuestros esfuerzos para derrotar al rey Capucha de una vez por todas.

No había reproche alguno en las palabras de su padre, pero Anna se sintió culpable de todos modos. Persuadir a Ross habría sido más fácil en caso de que ella hubiera aceptado el matrimonio con su hijo Hugh el pasado año.

—Reuniré a mis barones y caballeros y me pondré en contacto con Eduardo para pedirle ayuda. No es ni la mitad de rey de lo que fue su padre, pero tal vez la derrota de Comyn le haga ver la necesidad de enviar más hombres al norte.

No obstante, su voz no destilaba esperanza alguna. Anna sabía tan bien como su padre que no cabía esperar mucha ayuda de Eduardo II. El nuevo rey de Inglaterra tenía demasiados problemas propios para preocuparse por Escocia. Aunque todavía quedaban soldados ingleses acuartelados en la mayoría de los castillos principales de Escocia, especialmente en los fronterizos, Eduardo había reclamado a casi todos sus generales, incluido el recién nombrado conde de Pembroke, Aymer de Valence.

—¿Y si no llega la ayuda? —dijo mordiéndose el labio.

No era tan tonta para preguntarle a su padre si se rendiría. Preferiría verlos a todos muertos antes que arrodillados ante Bruce: «Conquistar o morir», el lema de los MacDougall estaba bien arraigado en él.

A pesar del calor que hacía en la cámara de su padre Anna sintió un escalofrío.

—Entonces tendré que derrotar a ese hijo de perra yo solo. Ya estuve a punto de atraparlo en Dal Righ, a punto de asesinarlo con mis propias manos. Esta vez tengo intención de acabar el trabajo. Para final de verano la cabeza de Robert Bruce colgará a las puertas de mi castillo y los buitres le picotearán los ojos —dijo, y entornó los suyos con fiereza.

Anna ignoró lo incómoda que la hacía sentir. Odiaba cuando su padre hablaba de ese modo. Hacía que pareciera un hombre cruel y despiadado, no el padre cariñoso al que ella adoraba. Alzó la vista para mirarlo, y al contemplar la firme resolución de su expresión montaraz, no lo puso en duda ni por un segundo. Su padre era uno de los mejores guerreros y generales de Escocia. Puede que el destino se volviera contra ellos, pero John de Lorn pondría fin a eso.

Tal vez el fin de la guerra estuviera cerca, después de todo. La incertidumbre, la muerte, la destrucción, el engaño, todo acabaría en breve. El veneno que estaba matando a su padre se disolvería. Su familia estaría a salvo. Se casaría, tendría un hogar e hijos propios. Todo volvería a la más feliz de las normalidades.

No podía permitirse verlo de otro modo. Pero en ocasiones parecía que intentara detener una catarata con un cedazo o nadar contra un remolino dispuesto a arrastrarlo todo hasta el fondo: sus padres, sus hermanas y hermanos, sus sobrinas y sobrinos pequeños. No dejaría que aquello sucediera. Haría lo que fuera necesario para proteger a su familia.

—¿Qué puedo hacer?

Su padre sonrió y le dio un pellizco indulgente en la mejilla.

—Eres una buena chica, Annie querida. ¿Qué dirías de hacerle una visita a mi primo el obispo? —Anna asintió y se dispuso a levantarse—. Y Anna —añadió mirándola con curiosidad al ver que cogía la cesta—, no te olvides de las tartas. Ya sabes cómo le gustan —dijo entre risas.

Alrededores de Inverurie, Aberdeenshire

Aunque la luna llena colgaba sobre el vetusto monumento de piedra, la columna de humo velado de las hogueras cercanas daba a su luz una bruma espectral. La victoria dejaba un sabor acre en la lengua de Arthur y le hacía sentir quemazón en la garganta. Era cerca de la medianoche, pero los ruidos de los alzamientos y la destrucción desenfrenada seguían inundando el aire nocturno. Bruce aprendió de memoria la lección de William Wallace y lo arrasaba todo a su paso, sin dejar nada en la tierra que pudiera ser usado por sus enemigos. Habían echado a Comyn de Escocia, pero el acoso a Buchan persistiría por un tiempo.

Aquel bloque de granito en la explanada parecía apuntar al cielo en un ángulo que no podía ser más que intencionado. Su intención era algo que apenas podía imaginar. Habían pasado demasiados años y el propósito de aquellos bloques de piedra místicos de los druidas había caído en el olvido. Pero como aquellas piedras siempre estaban en lugares aislados eran el punto perfecto para un encuentro. Arthur observaba la explanada oculto tras las sombras del círculo de árboles que rodeaba el monumento con una impaciencia por la llegada de los hombres poco común en él. Tenía la esperanza de que aquello fuera el fin de la mascarada. Estaba harto de vivir en la mentira. Tras años de fingimiento, le costaba recordar en qué bando estaba.

Sería la primera vez en casi dos años y medio, desde el día en que le habían obligado a abandonar el adiestramiento en la Guardia de los Highlanders para «unirse» al enemigo, que vería al hombre por el cual luchaba fuera del campo de batalla. Lo que le decía que sus días como espía podrían ser ya contados era el hecho de que el rey se arriesgara a encontrarse en persona con él. Arthur había cumplido bien su misión, proveyendo la información estratégica previa a la batalla de Inverurie que permitió a Bruce y a sus hombres derrotar al conde de Buchan y que este saliera disparado hacia Inglaterra con el rabo entre las piernas. Ahora que habían derrotado a los Comyn, Arthur esperaba ocupar su puesto entre el resto de los miembros de la Guardia de los Highlanders, lo mejor de lo mejor, una banda de guerreros escogidos por el propio Bruce por sus distinguidas habilidades en cada una de las artes de la guerra.

Se quedó inmóvil, con la mirada fija en un hueco abierto entre los árboles de su derecha. El leve ruido de la huida de un conejo o una ardilla significaba el primer sonido que delataba su llegada. Estar atento a los detalles más pequeños, las observaciones más ínfimas, era lo que le hacía diferente del resto. Atravesó la arboleda en diagonal sin hacer ruido alguno y apareció a sus espaldas. Una vez confirmada la identidad de los hombres, se presentó imitando el ululato de un búho.

Los tres hombres, obviamente sorprendidos, se dieron la vuelta desenvainando las espadas. Su hermano Neil fue el primero en recobrarse.

—¡Por los huesos de Cristo! Incluso mejor de lo que había imaginado. Todavía nos quedan cuando menos cincuenta pasos para llegar a la explanada. —Se volvió y sonrió al hombre alto y de aspecto temible que estaba junto a él—. Me debéis un chelín.

Tor MacLeod, el capitán de la Guardia de los Highlanders, emitió un brusco sonido de disgusto y murmuró entre dientes. Neil hizo caso omiso y se adelantó para saludar a Arthur, sin ocultar el placer que le procuraba verlo.

—Eres incluso mejor que antes, hermano. —Cuando vio que Arthur lo interrogaba con la mirada acerca de MacLeod, Neil se lo explicó—: Me he apostado un chelín con este bárbaro testarudo aquí presente a que nos encontrarías antes de que llegáramos a la explanada, por más sigilosos que fuéramos. Has hecho una muesca en su orgullo de acero de las Highlands.

Arthur tuvo que reprimir la sonrisa. Tor MacLeod era el mejor guerrero de todas las tierras Altas y las islas Occidentales. Su orgullo no tenía muescas. Pero estaba claro que Arthur había impresionado a su capitán, y también a su hermano. Neil, el mayor de todos, le llevaba casi veinticuatro años y en muchos aspectos era como un padre para él. A pesar de que Arthur le sacara casi media cabeza, él siempre lo vería como su hermano mayor. Si había alguien responsable de lo que Arthur había llegado a ser ese era Neil. De pequeño lo había recogido del barro más veces de las que podía recordar cuando sus otros hermanos intentaban hacer de él un guerrero. Neil fue quien alentó a Arthur para que aguzara sus habilidades y no las escondiera, quien le enseñó a sentirse orgulloso de las destrezas que incomodaban al resto de sus familiares. Le debía a su hermano más de lo que jamás podría pagarle, pero nunca cesaría en su empeño por intentarlo.

MacLeod fue a saludarlo, agarrándolo por el antebrazo de la misma manera en que lo había hecho su hermano.

—Nunca tuve oportunidad de agradeceros lo que hicisteis —dijo con una expresión de extraña intensidad—. Si no hubierais intervenido, mi esposa… —Dejó en suspenso la frase—. Estoy en deuda con vos.

Arthur asintió. Hacía dos años, justo antes de que Bruce declarara su opción a la corona, Arthur evitó la muerte de la esposa de MacLeod. Estuvo en el lugar apropiado en el momento justo, ya que acababan de «echarle» de la Guardia.

—Por lo que he oído es de recibo daros la enhorabuena, Jefe —dijo Arthur usando el nombre de guerra asignado para proteger su identidad.

El pétreo rostro del capitán de la Guardia de los Highlanders se quebró en una extraña sonrisa.

—Sí —dijo—. Tengo una hija. Beatrix, como su tía.

—No creo que la coja en brazos por mucho tiempo —dijo Neil entre risas—. Tenía miedo de romperla.

Tor lo miró con mala cara, pero no se lo discutió.

El tercer hombre salió a su encuentro. Aunque era más bajo que los otros dos, su figura era igual de imponente. De anchos hombros, con los fuertes y marcados músculos de un guerrero, a pesar de la enfermedad que había causado estragos en su salud, llevaba una cota de malla completa y un tabardo blasonado con el león rampante rojo bajo la capa negra. Aunque sus rasgos de corte duro y su puntiaguda barba no se veían bajo el yelmo de acero, Arthur lo habría reconocido simplemente por el aura majestuosa que lo rodeaba. Se arrodilló e inclinó la cabeza ante el rey Robert Bruce.

—Señor.

El rey respondió a su vasallaje asintiendo con la cabeza.

—Poneos en pie, sir Arthur. —Se aproximó hacia él para saludarlo con un apretón de antebrazos—. Así podré agradeceros los servicios que nos habéis prestado en Inverurie. Sin vuestra información no habríamos podido organizar un contraataque tan inmediato. Teníais razón. Buchan y sus hombres estaban mal preparados y cayeron al mínimo empujón.

Arthur examinó el rostro del rey y se percató de las arrugas y la palidez cetrina que lo envolvían. MacLeod se había colocado junto a él para ofrecerle su apoyo sin que este lo advirtiera, aunque a Arthur le resultara sorprendente el mismo hecho de ver al rey en pie. Sospechaba que habría hombres en las cercanías, preparados para llevarle de vuelta al campamento.

—¿Estáis bien, mi señor?

Bruce asintió.

—Nuestra victoria ante los Comyn ha sido mucho mejor cura que cualquiera de las tinturas que los sacerdotes hayan preparado. Estoy mucho mejor.

—El rey insistió en daros las gracias personalmente —dijo MacLeod con cierto tono de reproche en la voz.

Pero al rey no pareció importarle.

—Vuestro hermano y Jefe son más protectores que dos viejas chochas.

MacLeod condujo al rey hasta una roca plana en la que pudiera sentarse y dijo de manera contumaz:

—Ese es mi trabajo.

El rey lo miró como si quisiera discutirlo, pero se dio cuenta de la inutilidad de ello y se volvió hacia Arthur.

—Esa es la razón de que estemos aquí—dijo—. Tengo un nuevo trabajo para vos.

Por fin. El momento que tanto había esperado.

—Queréis que vuelva a unirme a la Guardia de los Highlanders —finalizó por él.

Hubo una pausa incómoda. El rey se quedó circunspecto. Obviamente no era eso lo que estaba a punto de decir.

—No. Aún no. Vuestras habilidades han demostrado ser demasiado valiosas trabajando en el bando enemigo. Pero nos hemos percatado de una nueva oportunidad.

«Una nueva oportunidad.» No volvería a la Guardia. Por más decepcionado que pudiera estar con las noticias del rey, Arthur no lo dejó ver. Sería mejor que permaneciera solo. De todas maneras nunca se había sentido cómodo en los grupos. Le gustaba la libertad de tomar sus propias decisiones. No tener que dar explicaciones a nadie ni rendir cuentas de lo que hacía. Como caballero en casa de su hermano Dugald, podía entrar y salir prácticamente cuando le placiera. Tal y como pasaba frecuentemente en muchas familias de Escocia, los Campbell habían quedado divididos tras la guerra. Sus hermanos Neil, Donald y Duncan estaban con Bruce, pero sus otros hermanos, Dugald y Gillispie, se alistaron en el bando del conde de Ross y, por ende, de Inglaterra. Esa división en la familia hizo mucho más fácil colocarlo en campo enemigo.

—¿Qué tipo de oportunidad? —preguntó.

—Infiltrarse en el mismo corazón del enemigo.

«Infiltrarse.» Eso significaba estar muy cerca. Algo que Arthur intentaba evitar por todos los medios. Esa era la razón de que no se hubiera unido a ninguna de las casas nobles como hacían la mayoría de los caballeros.

—Trabajo mejor solo, mi señor.

Desde el exterior. Donde pudiera mezclarse sin pasar a un primer plano. Donde pudiera pasar desapercibido.

Neil, que le conocía bien, sonrió.

—No creo que te importe en esta ocasión.

Arthur buscó a su hermano con la mirada. La satisfacción que vio en sus ojos le hizo comprender a lo que se refería.

—¿Lorn?

Aquella sencilla palabra cayó con la fuerza del martillo de un herrero. Neil asintió y una sonrisa plácida surcó su rostro.

—Esta es la oportunidad que estábamos esperando.

MacLeod lo explicó.

—John de Lorn ha llamado a filas a sus barones y caballeros. Vuestros hermanos, Arthur, responderán a la llamada. Id con ellos. Averiguad lo que los MacDougall planean, cuántos hombres tienen y quién se unirá a ellos. Están haciendo pasar mensajeros entre nuestros hombres y quiero que los detengáis. Queremos que permanezcan en el mayor de los aislamientos hasta que expire la tregua. Tengo a Halcón controlando las rutas marinas, pero os necesito a vos en tierra firme.

Tierra firme era donde Arthur se movía mejor. Argyll era la patria de los Campbell. Arthur nació en Innis Chonnel, un castillo en medio del lago Awe, y vivió allí hasta que los Mac-Dougall se apoderaron de él.

La emoción recorrió todo su cuerpo. Se trataba del momento que había estado esperando desde hacía mucho tiempo. Catorce años, para ser exactos. Desde el día en que John de Lorn acuchilló a su padre traicioneramente ante sus propios ojos. Arthur no lo vio venir. Fue la única vez en que le fallaron sus sentidos.

Incluso en el caso de que Neil no se lo hubiera pedido, aunque Bruce no le hubiera ofrecido tierras y la promesa de una rica esposa por combatir a su lado, Arthur se habría unido a su bando solo por la oportunidad de destruir a John de Lorn y a los MacDougall. La sangre se pagaba con sangre según el espíritu highland. No pensaba fallarle a su hermano del mismo modo en que había fallado a su padre.

MacLeod malinterpretó su silencio como una objeción y continuó:

—Con vuestro conocimiento del terreno no hay nadie en mejores condiciones para este cometido. Habéis pasado más de dos años componiendo esa farsa de alianza justamente para este tipo de misión. Puede que Lorn no se sienta cómodo teniendo a los Campbell cerca, pero una vez que Eduardo ha dado por acabada la contienda y habiéndose reconciliado con vuestro hermano Dugald hace algún tiempo, tiene razones más que suficientes para querer pensar que no sois más que lo que parecéis ser.

—Demonios. Si el propio tío de Lorn lucha en nuestro bando —añadió Bruce, refiriéndose a Duncan MacDougall de Dunollie—. Las familias divididas son algo que conoce de sobras.

—John de Lorn no sabe lo que tú viste, hermano —dijo Neil con voz queda refiriéndose al momento en que fue testigo de la muerte del padre de ambos—. Haz lo que siempre haces. Mantén la discreción y observa. Para lo grandullón que eres se te da estupendamente eso de pasar desapercibido —dijo esbozando una sonrisa cariñosa al recordar que no siempre tuvo ese tamaño—. Apártate del camino de Lorn y actúa con cautela. Al principio puede que desconfíe, así que no le des nunca la espalda.

Eso lo sabía él mejor que nadie. Y no era necesario que lo convencieran. Cualquier reticencia que hubiera podido tener a meterse en casa del enemigo se desvaneció al oír el nombre de Lorn.

—¿Entonces? —preguntó Bruce.

Arthur lo miró a los ojos y poco a poco fue esbozando una sonrisa maliciosa en sus labios.

—¿Cuánto tengo que esperar para partir?

Disfrutaría con cada uno de los minutos en que contemplara la destrucción de John de Lorn. Nada se interpondría en su camino.

2

Castillo de Dustaffnage, Lorn,
11 de junio de 1308

Apenas tres semanas después del encuentro con el rey junto a los bloques de piedra, Arthur Campbell ya estaba allí. En la misma boca del lobo, el refugio del león, la guarida del diablo: el castillo de Dunstaffnage, la impresionante fortaleza del clan MacDougall.

Reunido en el gran salón junto al resto de los caballeros y gentilhombres que habían respondido a la llamada, esperando su turno para acercarse al estrado, Arthur procuraba no pensar en la importancia de lo que estaba por llegar. Si había algún momento en que John de Lorn se concentraría en cada una de sus reacciones sería sin duda aquel. Inspeccionó la sala con su habitual intensidad, advirtiendo todas las posibles entradas y salidas. Aunque tampoco es que la escapada supusiera una posibilidad real. Si Lorn averiguaba sus intenciones, Arthur tendría serias dificultades para salir de allí con vida. Pero dejarse guiar por su instinto era para él una costumbre, y era mejor estar preparado. Para cualquier cosa.

Al tomar nota de los detalles de la sala hubo de admitir que estaba impresionado. El castillo era uno de los más hermosos que nunca hubiera visto. Construido unos ochenta años atrás, Dunstaffnage estaba estratégicamente situado en lo alto de un pequeño promontorio de tierra donde se encontraban el fiordo de Lorn con la orilla sur del lago Etive, con lo que resguardaba el acceso occidental a Escocia por el mar. Construidos sobre una base de rocas, sus imponentes muros recubiertos de limo se erigían unos quince metros sobre la tierra, con torres redondas en tres de sus cuatro esquinas. La mayor de estas, junto al gran salón, servía como torre del homenaje y albergaba las cámaras privadas del señor del feudo. El diseño y la arquitectura del castillo reflejaban el poder del hombre que lo había construido. Siendo aún parte del reino de Noruega en el momento de su edificación, el responsable de su construcción, Duncan, hijo de Dugald, hijo del poderoso Somerled, fue investido con el título de *ri Innse Gall*, rey de las Islas, un título que los MacDougall seguían tomándose muy a pecho.

Aquel castillo era digno de un rey. El gran salón ocupaba la totalidad de la primera planta del ala este: alrededor de treinta metros de longitud y otros diez de amplitud. Las vigas de madera del techo debían de medir al menos quince metros en el punto más alto. Paneles de madera intrincadamente tallados, propios de la decoración de la nave de una iglesia, revestían el muro de acceso oriental, mientras que los otros se habían enlucido y embellecido con vistosos estandartes y delicados tapices.

El inmenso hogar del muro interior más largo del castillo calentaba las dependencias y dos ventanas ojivales dobles permitían una entrada de luz natural poco habitual. La parte principal de la sala la ocupaban mesas con caballetes y bancos, en tanto que al fondo de la estancia, al otro lado de la entrada, se había erigido un estrado. En el centro del grandioso tablón que abarcaba todo el espacio había un trono de madera colosal. Aunque ese sillón seguía ocupado por Alexander MacDougall, lord de Argyll, jefe y cabecilla del clan de los MacDougall, era el hijo de perra desalmado de su derecha quien ostentaba el poder. Alexander Mac-Dougall era un hombre mayor, al menos tendría setenta años, según le parecía a Arthur, y hacía tiempo que había delegado su autoridad en su hijo mayor y heredero, John, lord de Lorn.

Era lo más cerca que estaba del asesino de su padre en años y le sorprendió el odio intenso que le embargaba. No estaba habituado a emociones tan violentas y, no obstante, su pecho se inflamaba con esta. Había esperado durante tantos años a que llegara ese momento que pensó que resultaría decepcionante. Pero no lo era. Más bien le asombraba las ganas que tenía de materializarlo. Sería tan fácil, resultaba tan tentador sorprenderlo por la espalda con una daga… Pero al contrario que su enemigo, él lo mataría cara a cara. En el campo de batalla. Además, matar a Lorn no era parte de su misión. Todavía.

Advirtió cuánto había envejecido su enemigo. El gris se abría camino entre sus cabellos oscuros y las líneas que marcaban su rostro eran más profundas. Arthur había oído rumores acerca de que padecía una enfermedad y empezaba a preguntarse si no serían ciertos. Pero aquellos ojos eran los mismos. Fríos y calculadores. Los ojos de un déspota que no se detendría ante nada para vencer. Arthur se esforzó por apartar la vista del estrado, temiendo lo que pudiera revelar inconscientemente o que MacDougall llegara a sentir la amenaza de algún modo. Había de ser cauto. Tenía que actuar con la mayor de las cautelas para no desvelar nada. Si lo descubrían, sabía que lo mejor a lo que podía aspirar era una muerte rápida. Lo peor sería una muerte lenta.

Sin embargo aquello no le preocupaba del todo. Seguía habiendo una veintena de caballeros y al menos cinco veces ese número en hidalgos que habían respondido a la llamada de Lorn. No se percataría de su presencia. Neil estaba en lo cierto. Era bueno permaneciendo en segundo plano, sin llamar la atención. Aunque le gustaría poder decir lo mismo acerca de su hermano. Se estremeció al presenciar cómo Dugald soltaba una carcajada y le cruzaba la cara a su escudero con el revés de la mano. El chico empezó a sangrar y Arthur se conmiseró de él, ya que de pequeño había estado al otro lado de los puños de su hermano más veces de las que quería recordar. Pero la compasión no beneficiaría en nada al muchacho. No, si quería llegar a ser un guerrero. Formaba parte de su entrenamiento. La intención era hacerlo más fuerte. Al final aprendería a dominar los impulsos. Dejar de sentirlos le llevaría más tiempo.

—¿Qué muchacha iba a fijarse en un pelagatos como tú estando yo por aquí? —dijo Dugald entre risas.

El escudero se ruborizó por completo y Arthur sintió más pena por él si cabe. El muchacho sería desgraciado hasta que aprendiera a controlar sus emociones. Dugald metería el dedo en la llaga y le sacaría esa debilidad a golpes si era necesario. Al igual que sucedía con su padre, la vida de su hermano consistía en ser un guerrero, un guerrero implacable. Bueno, eso y su afición a las muchachas.

Puede que Dugald se comportara a veces como un bravucón insoportable, pero no lo hacía por gusto. Aunque no era tan alto como Arthur, era de complexión robusta y un guerrero de características formidables. También se le conocía como el mejor parecido de los seis hermanos y se complacía en desempeñar ese papel.

—No esperaba que se fijasen en mí —dijo el escudero con un abochornado rostro que hacía juego con el color de su pelo—. Simplemente me preguntaba si serían tan hermosas como dice la gente.

—¿Quién? —preguntó Arthur.

—¡Por los huesos de Santa Columba, hermanito! —Por un momento dio la impresión de que Dugald quisiera abofetear también a Arthur, pero este ya no era un niño. Se la devolvería. Aunque había procurado mantener sus habilidades ocultas, al principio por su propio bien y después para que no le obligaran a usar esas habilidades en contra de sus compatriotas, se preguntaba si Dugald se habría percatado de que la balanza de fuerzas ya no se decantaba a su favor. Lo empujó, pero tímidamente—. ¿Dónde has estado metido? ¿En una cueva con el rey Capucha? —Dugald rió con más fuerza incluso y atrajo las miradas de varias personas en su dirección—. Las hijas de Lorn son conocidas por su extraordinaria belleza. En particular la mediana, la preciosa lady Mary.

A Arthur aquello no le intrigaba lo más mínimo. La belleza de las mujeres se exageraba con frecuencia. Y además dudaba mucho de que ninguna de ellas le llegara a la esposa de MacLeod a la suela de los zapatos. Solo había visto a Christina Fraser en una ocasión, pero le pareció la mujer más bella sobre la faz de la tierra.

Entonces se le pasó por la cabeza la imagen de otra mujer, cuya belleza estaba más en su dulzura que en un canon clásico y, extrañado, la alejó de sus pensamientos. Le asombró seguir pensando en aquella muchacha de la iglesia a la que había visto hacía un año y solo una vez. Entonces el rey se puso hecho una furia por perder la plata, sobre todo cuando supo que se trataba del doble de lo que en un principio creían, pero comprendió la razón por la que Arthur intervino.

—Todas ellas tienen un fallo primordial —señaló Arthur.

El escudero parecía confundido, pero Dugald lo entendía perfectamente. La expresión de su hermano cambió y su boca se contrajo hasta endurecer el gesto. Puede que su ambicioso hermano viera la conveniencia de alinearse junto a Ross y los ingleses, y por extensión junto a los MacDougall, pero eso no significaba que sintiera más aprecio por Lorn del que le tenía Arthur.

—Sí, en eso tienes razón, hermanito.

—¿Qué fallo? —se aventuró a preguntar el escudero.

Arthur pensó que, sabiendo lo que seguiría a eso, el muchacho demostraba ser valiente.

—Para lo que te van a mirar, más te convendría que su fallo fuera que estén todas ciegas —dijo tras propinarle otro bofetón.

Pasó una hora de la bulliciosa conversación de su hermano hasta que les llegó el turno. Al fin, Arthur seguía sus pasos para rendir la espada ante MacDougall. Como cabeza de familia, por cuanto tocaba al conde de Ross y la corona de Inglaterra, ya que sus tres hermanos mayores fueron declarados rebeldes, Dugald habló por todos ellos. Alexander MacDougall llevó a cabo las formalidades, pero Arthur se percató del interés inmediato que suscitaron en Lorn.

—Sir Dugald de Torsa… —Lorn dejó en suspenso la frase en actitud pensativa—. Uno de los hijos de Colin Mor. Pero no el mayor de ellos.

Su visceral e impetuoso hermano contestó con una sorprendente calma.

—No, mi señor. Mis tres hermanos mayores luchan con los rebeldes. —Como Lorn sabía mejor que nadie—. Igual que vuestro tío —añadió Dugald con la dosis justa de sarcasmo.

El gesto de Lorn se endureció. Obviamente no le gustaba que le recordaran a ese pariente traidor.

—Recuerdo a vuestro hermano Neil —dijo mirándolo fijamente a los ojos—. Luchó con bravura en la batalla de Red Ford.

Red Ford. La batalla en la que los MacDougall y los Campbell lucharon por sus tierras en Loch Awe. La batalla en la que su padre fue eliminado a sangre fría. Por Lorn. El muy hijo de perra estaba retándolo. Dugald lo sabía. Arthur también lo sabía. Pero solo este quería matarlo por ello, ya que era el único que lo había presenciado. El gran Colin Mor Campbell murió como un guerrero en el campo de batalla, pero solo Arthur vio el modo traicionero en que lo asesinaron. Habría sido su palabra contra la de Lorn. Neil hizo lo correcto al protegerlo. Nadie lo habría creído.

—Supongo que entonces erais demasiado joven —dijo Lorn en tono despreocupado.

—En aquellos días hacía de escudero con los MacNab —respondió Dugald al tiempo que asentía.

Lorn recibió el mensaje. Bastó con nombrar el lazo que le unía a los aliados más importantes y su clan vecino. Lorn parecía satisfecho y el mismo Arthur pudo relajarse un poco. Ya estaba hecho lo más difícil. Habían pasado el primer examen y eran aceptados en el rebaño. Con suerte, esa sería la última vez que Lorn se fijara en él.

Estaban a punto de marcharse cuando se abrió la puerta y las risas inundaron la sala. Las risas de una chica. Despreocupada y llena de una diversión sin complicaciones. Era un tipo de risa que no oía desde hacía mucho tiempo y le provocó una extraña sensación de nostalgia. Miró hacia atrás, pero con la soldadesca que abarrotaba la sala no tuvo manera de ver de dónde procedía. De repente la muchedumbre se abrió como el mar Rojo y creó un pasillo que recorría el centro de la estancia. El escandaloso estrépito de las voces de los hombres se fue desvaneciendo hasta convertirse en un silencio atónito. Poco después, dos muchachas se aproximaron al estrado con pasos apresurados. La primera era una de las más hermosas criaturas que hubiera visto Arthur, la rival rubia de la esposa de MacLeod. El velo celeste que la cubría, sujeto con una diadema de oro, no lograba ocultar del todo la alborotada profusión de rizos rubio platino que caían sobre su espalda. Esos rasgos perfectos, junto a su pálida piel y sus ojos de un azul vibrante hacían de ella un ángel.

Oyó cómo su hermano respiraba hondo y musitaba algo que estaba entre una maldición y una plegaria. Comprendía ese sentimiento perfectamente. Sin embargo, fue la segunda de las muchachas la que atrajo su atención. Tenía cierta aureola de…

La muchacha volvió a reír y miró hacia atrás, desvelando unos largos cabellos cobrizos tras su velo rosado. Se fijó en su rostro. Tenía las mejillas sonrosadas por el frío y unos ojos grandes azul marino que brillaban con su risa. ¿Había sentido él esa felicidad en algún momento de su vida? ¿Había sentido esa libertad?

Bastó un solo instante para que la reconociera. El corazón se le detuvo de repente. «¡Por Dios bendito. No podía ser!» Pero se trataba de ella. La muchacha de la iglesia.

Oyó que Lorn decía:

—¡Mary, Anna, habéis vuelto!

Arthur juraría que la voz de aquel hijo de perra insensible denotaba una alegría sincera. Las dos chicas corrieron a su encuentro, pero Arthur solo tenía ojos para una. Esta rodeó a Lorn con sus brazos y le plantó un beso enorme en la mejilla.

—¡Padre! —dijo emocionada.

«Padre.» A Arthur le pareció que le clavaran una daga en las entrañas. Había salvado a la hija de Lorn. Habría reído con gusto ante la amarga ironía del asunto, de no ser porque suponía un desastre irreparable. Si lo reconocía, su cabeza estaría colgando a las puertas del castillo para cuando cayera la noche. No le importaba morir. Pero sí el fracaso.

Intentó hacerle una señal a su hermano para que se retirasen, pero Dugald parecía estar en trance y miraba a lady Mary MacDougall como si esta acabara de descender de los cielos. Arthur apartó la vista de las mujeres, pero vio de reojo que la segunda de las muchachas quedaba confusa al mirar por vez primera en derredor de la sala y percatarse de la cantidad de ojos que las observaban. La joven se mordió el labio. Se trataba de un gesto de un erotismo inocente que podría haberle afectado antes de saber que se trataba de la hija de Lorn. Sin embargo, lo único que provocó en él fue el impulso de llevarse la mano a la espada; la de acero.

—Hemos interrumpido algo —dijo la joven volviéndose hacia la otra muchacha, su hermana, presumiblemente—. Vamos, Mary. Ya le contaremos nuestro viaje a padre más tarde.

Lorn negó con la cabeza.

—De ninguna manera. No es necesario. Ya casi hemos terminado con esto.

Arthur se iba quedando petrificado, con el corazón en un puño, a medida que la muchacha barría la multitud de soldados con la mirada para después, maldita fuera, volverla hacia él. Aferró la empuñadura de su espada con más fuerza de manera instintiva. Un sudor frío le recorría la espalda. En esa ocasión el yelmo no le cubría la cara, de modo que ella sintió toda la intensidad de su mirada. Se paralizó al ver que fruncía levemente el entrecejo. Durante un largo instante esperó que lo desenmascarase, que su voz pronunciara las palabras que le condenarían a la muerte… y al fracaso. Pero la arruga de su ceño no hizo más que intensificarse. Y entonces, con un impulso temerario, supo exactamente lo que tenía que hacer.

Tenía que mostrar seguridad.

Alzó la vista para mirarla a los ojos, lentamente. No se movió. No respiró. No parpadeó cuando sus miradas se encontraron sin obstáculos por vez primera. Sintió que se hundía en esos ojos del azul del mar. Se sintió perdido, aunque fuera por un instante. Cuando vio que ella se sobresaltaba, supo que todo había acabado. Sin embargo, la muchacha bajó rápidamente la vista y un ligero rubor asomó en sus mejillas. Arthur estuvo a punto de suspirar, aliviado. No lo había reconocido. Simplemente se avergonzaba de que la hubieran pillado mirando. No obstante, su alivio no duró mucho. Puede que la chica no lo hubiera denunciado como espía, pero sin quererlo había hecho exactamente aquello que tenía la esperanza de evitar: atraer la atención del padre sobre él.

—¿Cuál de los hermanos sois vos? —preguntó Lorn, con unos ojos oscuros y maliciosos que no se habían perdido un solo detalle de aquel intercambio.

—Mi hermano pequeño —contestó Dugald por él—. Sir Arthur, mi señor. El que está junto a él es mi hermano sir Gillespie.

Ambos asintieron, pero Lorn seguía interesado en Arthur, como un chucho ante un hueso rodeado de carne.

—Sir Arthur… —murmuró, como si intentara recordar el nombre—. Fuisteis nombrado caballero por el propio rey.

Arthur miró a los ojos de su enemigo por primera vez, sin revelar un ápice el odio que corroía su interior.

—Sí, mi señor. El rey Eduardo me coronó caballero tras la batalla de Methven.

—De Valence, Pembroke, os tiene en alta estima.

Arthur se inclinó como si aquel halago le resultara agradable, algo que no podía estar más lejos de la verdad, ya que sabía que las alabanzas del general provenían del perjuicio causado a sus propios amigos. Hacía cuanto podía por evitar luchar contra los hombres de Bruce, pero en ocasiones resultaba inevitable. Para permanecer con vida y preservar su verdadera intensidad no tenía más opción que defenderse, a veces a muerte. Era una parte de su misión en la que nunca pensaba y que, sin embargo, siempre estaba ahí con él.

Lorn lo miró larga y pausadamente hasta que por fin desvió la vista. El siguiente grupo de hombres se aproximó y Dugald encabezó la comitiva de regreso. Pero Arthur sintió el peso de las miradas en su espalda durante todo el trayecto. Pensó que se trataba de las miradas de las muchachas, no la de Lorn, pero ni las unas ni la otra eran beneficiosas para su misión. Una cosa estaba clara: tenía que mantenerse alejado de aquella joven.

Anna MacDougall. Su boca hizo una mueca de disgusto. No había mejor arma contra el deseo que saber que la mujer que hacía palpitar su corazón era la hija del hombre que había asesinado a su padre.

3

Anna ni tan siquiera miraba por dónde iba. Volvió al castillo con apenas tiempo para bañarse y cambiarse el vestido para la fiesta, una fiesta que había sido idea suya, a modo de bienvenida para los barones, caballeros y gentilhombres que habían acudido a Dunstaffnage a la llamada de su padre. Con una guerra a las puertas de casa, una celebración podía parecer extraña a muchos, como por ejemplo a su hermano Alan, pero Anna sabía lo importante que era dejar las penas y la fatalidad a un lado, aunque fuera por una sola noche. Para recordar por lo que se luchaba. Para actuar con normalidad, o lo que en medio de la guerra pudiera llamarse normalidad, al menos durante un breve instante. Por fortuna su padre accedió y consideró oportuna la fiesta. Tenía la sospecha de que también él estaba deseoso de demostrar a los demás que ya se había recuperado por completo de su enfermedad. No obstante, fuera cual fuese la razón, Anna daba muestras de una excitación fuera de lo común. Habría cantidades indecentes de comida y bebida, música, un *seannachie* para congratular a la multitud con historias del clan y bailes. ¡Bailes! Hacía tanto tiempo que no bailaba…

Su hermana y ella habían pasado horas decidiendo lo que se pondrían, planeando hasta el más mínimo detalle. Y ahora llegaba tarde. No es que se arrepintiera. El bebé recién nacido de Beth era adorable y Anna sabía lo necesitada de ayuda que estaba su amiga recién enviudada. Sintió un arrebato de compasión por aquella niña que no conocería a su padre. Era desconsolador que hubiera tantos como ella. Una razón más por la que no veía el momento de que cesara aquella maldita guerra.

Al oír los primeros acordes del arpa murmuró una de las maldiciones favoritas de su padre. Dejó atrás la luz para adentrarse como un torbellino en la umbría entrada del salón y se dio de golpe contra un muro. O al menos eso pensó ella, hasta que el muro extendió los brazos y la sujetó cuando caía de espaldas, salvándola de lo que se presumía habría sido un duro golpe en el trasero. La sorpresa la dejó con la respiración entrecortada, primero por el impacto y después ante la embriagadora sensación de sentirse sostenida por unos brazos musculosos, extraordinariamente musculosos.

—¿Estáis bien?

¡Cielo santo, qué voz! La envolvía con tanta firmeza como aquellos brazos. Una voz profunda y con carácter, con el toque justo de aspereza. Era una voz que resonaría por las salas y hasta las colinas. Seguro que si el padre Gilbert hubiera tenido esa voz sus sermones matutinos habrían sido escuchados con mayor atención.

—Estoy bien —dijo un tanto aturdida.

En realidad estaba un poco mareada. Alzó la vista y parpadeó para despejar las estrellas que tenía ante sí y se quedó sin respiración de nuevo. Se trataba del joven caballero en el que había reparado días antes. Aquel que la había pillado mirándolo: sir Arthur Campbell. Sus mejillas se ruborizaron. No sabía qué le llamó la atención sobre él en la última ocasión, pero volvía a sentirlo de nuevo. Era una pequeña aceleración del pulso, un arrebato de calor que se extendía por su piel, un nervioso revoloteo en el estómago.

Ese hombre tenía algo diferente, algo que no era capaz de describir. Era como si emanara intensidad desde lo más profundo de su ser. Aunque no lo hubiera notado al principio, era de una belleza incontestable. Su hermosura, sencilla y descreída, no se hacía tan aparente como la de su hermano, que poseía ese tipo de gallardía tan llamativa que resultaba imposible no fijarse en ella. Como aquel adonis que había repelido el ataque cuando ella reconoció a su «salvador», la noche de la iglesia.

Incluso con aquellas manchas negras en el rostro, Anna pensó entonces que era imposible que jamás hubiese visto un hombre tan excepcionalmente bien formado. Pero, al ser un rebelde, la atracción que sentía se desvaneció rápidamente.

Resultaba extraño que volviera a pensar en aquella noche. Era la segunda vez que le ocurría en la misma semana. Creía haber dejado atrás ese episodio aterrador, que ya no miraba a todos los hombres con los que se cruzaba como si pudieran ser él. Ese hombre que era a la vez traidor y salvador. Lo habían llamado «Guardián». ¿Qué clase de nombre era ese? Los guardianes eran hombres que recorrían los campos para proteger e instaurar la ley y el orden, algo que no casaba con un espía. ¿O no era así? Por su relato y descripción de lo sucedido aquella noche, su padre había supuesto que aquellos dos hombres pertenecían a la banda secreta de guerreros fantasmas de Bruce. Aquellos guerreros, parte superchería y parte héroes mitológicos, habían sembrado el terror entre los ingleses y sus aliados escoceses.

Pero en ese momento no podía pensar más que en el hombre que la sostenía. Olía divino; una cálida fragancia a jabón, por el baño que seguramente acababa de darse. Sus cabellos negros todavía estaban mojados, y algunos rizos le caían sobre la frente y el cuello. Se había afeitado, aunque Anna pudo apreciar la sombra de la barba sobre su mentón cincelado. Cincelado lo describía bien. Era todo ángulos afilados y rasgos duros, una masculinidad desgarrada que a ella jamás antes le había parecido atractiva. Prefería hombres más refinados, tanto en cuanto a los modales como a la apariencia. Normalmente no se fijaba en los guerreros. Le recordaban demasiado a la guerra. Pero no cabía duda de que ese hombre lo era. Los acerados músculos de sus brazos le daban la complexión de un ariete. Le parecía curioso que no se hubiera percatado de lo alto y musculoso que era la primera vez que lo había visto. Pero la verdad es que cubiertos con la cota de malla y la armadura casi todos los caballeros le parecían iguales. Anna no era especialmente baja para ser una mujer, pero tuvo que echar la cabeza hacia atrás para mirarlo a la cara. ¡Por Dios, tenía que medir prácticamente dos metros! Y era casi tan ancho de hombros como la entrada al salón. Sus miradas se cruzaron. Algo la sacudió por dentro de arriba abajo. Jamás había visto ojos de tal color. Ámbar con trazas doradas, en lugar de marrones, como pensó por un primer momento. Enmarcados además en unas pestañas extraordinariamente largas y suaves que inspirarían envidia en cualquier mujer.

Anna se dio cuenta de que la había reconocido justo antes de soltarla. De hecho, más que soltarla la dejó caer, de una manera tan brusca que se salvó de dar con el trasero en el suelo por los pelos. Tropezó hacia atrás, movió los brazos como si de una gallina cacareando se tratara y, por fortuna, se las ingenió para mantener el equilibrio. Demasiado para impresionarle con su agilidad. Y no era que su expresión indicara que cabía la mínima posibilidad de impresionarlo, pues jamás un joven la había mirado con tamaña… indiferencia, total y absoluta. Menos mal que no era una joven vanidosa. O al menos no creía serlo, aunque en aquel momento tuvo que admitir que acababa de sentir una punzada en su interior.

Al percatarse de que se había quedado mirándolo como si fuera una doncella embobada recién salida del convento bajó la vista enseguida. No podía haberle dejado más claro su absoluto desinterés por ella. Por todos los santos, si había estado a punto de dejarla caer. Tal vez no lo habían adiestrado como caballero en la galantería. Intentó recuperar algo parecido a la compostura, sonrió y dijo:

—Lo siento. No he visto que estabais ahí de pie.

Arthur la miró con un detenimiento que parecía albergar cierta impaciencia arrogante.

—Eso es obvio.

A Anna se le borró la sonrisa y quedó circunspecta, sin saber qué decir. Los momentos incómodos eran tierra ignota para ella. Al parecer, no se trataba de un gran conversador.

—Llegaba tarde —dijo como excusa.

El caballero se retiró para dejarle paso.

—Entonces no permitáis que os retenga por más tiempo.

Aunque lo dijo en un tono neutro y sus palabras no parecían incorrectas, se apreciaba en ellas el carácter distintivo de la frialdad. «No le caigo bien.» Entonces se sintió estúpida de repente y salió corriendo. ¿Qué más le daba caerle bien o no? Los guerreros eran el tipo de hombres que menos le interesaban. Ya había tenido suficiente guerra de por vida. Paz. Tranquilidad. Un hogar feliz y un marido cuya conversación no girara en torno a la guerra y las armas. Niños. Eso era lo que el futuro le depararía. Justo antes de sumergirse en el mar de gente que abarrotaba el gran salón se aventuró a volver la vista atrás. El caballero desvió la mirada. Pero la estaba observando.

Arthur contaba los minutos para poder marcharse. Bajo circunstancias normales no era muy dado a los festines y las celebraciones ebrias, pero gracias a Anna MacDougall le resultaba difícil incluso pretender que estaba relajado y disfrutando. Era él quien se dedicaba a vigilar y observar, no al contrario. No se necesitaban unos sentidos extremadamente afinados ni estar ojo avizor para percatarse de su mirada. Él estaba sentado en la esquina del fondo del salón, lo más lejos del estrado que le era posible, pero igualmente podría haber estado al lado de ella, dada la intensidad con que lo observaba. Interés femenino y algo que resultaba mucho más peligroso que eso: curiosidad. Algo que no le gustaba en absoluto. ¿Por qué no dejaba de mirarlo? Y, peor aún, ¿por qué le estaba costando tanto evitar mirarla a ella en respuesta? Era bonita, incluso hermosa. Pero las mujeres hermosas no eran algo tan extraño para que sufriera tanto por ignorarla. No tenía problema alguno en apartar la mirada de su hermana Mary, siendo esta una de las criaturas más bellas que hubiera visto. Pero había algo en Anna MacDougall que atraía las miradas. Incluso en una habitación entre cientos de compañeros de clan y numerosas muchachas jóvenes y atractivas compitiendo por llamar la atención, ella resaltaba como un diamante entre cristales. No era por la belleza. Al menos no solo por eso. No la miraban los hombres únicamente, también lo hacían las mujeres. Su risa tenía algo contagioso; su sonrisa, algo tierno; sus ojos azul intenso algo cautivador en su brillo, y sus hoyuelos eran deliciosamente traviesos. Hoyuelos. Estaba claro que había de tenerlos. ¿Qué espíritu adorable carecía de ellos?

Pero aparte de una o dos miradas rápidas, se esforzó diligentemente por evitarla. Contención. Control. Disciplina. Esas eran las cualidades a las que se encomendaba. Ellas eran las que hacían de él un guerrero de élite.

Sin embargo, cuando dio comienzo el baile su orgullo recibió una estocada. Una sola mirada a sus sonrientes ojos y sus mejillas encendidas hizo que quedara tan arrobado como los demás. Era una muchacha alegre y vivaracha que desbordaba vitalidad y fuerza juvenil. Sonaba a lugar común, pero lo cierto era que llevaba la alegría escrita en el rostro. Para un hombre que lo único que conocía desde que fue capaz de sostener una espada eran la muerte, la destrucción y la desolación, un hombre que había vivido en las sombras durante años, evitando llamar la atención en la que ella tanto se regodeaba, que jamás había experimentado tal alegría de vivir, la suya era una luz prácticamente cegadora.

Intentó concentrarse en sus imperfecciones. Pero vaya, no era capaz de encontrar pelo en ningún sitio extraño ni lunares indecorosos que estropearan la tersura de su piel. Tenía una nariz un tanto respingona. La boca, un poco ancha. La barbilla, un pelín puntiaguda. Pero todo ello la hacía más adorable y dulce si cabe. A pesar de que esa fuera exactamente la primera impresión que le había dado, se decía a sí mismo que seguramente estaba malcriada y sería altiva. O calculadora y malévola, como su padre. Acababa de convencerse de ello cuando la vio tropezar. Salió disparado de su asiento antes de darse cuenta de lo que estaba haciendo. La muchacha resbaló con un pie y se dio un buen golpe en el trasero. La música se detuvo, a lo cual siguió un silencio de asombro. Por la mirada de horror del miembro del clan que había junto a ella, Arthur se imaginó que había sido el encargado de tumbarla con su empujón. Esperaba las lágrimas o la diatriba furiosa que le dirigiría al culpable de su bochorno. Pero se llevó una decepción.

Anna MacDougall se vio allí tirada en el suelo y se partió de risa. Cuando el hombre la ayudó a levantarse, Arthur advirtió que se mofó del horror que traslucía la cara del joven miembro del clan para tranquilizarlo. No estaba mal, para ser una muchacha altiva y malcriada. Sintió la necesidad apremiante de beber, de modo que levantó su copa y le dio un largo trago a la cerveza. Podría haber estado mirándola durante horas. Sin embargo, consciente de que jugaba con fuego, se obligó a mirar a otro lado. Estaba más claro que el agua que no le gustaría que ella viera cómo la miraba. Dado de quién se trataba, su fascinación por esa jovencita le resultaba irritante. Debería despreciarla solo por llevar ese nombre. Por el amor de Dios, era la hija de Lorn.

No obstante, no había sido desprecio lo que sintió poco antes de eso, cuando cayó sobre sus brazos. Sintió que se le ponía dura. Excitación. Calor. Le entraron ganas de hundirse en esa suavidad. Pegar su cuerpo más al de ella. Notar todo el peso de sus pechos sobre el torso y sus caderas encima de la verga. Que su reacción alcanzara tal intensidad lo había sorprendido tanto que tuvo que dejarla caer más rápido de lo debido.

Pero el deseo, aunque fuera molesto, era algo fácil de reprimir. No significaba nada en comparación con el peligro al que le exponía el interés de la chica por él. Llevaba tiempo suficiente haciendo aquello para saber que lo único que podía dar por descontado en cada una de las misiones era que algo saldría mal. Pero defenderse de unas atenciones no requeridas por parte de una muchacha hermosa no era la clase de problemas que había anticipado. Las experiencias de Arthur con las mujeres se reducían a un tipo de relación más primaria. Aunque su belleza no fuera tan excepcional como la de MacGregor, gracias a Dios, Arthur podría atraer a muchas más admiradoras si se lo propusiera. Pero su actitud no las animaba. Y así era como a él le gustaba que fuera. Las mujeres eran mucho más perceptivas que los hombres, por lo general. Normalmente notaban algo diferente en él y sus instintos les decían que se alejaran. Normalmente. Pero con Anna MacDougall se veía obligado a tomar medidas más drásticas. Sus intentos de desanimarla, no obstante, no habían funcionado. A menos que hacerle sentir como un imbécil contara. Puede que la caballerosidad y la galantería no le salieran de modo natural, ese era más bien el estilo de su hermano, pero tampoco la rudeza descarada. La frialdad con la que la había tratado no era convenientes, por más que hubiera sido necesario.

Sacudió la cabeza. ¿Qué demonios le estaba pasando? Anna MacDougall era la última muchacha del mundo por la que tendría que interesarse. Unas pocas palabras bruscas no eran nada en comparación con lo que había ido a hacer allí. Todo su mundo estaba a punto de ser destruido. Aunque no es que pudiera suponerse, por las sonrisas de júbilo en los rostros de la gente que lo rodeaba. ¿Acaso no sabían que las tornas habían cambiado, que sus aliados más poderosos, los Comyn e Inglaterra, los habían dejado solos, que Bruce llegaría tan pronto como expirara la tregua? Diantres, incluso su hermano actuaba como si nada de ese mundo le importara, riendo y bromeando junto a sus hombres con la misma intensidad que los demás. Más alto, tal vez.

—¿No os gusta la cerveza, sir Arthur?

Al volverse se encontró junto a él al escudero de Dugald sentado en el mismo banco.

—Me gusta bastante —dijo torciendo el gesto—. Aunque seguramente no tanto como a mi hermano.

El muchacho sonrió. Se acercó un poco más y bajó la voz.

—No pude evitar fijarme en la dama, señor. —Arthur no necesitaba mirar para saber a quién señalaba—. Ha estado observándole. ¿Tal vez quiera invitarla a bailar?

Por desgracia no bajó la voz lo suficiente. O tal vez su hermano Dugald no estuviera tan borracho como él pensaba. Dugald lo interrumpió a gritos.

—¡No pierdas el tiempo, Ned! Mi hermano preferiría bailar con su propia espada antes que con una dama joven sin desposar.

Todos rieron al entender la broma procaz.

Aunque Dugald ya había terminado de comer, todavía tenía en la mano el cuchillo con empuñadura de asta. Arthur advirtió que el escudero se ponía nervioso y que abría los ojos exageradamente al ver que Dugald lanzaba y lanzaba el cuchillo al aire para cogerlo con una mano. El chico, inconscientemente, comenzó a frotarse las manos y se echó hacia delante en el banco.

Arthur comprendía demasiado bien las reacciones del escudero. Una sola mirada a sus propias manos, con decenas de cicatrices hechas con cuchillos, daban la respuesta a ello. Eso era lo que Dugald entendía por juego. Lanzaba el cuchillo, o la daga, o la lanza, al aire por un rato, y después se lo arrojaba a alguien sin previo aviso para que el otro lo agarrara. Se suponía que mejoraba los reflejos y obligaba a estar alerta, consciente y preparado. Y lo hacía, si bien es cierto que con mucho dolor y sangre. Dios, cómo había temido ese maldito cuchillo, un sentimiento que compartía con el escudero, si es que la cara lívida y en tensión que el muchacho tenía no lo engañaban.

—No ha cortejado a una muchacha desde que era un escudero mindundi como tú —continuó Dugald—. ¿Cómo se llamaba, hermano?

Arthur pasó un dedo sobre el borde de su copa descuidadamente. Dugald lo estaba provocando, pero no pensaba picar.

—Catherine.

—¿Qué ocurrió, señor? —preguntó el escudero a Arthur mientras miraba de reojo a Dugald, sin perder nunca por completo de vista su hoja de acero de quince centímetros.

Arthur se encogió de hombros.

—No encajábamos.

Dugald soltó una carcajada.

—Después de que la hicieras salir pitando. Por Dios que eras un muchacho raro. —Afortunadamente no se explicó, sino que volvió a mirar al escudero. Hizo un rápido movimiento con la mano, amagando con tirarle la daga y riendo al ver que se asustaba—. Peleaba con menos gracia que tú, incluso. Un alfeñique, aunque no podáis creerlo. —Por la forma en que le miraron todos quedó claro que no se lo creían—. Enclenque y debilucho. No podía levantar la espada hasta prácticamente cumplir los doce años. Nadie tenía esperanzas de convertirlo en un guerrero. —Salvo Neil, pensó Arthur. Neil siempre creyó en él—. Y miradlo ahora —dijo Dugald—. Un guerrero del que nuestro padre estaría orgulloso —dijo mientras lanzaba la daga al aire, la recogía y la arrojaba inmediatamente hacia el escudero con un diestro juego de manos.

Arthur habría podido repelerla, pero el muchacho estaba atento. Con los ojos fijos en la refulgente hoja, se las apañó para asir lo suficiente el mango y hacerse con ella. Dugald dejó escapar una buena risotada.

—¡Ja! Tal vez haya esperanzas para ti, después de todo —dijo acompañado por las risas del resto de los hombres.

Aquel halago imprevisto acerca de las habilidades como guerrero de Arthur le importaba más de lo que habría querido. Dugald y él nunca tendrían una relación íntima, pero eran hermanos. «Luchando en bandos diferentes», tuvo que recordarse.

El escudero se alejó de ellos y los demás volvieron a sus bebidas, pero Dugald se quedó mirando a su alrededor discretamente. Arthur sabía qué —o más bien a quién— buscaba. La tal lady Mary MacDougall había atraído la atención de su hermano, algo excepcional fuera quien fuese la mujer.

—Es una verdadera lástima —dijo Dugald con dureza.

—Sí, hermano —dijo Arthur asintiendo con la cabeza—. Eso es lo que es.

Las hijas de John de Lorn no estaban hechas para ellos.

4

Anna contaba con más defectos de los que era capaz de reconocer. Tras la jornada pasada tendría que incluir también vanidad y arrogancia a una lista, en la que ya estaban su de sobras conocida tozudez: había sido ella quien había amenazado simpáticamente a su padre con atarlo a la cama si intentaba levantarse; su franqueza: se suponía que las mujeres no debían tener opinión, ni mucho menos airearla, aunque no podía culparse del todo por ello, ya que era su padre quien la animaba a hacerlo; además de esa afición suya tan impropia en una dama de repetir las imprecaciones favoritas de su padre y sus hermanos, algo de lo que no estaba dispuesta a dar ejemplos para no añadir más leña al fuego de sus pecados.

Acababa de descubrir en ella una necesidad de gustar a los demás que rayaba la perversión. ¿No era arrogante pensar que tenía que caerle bien a todos? Por supuesto que lo era. Aunque fuera algo de lo más común. No tendría que preocuparle que aquel joven caballero no se hubiera dignado a mirarla. Ni una sola vez. En toda la noche. Pero le preocupaba. Sobre todo porque por su parte ella no había podido dejar de mirarlo a él.

Al mismo tiempo que reía hasta que le dolían las mandíbulas, bailaba hasta que se lastimaba los pies, comía hasta que le reventaba la panza y bebía hasta ahogarse, se encontró a sí misma recorriendo la sala con la mirada en un completo sinsentido, buscando a aquel caballero de oscura belleza que tan claro había dejado su desinterés por ella. Frunció el ceño. ¿Y por qué no le gustaba? Se había mostrado amable, sonriente y dispuesta a mantener una conversación. No tenía verrugas en la nariz, ni vello en la barbilla o los dientes podridos. De hecho, le habían dicho muchas veces, y no solo los hombres de su familia, que a pesar de no ser tan bella como Mary —¿quién podría serlo?— su imagen era muy agradable a la vista.

De ahí que hubiera caído en la vanidad.

¿Tal vez fuera por la enemistad que perduraba entre los viejos feudos de los Campbell y los MacDougall? En aquellos tiempos ella era solo una niña y apenas conocía las circunstancias. Siempre podría preguntarle a su padre. No obstante, lo que no podría explicarse sería su desesperación por encontrar razones para el aparente desprecio del caballero. No tendría por qué importarle. Ni tan siquiera lo conocía. Y además era un guerrero. No había nada refinado en él. Aquello en sí debería bastar.

¿Qué importaba un solo hombre? Había una multitud de hombres a los que le gustaba. Entre ellos Thomas MacNab, un hombre culto de lo más amable que acababa de ir a buscarle una copa de ese vino dulce que le encantaba, en tanto que ella descansaba junto a la ventana abierta, recuperándose de aquella impetuosa danza y de su bochornosa caída. Le habría gustado decir que normalmente no era tan patosa, pero no era cierto. Lo consideraba más una desgracia que un defecto.

Se apoyó en el antepecho de piedra, inhalando bocanadas de aire fresco al tiempo que paseaba la vista por el gran salón. Hacía un calor sofocante en la sala, provocado no por el fuego de los candelabros sino por la vívida energía de los participantes, que revoloteaban de un lado a otro. Por lo que se podía deducir de las carcajadas y las sonrisas en los rostros de los hombres y las mujeres, la fiesta había sido un éxito clamoroso. Excepto por una persona. Algo que le hacía perder la sonrisa.

«No mires…» Pero por supuesto que lo hizo. Supuso que tendría que añadir a esa lista una horrenda falta de autocontrol. Su mirada se volvió inmediatamente hacia la figura que había en la esquina del fondo a la derecha de la estancia. Seguía allí, lo cual era sorprendente, ya que parecía mirar hacia la puerta como si no pudiera esperar a salir por ella. Según su experiencia, los guerreros siempre estaban ansiosos por partir. Deseosos de llegar al siguiente campo de batalla.

Al contrario que el resto de los hombres a su alrededor, sir Arthur no se servía del vino y la cerveza de los MacDougall. Su jarra apenas se había movido de la mesa que tenía frente a él. Estaba situado en un lugar desde el que se dominaba toda la sala, sentado de espaldas a la pared y con el rostro impasible. Se preguntó si aquello sería intencionado. Aunque se le veía completamente relajado, apoyado contra el muro y sonriendo de vez en cuando a lo que sus compañeros decían, advertía su estado de alerta. Como si estuviera todo el tiempo en guardia y sopesando la situación. Era algo tan sutil que al principio ni tan siquiera reparó en ello. Pero estaba allí, en la firmeza de su mirada y la quietud de su posición. Aunque permanecía junto al resto del grupo de guerreros, incluyendo a los dos hermanos con los que estaba el primer día, se comportaba más como observador que como participante activo en la conversación. Parecía abstraído. Apartado. Y no podía evitar que aquello la inquietara. No le gustaba ver que alguien quedaba excluido. Tal vez debería mirar si… Antes de que pudiera terminar de formular ese pensamiento se encontró con que la agarraban por detrás y la suspendían en el aire haciéndola girar.

—¿No tienes con quien bailar, mocosa? —dijo el hombre socarronamente—. ¿Debería decirle a alguno de mis hombres que te saque?

Anna rió con ganas, sabiendo perfectamente de quién se trataba, a pesar de que hacía mucho tiempo que no oía el tono de chanza en su voz.

—Ni se te ocurra. Puedo encontrar un compañero yo solita. —Forcejeó con él en un intento de liberarse de su abrazo de oso—. Suéltame, mostrenco.

El hombre volvió a colocarla con los pies en el suelo y le dio la vuelta para mirarla a la cara con severidad.

—¿Mostrenco? Deberías mostrar más respeto por tus mayores, pequeña.

—¿He dicho mostrenco? —preguntó Anna, batiendo sus pestañas con cara de inocencia—. Quería decir sir Mostrenco.

El hombre soltó una carcajada y arrugó la comisura de sus ojos, de idéntico azul a los de ella. Su corazón se henchió al ver la sonrisa en su rostro. No había vuelto a ver a su hermano tan feliz desde que su esposa muriera al dar a luz a su tercer hijo, casi hacía un año. Aunque Alan era solo diez años mayor que ella, había envejecido durante los últimos meses. La profundidad de las arrugas de su cara daba cuenta del afecto que sentía por su esposa. Su pelo castaño tenía ahora entradas y empezaba a escasear en la coronilla, pero a pesar de todo ello seguía siendo un hombre guapo. Sobre todo cuando sonreía, algo poco frecuente en el serio heredero de Lorn y Argyll.

Alan cogió a Anna de la nariz y se la agarró entre el pulgar y el índice a la manera en que solía hacerlo cuando era una niña.

—Estabas en lo cierto, ¿sabes?

—¿Qué decías? —preguntó Anna con una mano en la oreja—. Hay tanto ruido que no te oigo.

Alan negó con la cabeza.

—Malandrina… Sabes perfectamente de lo que hablo. El banquete. Era justamente lo que necesitábamos.

Sonrió sin ocultar su satisfacción. No podía evitarlo. La opinión de su hermano significaba demasiado para ella. Siempre había sido así.

—¿Lo dices en serio?

—En serio —contestó Alan al tiempo que asentía.

Se agachó y la besó en la coronilla. Aunque su hermano no fuera tan alto como cierto caballero joven al que acababa de conocer, era un hombre formidable. Medía más de un metro ochenta de altura y tenía la corpulencia de su padre y su abuelo. Tanto Ewen como Alastair, sus otros dos hermanos, eran de complexión más delgada.

Una nube de tristeza ensombreció sus pensamientos. Somhairle estaba a medio camino entre los tres. Alto, de anchos hombros y con un cuerpo que era pura fibra, contaba con una figura imponente, la quintaesencia del guerrero. Algo no muy alejado de sir Arthur —¿por qué seguía pensando en él?—. Pero Somhairle, el segundo de sus hermanos, había muerto luchando junto a Wallace en la batalla de Falkirk, hacía casi diez años justos de ello. Tenía veinte años.

Se esforzó por alejar esos tristes pensamientos, ya que no quería arruinar el excepcional buen humor de Alan.

—¿Dónde están todos esos hombres que han estado pululando a tu alrededor durante toda la noche? —preguntó su hermano revelando un exagerado espíritu protector en el brillo de sus ojos.

—Si había alguno, estoy segura de que lo habrás espantado con solo venir aquí —dijo Anna alzando la vista al techo.

—Y así es como debe ser —repuso Alan con una sonrisa de satisfacción.

Anna se aclaró la garganta con afectación.

—Thomas MacNab ha ido a buscar para mí una copa de vino. Estoy segura de que volverá cuando tú te hayas ido.

Alan cruzó sus robustos brazos sobre el pecho y frunció el ceño.

—Esa nena… —dijo logrando contenerse—. Cualquier hombre que no tenga el valor de enfrentarse a un inofensivo hermano…

Anna resopló.

—Tres bestias imponentes, querrás decir. He visto cómo lo fulminabais con la mirada.

—… no te merece —continuó, reprendiéndola con la mirada y haciendo como si no le hubiera interrumpido—. Lo que tú quieres es un hombre que tumbe dragones y que ande de rodillas sobre las brasas del infierno para protegerte.

Anna lo rodeó con sus brazos y lo estrechó fuertemente. Alan, sabiendo que un impresionante caballero como sir Hugh Ross le había propuesto matrimonio, no podía comprender que prefiriera a un hombre tranquilo y estudioso como Thomas McNab, alguien que no sabría qué hacer con una espada, incluso en el caso de que pudiera llevar una.

—Creía que para eso ya os tenía a padre, Alastair, Ewen y tú.

Alan le devolvió el abrazo.

—Sí, Annie querida, eso ya lo tienes —dijo sosteniéndola por la espalda para mirarla bien—. ¿Es que no te interesa ningún otro a excepción del tutor?

Sin pensarlo, su mirada se fue hacia el fondo de la sala y se fijó un instante en sir Arthur Campbell. Fue suficiente. Su observador hermano se percató de ello.

—¿A quién mirabas?

—A nadie —se apresuró a decir.

Se apresuró demasiado. Los ojos del hermano se entornaron al tiempo que echaba un vistazo en la dirección a la que ella miraba.

—¿Campbell?

¡Maldita fuera por tener la piel tan clara! Sentía perfectamente cómo el rubor ascendía por sus mejillas. Su hermano parecía sorprendido.

—¿Sir Dugald? Es un buen guerrero. Aunque tal vez demasiado popular entre las muchachas —añadió frunciendo el ceño.

No pensaba corregirlo. Qué más daba. Sentía cierta atracción por sir Arthur, eso era todo. Su indiferencia no había servido más que para clavar una espina en su vanidad femenina.

—Ándate con ojo, querida. Si intenta algo contigo…

Anna lo empujó para que se fuera.

—Ya sé a quién tengo que llamar. ¿Por qué no vas por allí y sacas a bailar a Morag? Lleva toda la noche mirándote.

Esperaba que él se negara de forma rotunda, así que le sorprendió ver un brillo especulativo en sus ojos.

—¿Ah, sí?

Alan fijó su mirada en la bella y joven viuda. No dijo nada más, pero esa momentánea muestra de interés dio esperanzas a Anna para pensar que la existencia casi vegetal de su hermano acabaría por fin. Había penado profundamente por su esposa, y aunque esa tristeza fuera el testimonio de su amor por ella, él todavía seguía vivo.

Buscó a Thomas entre la multitud y siguió haciéndolo durante al menos treinta segundos antes de volver a dirigir la vista hacia la esquina. Miró justo a tiempo para ver cómo se acercaban a la mesa de los Campbell tres jóvenes mujeres del clan, curiosamente tres mujeres bonitas, exuberantes y conocidas como las más seductoras del castillo. Anna rasgó el suave terciopelo de sus faldas con la punta de los dedos. Sintió una especie de punzada remotamente parecida a la irritación. Remotamente parecida a la mayor de las irritaciones. Saber que se trataba de algo irracional no ayudaba en nada. Era normal que las chicas se interesaran por ellos. ¿Por qué no iban a hacerlo? Los recién llegados eran caballeros, guapos y, por lo que Anna sabía, no estaban casados. Una combinación irresistible para cualquier muchachita sin marido.

Y tampoco le sorprendió que fueran bien recibidas y las animaran a quedarse con ellos. Pero cuando una de las mujeres, Christian, la encantadora hija del ayuda de cámara de su padre, de ojos azules y pelo azabache, se sentó junto a Arthur, toda su espalda se puso en tensión. La estancia parecía estar más caldeada si cabe. Las mejillas se le ruborizaron y el corazón le dio un brusco vuelco. Se decía a sí misma que aquello no era de su incumbencia, pero no podía dejar de mirarlo.

No tendría que haberse preocupado. Tras varios intentos de seducción inadvertidos, incluyendo sonrisas coquetas y una nada sutil inclinación sobre la mesa para que él pudiera ver con claridad su amplio escote, Christian se dio por vencida y dirigió sus atenciones a otro de sus compañeros. Aunque aquello alivió a Anna más de lo que se atrevía a admitir, había habido algo en esa interacción que la escamaba. ¿Era posible que hubiera llegado a una conclusión errónea? Tal vez no tuviera nada que ver con ella. Quizá sir Arthur no tenía intención de ser descortés, sino que simplemente era brusco, como le pasaba a su padre. ¿O tal vez tímido con las mujeres, como su hermano Ewen?

Por más que quisiera convencerse de que esa era la cuestión, para así olvidarse de él, no podía hacerlo. Lo de antes no había sido timidez. Más bien parecía enojado, incluso un poco furioso. Como si ella lo estuviera molestando. Como un mosquito en el verano o un cachorro que te pisa los talones.

Cierto era que fue ella quien chocó contra él, pero se trataba de un accidente. Y estaba claro que su fuerza era suficiente para aguantar el pequeño empellón de una mujer. ¡Por el amor de Dios, si parecía capaz de aguantar el embate de una almádena! Tal vez al principio Anna no fuera consciente de su tamaño, pero ahora sí. A pesar de su postura relajada y aunque su túnica de lana fuera holgada y abultada, ese hombre tenía la complexión de una roca. Todo en él eran músculos duros como el acero. Vaya, pero si apenas se movió un centímetro cuando arremetió contra él. Y cuando la sostuvo en sus brazos sintió tal sensación de seguridad y confianza que… Como si nada pudiera hacerle daño si ese hombre grande y poderoso la tenía asida. Hasta que la soltó, claro está.

Arthur se apartó un poco de la mesa y se inclinó para decirle algo a su hermano sir Dugald. Cuando vio que caminaba hacia la puerta, el corazón de Anna dio un extraño brinco. Se iba. ¡Irse! Pero si aún no había oscurecido. La fiesta duraría horas y horas. No podía marcharse. Ni tan siquiera había bailado todavía. Anna miró hacia su izquierda, vio a Thomas, que se abría paso entre la multitud, y después volvió a mirar hacia el joven caballero. Antes de darse cuenta de lo que hacía ya se dirigía hacia la puerta con determinación. No iba corriendo, pero tampoco caminando exactamente. Estaba a solo unos pasos de la entrada donde se había tropezado con él cuando Anna le salió al paso. No parecía contento de verla.

La expresión hostil de su rostro hizo que la joven se lo pensara un momento, pero ya no había vuelta atrás. Siempre le había gustado ser directa con los demás, aunque normalmente eso no incluía correr detrás de hombres a los que no conocía, pensó con un rubor de vergüenza tardío. No corría detrás de él… exactamente. Era su obligación comprobar que todos los invitados lo pasaran bien. ¿No era cierto? Y lo que es peor, no podía quitarse de la cabeza el hecho de que tal vez lo hubiera malinterpretado.

Anna sonrió, ignorando la expresión de su cara.

—Espero no ser yo la causa de que os marchéis tan pronto. —Si la ceja que acababa de arquear representaba algo, podría decirse que lo había sorprendido. Anna sonrió provocativamente y se explicó—: Temía que tuvierais que ocuparos de los moratones provocados por mi torpeza anterior.

Arthur hizo una breve mueca con la boca.

—Creo que podré recobrarme —dijo secamente.

Señor, era un demonio de lo más hermoso cuando sonreía. Sintió ese mismo extraño revoloteo en el estómago y la aceleración del pulso, solo que teniéndolo tan cerca era aún peor. Toda la vida había estado rodeada de hombres altos y musculosos, pero jamás antes había sido tan consciente de la virilidad de un hombre y de su propia feminidad. La desconcertaba. La ponía nerviosa. La descolocaba. Hacía que sintiera impulsos desconocidos para ella. Tenía ganas de acercarse más, de ponerle la mano en el pecho y notar la fuerza que bullía bajo él, de mirarlo a la cara y memorizar cada uno de sus duros rasgos, cada arruga, cada cicatriz. Era algo tan vergonzoso que parecía una ridiculez. Ya había sentido atracción por un hombre antes, pero aquello no se parecía en absoluto a ninguna experiencia anterior. Nada que ver con el aprecio que le tenía a Roger, su anterior prometido. Era algo más profundo. Más intenso. La agarraba por dentro y la empujaba, atrayéndola hacia él.

Él esperaba a que dijera algo. Estaba claro que no iba a facilitarle las cosas.

—Entonces espero que no sea por la comida o el espectáculo.

Negó con la cabeza.

—Es un banquete estupendo, milady.

Desvió la mirada hacia la puerta, dando a entender de manera poco sutil que deseaba marcharse. Anna avanzó hasta barrarle firmemente el paso.

—¿No os gusta bailar?

Al ver que arqueaba una ceja Anna se ruborizó, comprendiendo lo directa que sonaba la pregunta. Parecía como si quisiera que la invitara a bailar. Lo cual era cierto, pero no era propio de una dama solicitarlo tan descaradamente. Aunque tal vez fuera eso lo que él necesitaba. Odiaba pensar en alguien que permanecía ajeno a la diversión.

—A veces.

Se quedó dudando, y por un momento Anna pensó que se lo pediría. Pero seguidamente su mirada se posó en un punto detrás de ella y se puso en tensión. No habría advertido el brillo de frialdad que adoptaban sus ojos de haberlo observado con menos atención. Volvió la vista hacia ella, dejándola pasear por su cuerpo de arriba abajo. Anna se quedó sin aliento. Jamás nadie la había mirado de una manera tan desvergonzada. Habría sido algo excitante, de no ser porque también estaba exento de toda pasión. Era como si ella fuera un caballo en el mercado. Y no uno de los más imponentes.

—Pero hoy no.

El sentido de lo dicho no podía ser más claro. No quería bailar con ella. No era que lo hubiera malinterpretado ni entendido mal. No se trataba de que tuviera modales de guerrero rudo. La punzada que sentía por ese rechazo era sorprendentemente aguda para tratarse de alguien a quien acababa de conocer; sorprendentemente aguda para tratarse de un hombre que no tendría que haberle interesado en absoluto.

Aquello no debería ser tan horriblemente difícil. Pero al estar allí, contemplando cómo las emociones surcaban el rostro de la muchacha, tan expresivas como un libro abierto, Arthur sintió como si lo retorcieran en un torniquete o lo abrieran en dos en el potro de tortura. No le gustaba hacerle daño, a ninguna mujer, se corrigió. Pero cuando se percató de que Lorn los observaba, supo que tenía que poner fin a aquello. Fuera lo que fuese. No podía creer que hubiera llegado a pensarse lo de bailar con la muchacha. Aquella amabilidad sincera y su inocente expresión de gatito causaban su efecto. Pero el interés de su padre lo había devuelto a la realidad de golpe. Tenía la esperanza de que su grosera mirada sirviera de cura contra cualquier ilusión romántica.

Lo había hecho. Los ojos de la muchacha se abrieron y adoptaron un cariz de aflicción que le hizo sentir como un zopenco que acabara de pisar su blanca y aterciopelada colita.

—Por supuesto —dijo Anna en voz baja y con las mejillas sonrosadas por la vergüenza—. Siento haberos molestado.

Bajó la vista y dio un paso hacia atrás. Arthur volvió a sentir aquello… La extraña compulsión que sintió la noche de la iglesia. La incapacidad de dejarla marchar. Se pasó los dedos por los cabellos, intentando luchar contra la necesidad de calmar la repentina inquietud que bullía en su interior. No pudo conseguirlo.

«¡Ah, qué diablos!», pensó al tiempo que estiraba el brazo.

—Esperad —dijo agarrándola para que no se marchara.

Al sentir el contacto ella se puso en tensión, con las mejillas aún arreboladas, sin poder mirarlo. Arthur la soltó. Cuando vio que no decía nada, Anna acabó elevando la barbilla y volviendo el rostro ligeramente hacia él. Habría deseado que la suave luz de las velas ocultara el temblor de su mentón.

—¿Sí? —preguntó.

Intercambiaron una mirada y Arthur se maldijo a sí mismo por ser tan estúpido. ¿Qué demonios pensaba decir?: «Me siento halagado, pero jamás funcionaría. Estoy aquí para destruir a vuestro padre». O tal vez: «Tengo miedo de bailar con vos porque temo que descubráis que soy el espía de Bruce que os salvó en la iglesia».

Ella lo miraba con expectación.

—Tengo que trabajar —dejó escapar, sintiéndose como un imbécil. Normalmente no se le escapaba nada. ¿Y por qué demonios le daba explicaciones?

Sentía cómo lo observaba con su aguda mirada y tenía la turbadora sospecha de que era capaz de ver mucho más de lo que él deseaba.

—Y nada más —completó ella.

—Me queda poco tiempo para lo demás —dijo encogiéndose de hombros.

—¿No se les permite a los caballeros ni un solo día de entretenimiento y diversión? —preguntó Anna con el gesto torcido por una sonrisa irónica.

Aunque la reacción de ella había sido alegre, la de Arthur no lo fue.

—No. Al menos a mí. No, teniendo una guerra en el horizonte.

Al ver el brillo alarmado que surcó sus demasiado expresivos ojos azules casi se arrepintió de ser tan honesto. Estaba claro que la cruda realidad de la situación de su padre no era algo en lo que ella quisiera pensar. ¿Era posible que fuera tan ingenua o que viviera en su mundo de fantasía? El suyo era un mundo de celebraciones y banquetes, instalado cómodamente en el seno de su familia, en tanto que más allá de las puertas del castillo reinaba el caos de la guerra.

Sus palabras cumplieron con el cometido que se había propuesto inicialmente. Cuando Anna volvió a mirarlo ya no había en ella la más mínima señal de interés femenino. Lo miraba como si fuera cualquier otro de los guerreros que había acudido a servir a su padre. No se percató de lo diferente que era su mirada hasta que esta desapareció de su rostro.

—Vuestra devoción por el deber es digna de elogio. Estoy segura de que mi padre es muy afortunado al teneros a su servicio.

A Arthur le entraron ganas de reír. Si ella supiera… Fortuna sería lo único que no traería a John de Lorn. No era un caballero. Simplemente actuaba como tal. Era un highlander. El único código por el que vivía era la victoria. Matar o morir.

De repente, una versión mayor y más rellena de su hermana lady Mary apareció a su lado.

—Así que aquí estás, querida. Te he buscado por todas partes.

—¿Qué sucede, madre?

El tono de preocupación en la voz de Anna le molestó. No había motivos para que se inquietara.

—Los hombres están hablando otra vez de ese horrible Robert Bruce. —La todavía hermosa mujer mayor se retorcía las manos nerviosamente—. Tu padre está poniéndose furioso —continuó con una voz en la que se reflejaba su miedo—. Tienes que hacer algo.

Anna murmuró entre dientes algo que sonó parecido a «Por los huesos de santa Columba» y Arthur se dio cuenta de que había oído bien al ver que su madre fruncía el ceño.

—No te preocupes —dijo Anna dándole un golpecito en la mano a su madre—. Ya me encargo yo.

Le daba la sensación de que Anna se encargaba de cuidarse de muchos asuntos. La madre le dirigió una mirada a Arthur, al parecer dándose cuenta de que los había interrumpido, y le ofreció una sonrisa a modo de disculpa.

—Lo siento, señor. Tendréis que esperar al próximo baile.

No hubo ya señal de rubor alguno en las mejillas de Anna cuando lo miró de soslayo.

—No hay baile —dijo con firmeza—. Sir Arthur ya se iba.

Aunque no había nada descortés en su voz, Arthur se percató de que acababa de darle permiso para irse. Anna siguió a su madre a través de la multitud sin volver a mirarlo. La observó por más tiempo del que habría debido, diciéndose a sí mismo que tendría que estar contento. Eso era lo que él quería. Así todo sería mejor. Pero no estaba contento en absoluto. Habría dicho, si no supiera lo que le convenía, que lo que sentía era arrepentimiento.

Horas después, Anna llamaba a la puerta de la cámara de su padre. Este le pidió que entrara, y al ver que se trataba de ella, despidió a su guardia *luchd-taighe*. Anna esperó a que los hombres del clan marcharan para entrar.

—¿Queríais verme, padre?

John MacDougall, lord de Lorn, estaba sentado a una gran mesa de madera y le hizo señas para que ocupara la silla que tenía frente a sí. Aquello fue algo que Anna hizo de buena gana tras el cansancio de la fiesta. Debía de ser ya cerca de la medianoche. El sirviente personal de su padre la había alcanzado justo antes de que se retirara a sus aposentos, y a pesar de que le costaba mantener los ojos abiertos y de que le dolían todos los huesos del cuerpo, no se le pasó por la cabeza negarse. Una llamada de su padre no podía ignorarse. De modo que se echó sobre el camisón una capa forrada de terciopelo y se apresuró a presentarse en su cámara, preguntándose por qué querría verla a aquellas horas. Era posible que quisiera halagarla, como Alan, por sus esfuerzos para que la velada saliera bien.

—Hay algo que me gustaría que hicieras por mí —dijo John de Lorn mirándola con detenimiento.

Intentó no parecer decepcionada. Su padre tenía demasiadas cosas en la cabeza, demasiadas personas por las que preocuparse para pensar en el banquete. Ya sabía que la apreciaba; no necesitaba que se lo dijera. Tendría que haberse dado cuenta de que si la llamaba a esas horas de la noche sería por algo importante.

—Por supuesto —dijo sin dudarlo un instante—. ¿Queréis que visite de nuevo a vuestro primo, el obispo de Argyll?

Su padre negó con la cabeza al tiempo que una sonrisa maliciosa aparecía en su rostro.

—No, esta vez es otra cosa. —Hizo una pausa y le dirigió una mirada de complicidad—. Me he dado cuenta antes de que hablabas con uno de los nuevos caballeros.

Anna se mordió el labio con incertidumbre.

—He hablado con muchos de ellos. ¿Hice algo que no debía? Pensé que os gustaría que diera la bienvenida a los recién llegados.

Su padre disipó todos sus temores.

—No hiciste nada mal. Justo antes de que tu madre te mandara para distraerme con todas esas preguntas… —Frunció el ceño de manera severa, pero ella simplemente sonrió, sin molestarse por negarlo. Eran preguntas tontas, pero no pudo pensar en nada además de comida, así a bote pronto—. Vi que hablabas con uno de los Campbell.

Se le borró la sonrisa. Así que se trataba de ese nuevo caballero.

—Sir Arthur —informó, intentando que no se quebrara su voz.

Pero de repente se sintió incómoda al sospechar lo que su padre querría que hiciera. Puede que no fuera capaz de blandir una espada o unirse a sus hermanos en el campo de batalla, pero Anna hacía lo que podía por ayudar a poner fin a la guerra por otros medios, incluyendo, en alguna ocasión, vigilar a los caballeros o barones en los que él no confiaba. No se trataba exactamente de espiar.

—¿Qué opinión tienes de él?

No le sorprendió la pregunta. Su padre le preguntaba habitualmente por sus impresiones acerca de los visitantes o de los nuevos soldados. La mayoría de los líderes no se dignarían a preguntarle la opinión a una mujer, pero su padre no era un hombre común. Creía en el uso de cualquier herramienta que estuviera a su disposición. Pensaba que las mujeres eran más perceptivas que los hombres, de modo que se aprovechaba de esa cualidad.

Anna se encogió de hombros levemente.

—Solo hemos intercambiado unas cuantas palabras. Parecía… —«Brusco. Frío. Distante», pensó. Pero añadió—: Estar dedicado a sus obligaciones.

Su padre asintió, como si estuviera de acuerdo en ello.

—Sí, es un caballero capaz. Tal vez no tan laureado como su hermano, pero sí un guerrero consumado. ¿No hubo nada que te llamara la atención?

Era consciente del escrutinio de su padre y luchaba por controlar la marea de calor que amenazaba con ascender a sus mejillas. Le había llamado la atención que el caballero era guapo y que su cuerpo parecía hecho de rocas, pero no pensaba mencionar eso. Volvió a pensar en la fiesta.

—Parecía preferir mantenerse al margen de todos.

Los ojos le brillaron como si hubiera dicho algo que le resultaba interesante.

—¿A qué te refieres?

—Me di cuenta de que en el banquete no parecía hablar mucho, ni tan siquiera con sus hermanos. No creo ni que tenga escudero. Apenas bebió, no estaba interesado en intimar con ninguna de las muchachas ni en bailar, y se marchó en cuanto pudo.

A su padre se le torció el gesto.

—Al parecer, te has fijado mucho en él.

En esa ocasión Anna no pudo evitar que el rubor abochornara su rostro.

—Es posible —admitió—. Pero no importa.

—Y eso, ¿por qué?

—No creo que le guste demasiado.

Su padre no pudo ocultar que aquello le divertía, lo cual, dadas las circunstancias, a ella le pareció un poco insensible.

—De hecho esa es la razón por la que te he hecho venir.

—¿Porque no le gusto?

—No, porque pienso que más bien se trata de lo contrario y me pregunto por qué se esfuerza tanto en pretenderlo.

Anna pensó seriamente que su padre se confundía en su análisis, pero no se molestó en discutirlo. Como a la mayoría de los padres, le parecía inconcebible que alguien rechazara a una de sus amadas hijas.

—Tal vez sea por esas viejas rencillas —sugirió—. Su padre murió en una batalla con nuestro clan, ¿no es cierto?

Una extraña mueca surcó el rostro de John MacDougall antes de que hiciera un gesto con la mano para desechar la idea.

—Sí, hace ya muchos años. En parte podría ser por eso, pero no lo creo del todo. Hay algo en ese muchacho que me inquieta. No podría decir lo que es, pero me gustaría que lo vigilaras. Solo por un tiempo. Probablemente sea una tontería, pero ahora que se acaba la tregua no quiero arriesgarme. No obstante, tampoco puedo exponerme a una ofensa. Los Campbell son unos guerreros formidables y necesito tantos hombres como pueda conseguir.

El mundo se le vino encima. Sus peores temores se veían confirmados. Tras la conversación que habían mantenido hacía unas horas, lo último que Anna quería era tener que vigilar a sir Arthur Campbell.

—Padre, me ha dejado claro que…

—No ha dejado claro nada —la interrumpió su padre—. Te equivocas respecto a los sentimientos de Campbell hacia ti. —Y luego añadió con una voz más benévola—: No te estoy pidiendo que lo seduzcas, solo que lo observes. Creía que querías ayudar, que podía contar contigo.

—Y podéis —se apresuró a decir, escarmentada.

John de Lorn entornó los ojos.

—¿Es que ha ocurrido algo que no me estás contando? ¿Te ha tocado?

—No —insistió—. Os lo he contado todo. Por supuesto que haré lo que me pedís. Simplemente sugería que tal vez no sea tan fácil.

Cualquier reparo que tuviera palidecía en comparación con su promesa de hacer cuanto pudiera para ver el fin de la guerra y una victoria de los MacDougall. Aunque ello significara perseguir a un hombre que no quería que lo persiguieran. Aunque significara que su orgullo recibiera un severo varapalo.

Su padre sonrió.

—Yo creo que será mucho más sencillo de lo que imaginas.

Anna esperaba que estuviera en lo cierto, pero le daba la impresión de que en cuanto concernía a Arthur Campbell no había nada sencillo.

5

Arthur casi lo había conseguido. Las puertas estaban a menos de quince metros. Un minuto más y habría salido en busca de más información para Bruce.

—¡Sir Arthur!

Aquella voz femenina, dulce y suave, hizo que todos sus músculos se pusieran en tensión. «Otra vez no.» Calculó la distancia hasta las puertas y se preguntó si lograría llegar hasta ellas corriendo. Ya podía oír a los hombres riéndose por lo bajo a su alrededor en tanto que aparecía a su lado aquel rostro dolorosamente familiar, y lo de doloroso lo decía en serio, porque hasta los dientes le dolían.

Ella estaba sonriendo. Siempre estaba sonriendo. ¿Por qué demonios tenía que sonreír tanto? ¿Y por qué esa sonrisa tenía que iluminarle el rostro al completo, desde la suave curva de sus sonrosados labios hasta el brillo que titilaba en sus ojos azul intenso? Si fuera dado a desvariar como un bardo enamorado acerca de alusiones poéticas al color, habría dicho que eran como zafiros oscuros. Pero tenía cosas mucho más importantes que hacer, de modo que eran simplemente azul intenso.

«Zafiros…»

Tuvo que mirarla dos veces. Habría debido mantener la vista fija en su rostro, pero cometió el error de bajar los ojos y tuvo que soportar el dolor. El insistente impulso que sentía entre las piernas le daba violentas sacudidas. Un estado al que desgraciadamente empezaba a acostumbrarse. Con solo mirarle el vestido le entraron ganas de arrodillarse y suplicar piedad al Señor. ¿Es que intentaba acabar con él?

Probablemente sí. Cada vez le resultaba más difícil ignorar su seducción y unas insinuaciones cuyo descaro iba en aumento. Primero lo buscaba fuera durante las comidas; luego insistió en ayudar al curandero cuando recibió un espadazo en el brazo días antes —se había distraído, maldita fuera, al verla pulular por el jardín, riéndose junto a sus hermanas—; se presentaba en el establo a la misma hora en la que él tenía previsto cabalgar por la mañana, y ahora aquello. Su flamante corpiño amarillo de raso le ceñía el cuerpo por todos los lugares en que no debía hacerlo. Arthur se preguntaba cómo le sería posible respirar. Se ajustaba tanto a su pecho y a su delgada cintura que parecía venir empapada del lago. Pero lo peor de todo era lo bajo que quedaba el escote sobre su busto, sobre su amplio, prodigiosamente amplio busto que se hacía la boca agua.

Por los clavos de Cristo, no podía apartar la mirada de ese trozo de piel suave y pálida que se henchía, no, que se derramaba sobre su canesú. Maduros y exuberantes fueron las dos palabras que le vinieron a la mente. Pero eso ni tan siquiera empezaba a describir la perfección de sus magníficos pechos. Habría dado con gusto su brazo izquierdo por verlos desnudos. Y lo estaba pasando fatal intentando no pensar en el aspecto que tendrían. Cómo sabrían, cómo se balancearían cuando…

«Por todos los diablos.» Apartó la vista bruscamente. Bajo la armadura su cuerpo estaba en llamas. De deseo, cierto. Pero también por un irracional estallido de cólera. Si esa mujer fuera suya la encerraría en su habitación durante una semana entera por mostrar tal vestido en público. Después de habérselo arrancado a mordiscos y luego quemarlo. No podía recordar la última vez que una mujer había conseguido ponerle tan… desconcertado.

Anna, inconsciente de los violentos pensamientos que sacudían a Arthur, alzó la vista para mirarlo con entusiasmo.

—Qué suerte que os haya cogido a tiempo —dijo entre jadeos para intentar recobrar el aliento.

Esos jadeos le hacían pensar en darse un revolcón con ella. Dios, todo en ella le hacía pensar en eso… Lo más probable es que hubiera salido corriendo desde la torre al verle salir del establo. No era la primera vez que lo hacía. Se había equivocado dándole largas en la fiesta de la otra noche. Una equivocación fatídica. Desde entonces ella no había hecho más que redoblar sus esfuerzos. Arthur había pasado la semana viviendo al límite, sin saber nunca cuándo aparecería. Parecía que, fuera donde fuese, allí estaba ella. Sus hermanos y el resto de los hombres pensaban que aquello era para morirse de la risa. Él… no tanto.

No era tan inmune a sus encantos como le habría gustado. Resultaba difícil que no le gustara a uno esa muchacha. Era tan… natural. Como la primera flor de la primavera.

Maldijo para sus adentros. ¿Qué demonios le sucedía? Empezaba a sonar como un maldito bardo.

—Hay algo que me gustaría hablar con vos, si tenéis un momento.

Intentó sonreír, pero le rechinaban los dientes, de modo que tuvo la sensación de que le salió una mueca.

—Saldré a cabalgar todo el día. Tendrá que esperar.

A Anna se le borró la sonrisa. Arthur respiró hondo y se dijo a sí mismo que no volvería a dejarse atrapar por esa sensación. Pero lo hizo. Se sintió como un imbécil. Así se había sentido durante toda la semana. Al parecer nunca le resultaría fácil eso de pisotear una cola de gatito aterciopelada.

—Por supuesto. Lo siento —dijo Anna parpadeando con tal inocencia que Arthur sintió como si las garras de ese gatito se le clavaran en el pecho—. No quería importunaros, solo lo hago porque es importante.

—Vamos, Arthur —dijo su hermano incapaz de contener la sonrisa—. La dama dice que te necesita. Ya cabalgarás con nosotros otro día.

Probablemente lo que debería hacer era matar a su hermano. Dugald lo hacía a propósito. Lo acorralaba en una esquina y le hacía imposible la escapada simplemente por el placer de verle sufrir. La actitud de su hermano hacia las hijas de Lorn era más condescendiente desde el banquete. Pero él sabía que Dugald, el muy hijo de perra, también obraba de tal modo por el disfrute que obtenía viendo cómo Arthur se retorcía por dentro, ya que suponía lo incómodo que debía de sentirse al atraer la atención de la muchacha, algo que a esas alturas resultaba obvio.

Aquella se estaba convirtiendo en la semana más larga de su vida. Era preferible pasar otra vez por las dos semanas de adiestramiento guerrero de MacLeod, algo no en vano llamado «Perdición», que aguantar otro día más de ese sufrimiento.

Los ojos de Anna recobraron el brillo y una sonrisa volvió a aparecer sobre su rostro.

—¿Estáis seguro de que no pasa nada? —No le dio la oportunidad de mostrarse en desacuerdo—. Eso sería fantástico. ¿Adónde ibais?

—No es nada importante —mintió Arthur, intentando contener la rabia. Era la primera oportunidad que tenía de supervisar el terreno de la orilla norte del lago Etive. Ahora tendría que encontrar otra excusa. No era la primera vez que la muchacha se interponía en su misión durante la última semana. Había conseguido seguir a varios sacerdotes y mantener una estrecha vigilancia sobre la capilla del castillo y el priorato cercano, pero la mayor parte del tiempo la había pasado intentando esquivar a Anna.

Aquello tenía que acabar.

—Que te diviertas, hermanito —dijo Dugald sin preocuparse por ocultar el tono jocoso de su voz—. Nos vemos a la vuelta.

Arthur contempló su partida. Normalmente no se complacía en buscar formas mezquinas de venganza fraterna, pero empezaba a reconsiderarlo.

Desmontó del caballo y se dispuso a conducir a los establos al rápido y ágil *hobby* irlandés, un caballo que había dado nombre a los jinetes *hobelar*, de ligera armadura. Anna lo acompañó gustosamente con un caminar alegre. Arthur se cuidaba de mantener las distancias entre ambos. La muchacha era dada a tocarle el brazo mientras le hablaba, y cada vez que lo hacía, a él le parecía salirse de su propia piel. Se trataba de un mecanismo de defensa, pero no se avergonzaba de ello. A esas alturas estaba en juego su propia supervivencia.

Lo habían adiestrado para formar parte de los mejores guerreros de élite de Escocia. Una máquina secreta y mortal que haría todo lo necesario para proteger su identidad. Podía inmiscuirse entre las líneas enemigas, moverse sigilosamente por el campo del adversario, acabar con una decena de soldados con una sola mano y matar a un hombre sin hacer un solo ruido. Pero había una cosa que nadie le había enseñado a hacer: escabullirse de una muchacha demasiado entusiasta.

No lo entendía. La mayoría de las mujeres no se fiaban de él. Presentían algo que no les gustaba del todo. Sentían el peligro. Pero ella no. Lo miraba como si fuera una persona «normal». Algo que resultaba de lo más perturbador.

Mantenía la mirada al frente para no ver cómo el sol realzaba los mechones dorados de sus largos y sedosos cabellos. O reparar en la suavidad de su piel. O percibir su increíble olor. Seguramente la muy pícara se bañaba con pétalos de rosa. Maldición. Mejor sería que no la imaginara bañándose. Porque si pensaba en cómo se bañaba tendría que pensar obligatoriamente en su cuerpo desnudo y lo siguiente serían sus pechos. Pero no acabaría ahí la cosa. Su mirada recayó sobre su busto, allí donde había descansado demasiadas veces durante la pasada semana. Sobre esas suaves y cremosas turgencias a punto de estallar y salirse del corpiño. Pensaría en agarrar esos espectaculares pechos con sus manos, llevárselos hasta la boca y lamerlos. «Por todos los diablos.» Arthur notó que el calor invadía su entrepierna y apartó la vista de golpe.

—Espero que no os importe demasiado no poder cabalgar —se atrevió a decir Anna, sin darle mucha importancia.

Arthur se encogió de hombros y musitó algo incomprensible. Ella no pareció advertir su falta de entusiasmo. No habría sabido precisar si ignoraba adrede su obvio desinterés o sencillamente era tan feliz y tenía tan buen carácter que no se percataba de ello.

Arthur entregó el caballo a uno de los mozos de cuadras y se volvió para mirarla.

—¿Qué es eso de lo que me queríais hablar?

Anna arrugó el entrecejo.

—¿No os gustaría entrar? Puedo hacer que uno de los sirvientes nos traiga algo frío para beber.

—Aquí está bien —dijo Arthur bruscamente.

«Mecanismos defensivos», se recordó a sí mismo. A esa hora del día el salón estaría tranquilo. Un jardín repleto de gente yendo de un sitio a otro era un lugar más seguro. Gracias a Dios, MacGregor y MacSorley no estaban allí para verlo. De ser así, tendría historia para rato. Al parecer sí que tenía una vena de cobardía en su interior. Tendría que contárselo a su hermano Neil la próxima vez que lo viera.

Anna frunció los labios en un intento de reproche, pero se quedó en un ejercicio pobre que solo consiguió arrugarle la nariz. Y de una manera adorable, maldita fuera.

—Muy bien —dijo sin mostrar demasiado entusiasmo—. Vuestro hermano mencionó que sois bueno con la lanza.

Dugald no sabía ni de la misa la mitad. Arthur era cauteloso a la hora de mostrar sus habilidades, ya que no quería que se usaran en contra de sus amigos. Cuando estaba con sus enemigos era bueno, pero no tanto para llamar demasiado la atención. En cuanto a sus cualidades para reconocer el terreno, las había mostrado mucho menos. A Dugald todavía le gustaba recordarle esas artes insospechadas de las que hacía gala cuando era un chaval. Neil era el único que sabía que no solo no habían desaparecido, sino que eran más acusadas.

—¿Y qué tiene que ver mi habilidad con la lanza en todo esto? —dijo con una voz en la que se entreveía su impaciencia.

—He pensado que podríais ayudar a organizar las pruebas de habilidades para las justas de mañana.

Arthur frunció el ceño.

—¿Qué justas?

—Como este año no hemos podido hacer los Torneos de las Highlands, me pareció que sería divertido ponerles a los hombres una serie de pruebas y desafíos. Pueden competir unos contra otros en lugar de contra otros clanes. A mi padre le parece que es una idea estupenda.

Arthur se quedó mirándola, atónito.

—¿Eso es lo que era tan importante? —¿Era por eso por lo que le privaba de montar a caballo?, se dijo. ¿Por unos torneos? ¿Diversión? Luchó por controlar su temperamento, pero notaba cómo se le iba de las manos. Maldita fuera, él no tenía mal carácter. Y sin embargo estaba apretando los puños. Esa niñita vivía en un mundo de fantasía, sin idea de lo precaria que era la situación de su padre—. ¿Sabéis por qué no se han organizado los torneos este año?

Anna entrecerró los ojos, sin perderse un ápice del tono condescendiente de su voz.

—Por supuesto que lo sé. Por la guerra.

—Y aún así ideáis juegos cuando los hombres intentan prepararse para la batalla.

Arthur advirtió el brillo de su mirada. Genial. Esperaba que estuviera enfadada. Puede que no quisiera pensar en la guerra, pero tampoco podía ignorarla. Tal vez se diera cuenta de lo ridículo que era todo aquello. Igual que era ridículo que él se fijara en la longitud de sus pestañas o en el delicado arco que formaban sus cejas.

—Se trata de entrenamiento. Los juegos son solo una forma de animarlo. La competición les vendrá bien, y además será divertido.

—Las tácticas de batalla no tienen nada de divertido —dijo Arthur, enfadado.

—Tal vez no —concedió ella con voz tímida, dando la impresión de verse afectada por el tono en que le hablaba. Entonces volvió a hacerlo. Lo tocó. Aquella suave presión en su brazo hizo que cada uno de los nervios de Arthur se expandiera como en una de las explosiones de William Gordon, el Templario. Sus miradas se cruzaron y percibió que ella le comprendía. Pero no quería esa comprensión ni la necesitaba. No era por él por quien debía preocuparse, sino por su padre y los demás miembros del clan—. Pero en ocasiones la guerra no se basa solo en tácticas de batalla. ¿Qué pasa con el ánimo de los hombres? ¿Es que eso no es importante? —Arthur no dijo nada. No es que se mostrara en desacuerdo, pero tampoco estaba totalmente de acuerdo en ello. Advirtió que sus ojos escrutaban la expresión de su rostro—. Si no queréis ayudarme, ya encontraré a otro.

Apretó la mandíbula, consciente de que debería negarse. Permitir que torturase a cualquier otro pobre idiota. Pero esa idea le gustaba menos incluso. Así que se encontró a sí mismo preguntando entre dientes:

—¿Qué queréis que haga?

El rostro de Anna se iluminó y la fuerza que desprendía fue para él como un mazazo en el pecho. Estuvo a punto de tambalearse. Mientras oía cómo su excitada voz explicaba lo que necesitaba que hiciera, Arthur comprendió que tendría que haber salido corriendo cuando tuvo oportunidad de hacerlo.

El día de los «Torneos» amaneció con un sol radiante. Un buen presagio para los propios juegos, como luego se demostraría. Anna pensó con cierto aire de suficiencia que había acertado. Independientemente de lo que él opinara, aquello era bueno para los hombres. Por el momento los juegos habían resultado un éxito clamoroso. No solo para hidalgos y caballeros, sino también para los residentes en el castillo y las gentes de la villa. Cientos de hombres del clan siguieron los progresos de los guerreros en los desafíos de fuerza y destreza, animando a sus favoritos, ya perdieran o ganasen.

Por la mañana los espectadores se reunieron junto a los astilleros que albergaban los barcos de su padre para ver las regatas y los concursos de natación en la bahía que había tras el castillo. Después, como paso previo a una espléndida comida al mediodía, se trasladaron al *barmkin* para asistir al concurso de espadas y tiro con arco, y en ese momento estaban todos agrupados entre las rocas y las áreas de hierba que cubrían el montículo situado justo tras las puertas del castillo para presenciar el evento final: tiro con lanza.

—Ahí está tu caballero —dijo Mary burlonamente mientras señalaba al grupo de guerreros que hacían cola a sus pies.

Anna se estremeció. Si Mary se había percatado de ello

era porque todos lo habían hecho. La bendita inconsciencia de su hermana solía ser de tal magnitud que desafiaba la regla de su padre según la cual las mujeres eran más perceptivas que los hombres.

—No es mi caballero —dijo con retintín.

Y con demasiada vehemencia, a juzgar por la sonrisa de su hermana mayor.

—Pues da toda la impresión de que quieres que lo sea. Pero yo te daría un pequeño consejo de hermana mayor: tal vez tendrías que ser un poco más… ejem, sutil.

Anna se percató de que su hermana intentaba contener la risa. Frunció los labios. Eso ya lo había intentado. Y no había funcionado. Alzó la barbilla, haciendo como que no tenía idea de a qué se refería su hermana.

—No hago más que tratar de comportarme como una buena anfitriona. Ser simpática con todos los caballeros que han respondido a la llamada de padre.

Aquello hizo que sus dos hermanas estallaran en un ataque de risa histérica.

—¡Caray! Pues espero que no seas igual de simpática con todos ellos —dijo Juliana—. ¿Tú viste el vestido que se puso ayer? —dijo asomando la cabeza para dirigirse a Mary y evitando a Anna, que estaba sentada entre ambas sobre una manta de cuadros escocesa—. Por lo menos era de hace cinco años. Ni tan siquiera a Marion le habría entrado —añadió, refiriéndose a su sobrina de doce años.

—Madre se enfadó mucho —asintió Mary con unos ojos que brillaban aviesamente—. Tendrías que haber visto la cara que puso cuando Anna apareció para el almuerzo. No la había visto tan enfadada desde que padre cayó enfermo.

Al menos aquella humillación sirvió para algo. Fue maravilloso comprobar que su madre dejaba a un lado sus preocupaciones para reprenderla a ella, aunque fuera solo por un momento. Dios sabía que nada bueno consiguió, aparte de eso. Para lo que sir Arthur se fijó en el vestido, ya podría haber llevado puesto un saco de arpillera.

Sabía que debería avergonzarse por rebajarse a la mezquindad de ponerse un vestido indecente para llamar su atención. Pero en momentos desesperados, era preciso adoptar medidas desesperadas. Y tras una semana de hacer el tonto y de ir detrás de un hombre que no quería que nadie fuera detrás de él, Anna había llegado al límite de sus capacidades. Sir Arthur Campbell seguía siendo prácticamente el mismo misterio que la primera vez que se tropezó con él. Sabía que se trataba de un caballero capaz, concentrado en sus obligaciones y que era introspectivo, pero todo eso ya lo sabía antes. Era imposible desentrañar lo que pensaba ese hombre. A fe que era imposible incluso estar en la misma habitación que él. Inventar razones para permanecer a su lado no era nada fácil, y a Anna le resultaban cada vez más frustrantes sus esfuerzos por tenerlo vigilado. Ningún otro hombre le había dado tantos problemas. Seguramente porque ninguno de ellos intentaba evitarla.

Hasta entonces, a menos que responder con monosílabos y ser poco comunicativo fueran razones para la sospecha, no había descubierto nada digno de desconfianza. Probablemente fuera el hombre más difícil con el que había intentado conversar. Sir Arthur era el maestro de las respuestas breves, por no hablar de que se mostraba tan susceptible e irritable como un oso que acabara de salir de la hibernación. No es que le diera crédito alguno a lo que decía su padre, pero si esas eran las indicaciones de su interés por ella, no quería ni imaginar cómo sería cuando alguien no le interesaba.

El día anterior, sin embargo, Anna había hecho un importante descubrimiento. Había averiguado cómo hacerle hablar: enfadándolo. Tal vez hubiera fallado en su enfoque de la cuestión desde un principio.

Entornó los ojos para mirar al enigmático caballero, que en ese momento se trasladaba junto al resto de los participantes hacia el otro lado del campo. A pesar de que no hiciera nada sospechoso, Anna no podía quitarse de la cabeza la idea de que ocultaba algo. No obstante, no alcanzaba a saber si ello se debía a su orgullo herido o a los poderes de su intuición femenina. Lo que estaba claro es que había algo diferente en él.

—He de admitir que estoy sorprendida por tu simpatía

hacia el caballero —dijo Juliana intentando contener la risa tras el largo rato de carcajadas que acababa de compartir con Mary—. A la vista está lo apuesto que es, pero normalmente evitas a los hombres de ese tipo.

A los guerreros, quería decir su hermana. Tenía razón.

—Su hermano es mucho más guapo —interpuso Mary con la vista clavada en la impresionante figura de sir Dugald.

Anna no estaba de acuerdo, pero no pensaba darles más razones para que se metieran con ella.

—Y sir Arthur no tiene tanta fama entre las mujeres ni de lejos —señaló Juliana a modo de advertencia para Mary.

Hablaba por experiencia. Hacía años que se había quedado viuda, pero su matrimonio nunca fue feliz. Su marido, sir Godfrey de Clare, un barón inglés, la culpaba a ella por su mutua incapacidad para engendrar a un heredero y, según su hermana, levantaba cada falda que encontraba para intentar demostrarlo.

Anna deseaba desde lo más profundo que el siguiente marido de su hermana fuera alguien a quien esta pudiera amar. Aunque por lo general el amor no tenía nada que ver en la manera en que se concertaban los matrimonios, ellas eran más afortunadas a este respecto que la mayoría. Tres hijas en edad de desposar suponían un tesoro para cualquier noble que quisiera aumentar sus tierras y reforzar sus alianzas, pero su padre era un hombre razonable. Tomaba en consideración sus deseos a la hora de encontrarles posibles maridos.

Juliana quiso casarse con sir Godfrey, al menos al principio. Al igual que Anna quiso casarse con Roger. Sir Roger de Umfraville era el tercer hijo del hermano menor del viejo conde de Angus. Se habían conocido varios años atrás, en cierta ocasión en la que Anna acompañó a su padre al Parlamento en el castillo de Stirling. Aquel joven y tranquilo estudiante de encantadora sonrisa e ingenioso sentido del humor le gustó desde el principio. Roger, educado en Cambridge, estaba considerado un hombre erudito y un político prometedor. Aborrecía los derramamientos de sangre. Como tercer hijo, habría debido permanecer a salvo de la guerra, pero cuando murieron sus dos hermanos mayores, uno en Falkirk y el otro a causa de unas fiebres, Roger sintió la necesidad de blandir la espada. A Anna se le partió el corazón cuando una herida en apariencia insignificante que había sufrido en Methven se infectó y le provocó la muerte.

Mary, al contrario que sus hermanas, todavía tenía que decidirse por un marido. Anna sospechaba que si su padre no hacía ninguna presión era porque esperaba obtener una valiosa alianza, a ser posible inglesa, a cambio de su hermosa hermana. Una vez sometieran a Bruce, su padre estaría en posición de buscarles maridos a todas ellas.

El corazón se le encogió. «Cuando la guerra acabe.»

—Yo creía que padre tenía pensado concertar un matrimonio con sir Thomas o con alguno de esos guapos y formales barones ingleses cuando el rey Capucha hinque las rodillas —dijo su hermana.

—Créeme, Juliana, esto no tiene nada que ver con el matrimonio. ¡Si ni tan siquiera lo conozco! —dijo Anna con sinceridad.

Le atraía, incluso se veía intrigada por su indiferencia de un modo perverso, pero un guerrero highlander no era el tipo de marido que ella buscaba. Una vida en paz y tranquila, un padre que llegara a conocer a sus hijos, eso era lo que ella quería.

Pero ¿por qué el rostro de Thomas McNab le parecía ahora tan… afeminado? «Nenaza», le había llamado Alan. Tuvo que morderse el labio y estar de acuerdo con él.

Tenía la tentación de explicarles cuál era la verdadera razón de todo aquello, pero su padre prefería que las tareas que le encomendaba quedaran entre ellos dos. Seguramente para que no llegaran a oídos de su madre. No podía estar segura de si sus hermanas creían las razones que había dado o simplemente dejaban de meterse con ella porque la prueba estaba a punto de empezar, pero agradeció que volvieran sus ojos hacia el campo que tenían a sus pies. El sitio que ocupaban al borde de una ladera les ofrecía una perspectiva envidiable de toda la palestra.

Fue idea de sir Arthur aquello de que los participantes no solo arrojaran las lanzas a una variada gama de objetivos, sino que lo hicieran cabalgando al galope y vistiendo la armadura. Arthur, haciendo gala de su talante seco y de su practicidad, la había ayudado a organizar los diferentes desafíos de manera rápida y eficiente. Anna tenía la sensación de que, en parte, sus esfuerzos estaban dirigidos a apartarla de sí cuanto antes. Albergaba la esperanza de pasarse todo el día haciendo aquello, pero en unas horas ya habían terminado. Él se las arregló para recibir ayuda de otros gentilhombres, seguramente para evitar estar a solas con ella.

Suspiró y volvió de nuevo sus ojos al campo de tiro. Uno por uno, los hombres cabalgaban sus monturas al galope por el sendero y arrojaban las lanzas a unas balas de paja atadas a un poste. Si aquello fueran los Torneos de las Highlands verdaderos, la prueba consistiría tanto en lanzamiento como en cruce de lanzas. Para este último se usaban lanzas más largas y el jinete se la colocaba bajo el brazo a la manera de las justas.

El desafío era más difícil de lo que parecía, como mostraban las muchas lanzas que no daban en el blanco o se quedaban cortas. Pero varios de los participantes eran muy buenos, entre ellos su hermano Alan. Cuando su lanza alcanzó con precisión el centro de la diana, Anna cantó vítores junto a sus hermanas. Solo Alexander MacNaughton, el guardián del castillo real de Frechelan en el lago Awe, lo hizo tan bien como él.

Sir Arthur puso su corcel en posición de salida y Anna se sorprendió a sí misma acercándose más al borde de las rocas. Al igual que el resto de los participantes llevaba un yelmo de acero, la cota de malla y el tabardo blasonado con su escudo de armas a juego con la adarga. Todos los escudos de armas de los Campbell presentaban el gironeado de ocho con una marta cibelina, lo cual consistía básicamente en un triangulado alterno de negros y dorados, pero el suyo estaba personalizado con un oso en el centro, que sin duda hacía referencia a la palabra gaélica *artos*, de la que derivaba su nombre.

Sostuvo la lanza con la mano izquierda, las riendas con la derecha y comenzó a avanzar. Siendo zurdo estaría en desventaja, ya que al contrario que el resto de los participantes él tendría que arrojarla por encima de su propio cuerpo para alcanzar la diana.

El pulso de Anna se aceleró a medida que lo hacía su caballo. Entusiasta amazona como era, se dio cuanta al momento de que Arthur era un formidable jinete. Se movía con una soltura excepcional, con fuerza y potencia, como si él y la montura fueran uno.

Se acercó al objetivo.

En el momento en que levantó el arma sin dudar un instante con un suave movimiento hacia la bala de paja a Anna se le cortó la respiración. Alcanzó su objetivo con un golpe contundente que quedó a escasos centímetros por debajo del centro de la diana. El aliento de Anna se liberó en un grito de excitación que se unió a los vítores del resto. Se trataba de un lanzamiento excelente. No tan bueno como el de su hermano Alan o el de MacNaughton, pero aún estaban en la primera tentativa.

La palestra de competidores iba disminuyendo a cada ronda. No obstante, hasta la tercera, el resultado seguía siendo el mismo. Aunque sabía que no había justificación, Anna se sintió un tanto decepcionada. Por alguna razón esperaba que Arthur ganara. Era un deseo estúpido y se basaba tan solo en una suposición. Había desempeñado un gran papel quedando tercero, por detrás de MacNaughton y de su hermano. Pero resultaba extraño. Parecía perder siempre por la misma distancia cada vez, a unos pocos centímetros de donde acertaban MacNaughton o su hermano.

Los hombres se quitaron el yelmo y entregaron su montura a los mozos de cuadra. Sir Arthur parecía tener más ganas de seguir los pasos de su caballo hacia el establo que de permanecer allí y aceptar las felicitaciones del gentío.

Anna se apresuró a ponerse en pie, con ganas de salir corriendo y atraparlo antes de que pudiera huir. ¿Qué tal si insistiera en que los mejores de la competición se sentaran esa noche junto a ellos a la mesa del estrado para cenar? Es posible que eso le disgustara lo suficiente para sacarle al menos un par de frases. Se quedó mirando a Mary, que se tomaba todo el tiempo del mundo para levantarse de la manta.

—¿Adónde vas con tanta prisa?

—Me gustaría felicitar a Alan, ¿a ti no? —dijo con las mejillas acaloradas.

Anna siguió su camino por el sendero rocoso al borde del desfiladero, intentando no mirar hacia abajo, al tiempo que le pedía silenciosamente a la multitud de espectadores que bajaran la colina con más rapidez.

—¿Estás segura de que no es al joven Campbell a quien quieres felicitar, Annie querida? —la provocó Juliana desde atrás—. No mires ahora —susurró, a pesar de que con el griterío de la muchedumbre era completamente innecesario—, pero creo que te está mirando.

Por supuesto, Anna miró. Giró su hombro izquierdo y bajó la vista. Se quedó sin aliento. Juliana tenía razón. La miraba fijamente. Sus ojos tuvieron un súbito encontronazo que repercutió por todo su cuerpo como una terrible conmoción. Era la primera vez que no la miraba con indiferencia. En realidad, parecía que tuviera miedo de algo.

Tan ocupada estaba mirándolo que no se fijaba en sus propios pasos.

—¡Cuidado, Anna! —gritó Mary.

Pero ya era demasiado tarde. Tropezó con una roca. Se le dobló el tobillo y perdió el equilibrio, algo que incluso en la mejor de las circunstancias no habría sido nada bueno. Al verse caer de espaldas, dio un paso atrás para intentar recomponerse, lo cual habría resultado, de no ser porque estaba al borde de un acantilado y las rocas se habían desprendido bajo sus pies.

—¡Anna! —gritó Mary a la vez que intentaba alcanzarla.

«Oh, Dios.» Durante un horrible instante, el tiempo pareció detenerse mientras ella permanecía suspendida en el aire. Entonces comenzó su caída.

Pudo apreciar las horrorizadas caras de sus hermanas danzando por encima de ella mientras la inercia seguía impulsándola hacia atrás. Una sonora ráfaga de aire acalló los gritos de la multitud y por un momento se produjo un silencio inquietante, como si estuviera en un extraño túnel estanco. Cayó tres metros. Cinco. No había tiempo para mover el cuerpo y procurar caer de pie. Anna se preparó para impactar directamente contra el suelo. Pero no lo hizo. Intentó recobrar el aliento al darse cuenta de que no estaba tirada en el suelo con todos los huesos rotos y los miembros desgarrados. No, pues al abrir los ojos se encontró con el bello rostro de sir Arthur Campbell. ¡Cielo santo, había conseguido cogerla! Pero ¿cómo? ¿Cómo era posible que hubiera llegado allí tan rápido?

—¿Estáis bien?

Asintió, ya que no podía pronunciar palabra. No se había quedado muda por el miedo a la caída, sino por otra cosa. Su voz. La mirada de aquellos increíbles ojos. Aquello no era indiferencia. Una vez rota por primera vez su impasible fachada, la conciencia de sus sentimientos hizo estremecer todo su cuerpo. Tal vez su padre no estuviera equivocado, después de todo.

6

Arthur respiró profundamente y dejó que sus pulmones se llenaran con aquel aire de olor tan acre. La libertad, por más que apestara a boñiga de vaca, seguía siendo de dulce aroma. Llevaba cinco días lejos del castillo, patrullando las lindes orientales de los dominios de Lorn, en su caso reconociendo el terreno de manera subrepticia, y ahora, cortesía del buen fraile, había conseguido dos días más. En otras palabras, que disfrutaría de una semana de libertad lejos de aquella hechicera de ojos azules y cabellos de color miel que lo había atormentado con su inocente seducción hasta no soportarlo.

Hasta que Anna cayó, y él la cogió, no supo que tenía que marcharse de allí cuanto antes. Había demasiadas posibilidades de que descubrieran su plan. No se hablaba de otra cosa en el castillo. Incluso aquel engendro del demonio de Lorn pensó que le hacía un honor insistiendo en que les acompañara aquella noche sentado a la mesa de los señores del castillo. Cualquiera diría que se estaba comiendo las uñas, porque eso era lo único que saboreaba. Tuvo que hacer uso de todas sus artes de engaño para enmascarar el odio que sentía durante la larga cena. Daba la impresión de que aquel hijo de perra despiadado tenía una debilidad: sus hijas. Al parecer, incluso al mismo diablo había cosas que le importaban. Arthur advirtió el miedo que emanaba de los ojos de Lorn al oír el relato del tropiezo de Anna en la ladera de la colina, mostrando una gratitud que se veía del todo sincera.

Aunque Lorn aceptó su versión de los hechos, Anna Mac-Dougall no fue tan fácil de engañar. Era consciente de que no se tragaba esa explicación de «tuve la suerte de estar en el sitio apropiado cuando ella cayó». Esa muchacha era demasiado intuitiva, lo cual significaba que era peligrosa. Y lo último que necesitaba era que Dugald o, peor aún, Lorn comenzaran a hacer preguntas.

¡Menudo lío! Su mala suerte iba en aumento. Primero la muchacha que había rescatado, la única mujer que podía desenmascararlo, resultaba ser la hija del hombre al que pretendía aniquilar. Después, Dios sabía por qué motivos, la chica se encaprichaba de él. Y luego para empeorarlo todo, ella tropezaba en un acantilado, obligándole a traicionar esas habilidades que podrían llamar más la atención sobre él si cabe y lo convertía en el último de los héroes de los MacDougall, por no hablar de la nueva fuente de divertimento ofrecida a los hombres. Eran incontables las veces que en el transcurso del viaje alguno de ellos se subía a una roca y hacía como que caía para gritar dramáticamente con una voz aguda: «¡Agarradme, sir Arthur!».

Para morirse de risa. Casi echaba de menos a MacSorley.

Los «Torneos» en sí no resultaron una pérdida de tiempo tan grande como él imaginaba. La muchacha estaba en lo cierto: la competición había resultado buena para enardecer el ánimo de los participantes. Es más, había aprendido bastante acerca de las habilidades de los soldados del enemigo y podría entregarle esa información a Bruce. No obstante, consciente de que tenía que andarse con pies de plomo ante la muchacha, o mejor aún, alejarse de ella cuanto pudiera, aprovechó la primera ocasión que se le presentó para marcharse. Si aquello resultaba en una oportunidad de explorar las tierras de Lorn para Bruce, mejor que mejor.

Necesitaba centrarse en la misión. A pesar de ser uno de los guerreros de élite mejor entrenados del país y de que estaba en medio de la misión más importante de su vida, a veces le parecía estar actuando en una farsa para jovencitas. Jamás antes se había visto en tales aprietos. Esa era la razón por la que le gustaba trabajar solo. Desde el exterior. Infiltrarse resultaba demasiado personal. Demasiado cercano.

Aquella racha de buena fortuna continuó cuando, de regreso al castillo junto a sus hermanos y al resto de los hombres que conformaban la patrulla, la mayor parte de los miembros de los MacNab y los MacNaughton, se encontraron con fray John en las cercanías de Tyndrun. El buen fraile venía de Sant Andrew y recorría Escocia atravesando las tierras de Lorn, camino de la isla de Lismore, una pequeña y estrecha ínsula junto a la costa, que servía como asentamiento tradicional al obispo de Argyll, que, curiosamente, era un MacDougall y además pariente cercano de Lorn.

Como sospechaba desde hacía tiempo que los MacDougall pasaban información a través de las iglesias, se ofreció voluntario para escoltar al fraile hasta Oban, justo al sur del castillo, donde podría tomar un bote. Arthur insistió en que, de todos modos, él iba en esa misma dirección. El fraile cabalgaría tras él. Aunque viajarían a un paso mucho más lento que el resto, tampoco tenía prisa alguna por volver. Al decir esto, oyó varias risitas a su espalda. Arthur se convenció más si cabe de que el fraile tramaba algo al ver que intentaba negarse. ¿Sería posible que hubiera descubierto la fuente de los mensajes de MacDougall?

Frunció el ceño. La único malo fue que en el último momento Dugald decidió unirse a ellos. Probablemente para torturarle hasta la muerte con toda esa palabrería del concurso de lanzas.

—Si hubieras apuntado un poco más alto y soltado la muñeca como te enseñé, muy posiblemente habrías ganado.

Arthur apretó los dientes y mantuvo la vista fija en el sendero que tenía ante sí.

—Lo hice lo mejor que pude —mintió, sin saber por qué los intentos de Dugald de mejorar sus destrezas le crispaban tanto.

Podría haber superado a cualquiera si hubiera querido. Pero preservar su identidad era lo único que importaba. Ya había «perdido» una infinidad de veces. No sabía qué demonios le ocurría últimamente. Estaba más claro que el agua que no le importaba un comino impresionar a las muchachas, a ninguna de ellas en particular. El orgullo era algo que podía acabar con él.

—Y no bastó para que ganaras —señaló Dugald, por si lo había olvidado.

No lo había hecho.

—La siguiente iglesia está cruzando el río —dijo el fraile, cambiando de tema por fortuna.

Acababan de atravesar Ben Cruachan, las montañas más altas de Argyll, por el estrecho y empinado sendero de Brander o *Brannraidh*: lugar de emboscada. Un nombre muy apropiado, pensó. Ante ellos se extendía el relativamente plano pastizal de la orilla sur del lago Etive.

—¿Os referís a Killespickerill? —preguntó Arthur.

Aquella ancestral iglesia de Taynuilt dio en su día cobijo al obispo de Argyll.

—¿Ah, la conocéis?

Arthur y Dugald intercambiaron una mirada. Obviamente el buen fraile no estaba familiarizado con la historia entre los Campbell y los MacDougall.

—Un poco —dijo, quedándose corto.

El pequeño poblado de Taynuilt estaba emplazado en un paso clave entre el lago Etive y el río Awe, que estaban unidos por unas corrientes de aguas subterráneas de cinco kilómetros. Eran tierras de Lorn, pero se hallaban muy cerca de las de los Campbell. Es decir, de las que fueron tierras de los Campbell, pensó Arthur apretando los dientes.

—Si queréis llegar a Oban al anochecer, no deberíamos permanecer aquí mucho tiempo. Aún nos quedan al menos veinte kilómetros para llegar.

A ese paso tardarían otros dos días. Parecía que visitaran cada una de las iglesias entre Tyndrum y el lago Etive. No es que Arthur se quejara. Aquello le brindaba más oportunidades de inspeccionar la zona. Cuando Bruce y el resto de los hombres partieran rumbo oeste hacia Dunstaffnage para enfrentarse a Lorn, tendrían que pasar por esas mismas tierras. Y esa marcha lenta también retrasaría su vuelta al castillo, lo cual le venía de perlas.

Pero acompañar a ese fraile no le había ayudado a descubrir cómo pasaban la información los mensajeros a través de la red del rey Robert. Puede que fueran clérigos, pero, por el momento, ese clérigo no parecía ser un mensajero. No había visto que el fraile sacara nada de la escarcela que llevaba atada al cinto. Y tampoco descubrió nada la noche anterior mientras el fraile dormía, momento que Arthur aprovechó para asegurarse de ello.

—El hermano Rory hace el mejor caldo de las Highlands —dijo el fraile—. No querréis perdéroslo.

La iglesia anterior tenía pasteles de carne; la anterior a esta, mermelada. A Arthur le daba la impresión de que el cometido de las paradas en todas aquellas iglesias era más probar las especialidades locales que atender a las necesidades de la fe. Cualquiera lo diría, viendo el figurín de aquel clérigo. El hombre tenía más huesos que carne y un temperamento más dado al buen saque que a apretarse al cinturón.

Cruzaron el río por el puente de Awe y siguieron la orilla, avanzando hacia el sur bordeando el bosque. El paisaje estaba salpicado de sencillas casas de piedra gris que se hacían más numerosas a medida que se aproximaban a la villa. Minutos después aparecía la vieja iglesia de piedra, pegada a un pequeño promontorio en el centro de la ociosa villa. Había varias personas en los alrededores, la mayoría de ellas mujeres, y el aire arrastraba arrullos de risas y niños jugando. Se quedó petrificado al oír lo que parecía una canción. Una voz de mujer. Sus sentidos zumbaron como si le acabara de pasar una abeja por detrás de la cabeza.

—¿Pasa algo?

El fraile, que cabalgaba tras él, estaba lo suficiente cerca para percatarse de su reacción. Arthur esperó. Paseó la mirada de arriba abajo, pero no había nada fuera de lo habitual y tampoco advirtió el inconfundible olor del peligro. Negó con la cabeza.

—No, nada.

Siguieron avanzando hasta el interior del jardín de la iglesia para llegar al edificio trasero en el que comía y dormía el sacerdote. Fray John hacía honor a la verdad. El caldo del hermano

Rory era sin duda uno de los mejores que Arthur había probado. Después de tomar dos escudillas, le habría encantado sentarse en un banco de los del jardín del cura y disfrutar de aquella cálida tarde de verano, pero tenían que proseguir su camino. Al levantarse de la mesa volvió a oírlo. Aquellos dulces y melódicos tonos eran de una belleza impactante y lo llenaban con una sensación de arrobamiento cercana a aquella que se siente al presenciar un prodigio de la naturaleza. Como una puesta de sol perfecta. O la bruma sobre un lago al alba.

—¿Quién canta eso? —preguntó casi con veneración.

El hermano Rory lo miró de un modo tan raro que Arthur despertó de su estado de trance. Había hablado sin pensar, lejos de fiarse de su excepcional oído. El sacerdote puso atención y pareció darse cuenta de lo que había oído.

—Ah, la dama nos visita hoy desde el castillo. Debe de estar cantándole a Duncan. Desde que volvió no hay cosa que le guste más que escuchar cantar a la dama. —Arthur se quedó de piedra. Sus sentidos ya no zumbaban, sino que le hablaban a gritos. No podía ser. El hermano Rory continuó, ajeno a las reacciones de Arthur—. Todos esperan sus visitas con impaciencia. Nos trae siempre una gran alegría —dijo con el pecho henchido de orgullo—. La dama nunca nos olvida, ni a nosotros ni a la gente que ha servido a su abuelo.

—¿Qué dama? —preguntó Dugald.

—Lady Anna. La más joven de las hijas de lord de Lorn. Un ángel venido del cielo, eso es lo que es.

Más bien, venida del infierno para atormentar a Arthur.

Dugald se partió de risa solo con ver la cara que ponía.

—Parece que la muchacha ha conseguido encontrarte.

Arthur no podía creerlo. No era posible que lo hubiera encontrado. ¿O tal vez sí? El resto de los hombres habría regresado el día anterior. Se lo quitó de la cabeza. No, eso era imposible. Una coincidencia. «Una desafortunada coincidencia.»

El hermano Rory parecía confundido por la broma de Dugald.

—La dama viene cada dos viernes. Con la misma fiabilidad que la niebla de las montañas. ¿La conocen?

—Un poco —dijo Arthur antes de que Dugald pudiera responder.

Se apresuró entonces hasta el poste del jardín en el que habían dejado sus caballos, más ansioso por marcharse incluso que antes. Por desgracia, lady Anna escogió precisamente ese momento para marcharse de la casita que estaba visitando. Salió al camino, a menos de cincuenta metros de ellos, y se volvió para despedirse de la mujer y los dos niños pequeños que estaban a la puerta de la casa. El sol se reflejó en sus cabellos dándole una aureola de tintes dorados. Arthur sintió un extraño sobresalto en el pecho. Había pensado en ella más de lo que le habría gustado admitir y que le asparan si verla no le proporcionaba un breve destello de… «Diablos.» Era un destello de felicidad. Como si la hubiera echado de menos realmente. Pero estaba claro que no podía haberlo hecho. Ella no era más que un incordio. Un incordio adorable.

Entonces miró en su dirección. Al notar cómo se sobresaltaba supo que lo había visto. Sin embargo ella hizo cómo que no lo había hecho, dio media vuelta y bajó con paso presto el camino que llevaba al lago. Lejos de él, con el soldado que la protegía siguiendo sus pasos lealmente. Arthur se quedó circunspecto. No solo porque acabara de ignorarlo. No por su escolta. Un único soldado. Antes de que le diera tiempo a pensarlo mejor ya estaba gritando: «¡Lady Anna!».

Incluso desde aquella distancia advirtió que elevaba los hombros hasta casi tocarse las orejas con ellos. Por qué le irritaba aquel movimiento en particular era algo que no sabía, pero lo cierto es que le irritaba. Ignoró a su estúpido y sonriente hermano, volvió a atar su caballo al poste y fue a su encuentro. Anna pareció ponerse en guardia. Enderezó la espalda y asió con más fuerza la cesta, casi como si se estuviera preparando para la batalla. «Está tensa», pensó, maldita fuera.

—Sir Arthur —dijo en esa voz baja sofocada que él había olvidado. «Estupendo», pensó él—. Sir Dugald. Menuda sorpresa —añadió tras alzar la vista más allá de su hombro e identificar al hermano de Arthur.

No sonaba como una sorpresa agradable. ¿Qué diablos le ocurría? ¿Tan pronto había perdido el interés? Maldita fuera, pero si eso era lo que él quería.

Se detuvo frente a ella, tal vez un paso más cerca de lo debido. Si no se conociera a sí mismo lo suficiente, habría dicho que intentaba intimidarla. Que usaba su tamaño para bloquearle la salida. Pero él no era ningún bárbaro. No hacía ese tipo de cosas.

—¿Dónde está el resto de vuestros hombres? —dijo con brusquedad.

Anna frunció el ceño, haciendo aparecer esas características arrugas sobre la nariz.

—¿Qué hombres?

Intentó sonar paciente, pero no lo consiguió.

—No veo más que un guardia en vuestra escolta —dijo saludando con la cabeza al joven soldado.

—Robbie siempre me acompaña los viernes. Se crió en el pueblo.

El solo ocasional mal carácter de Arthur volvió a cobrar forma poco a poco. Robby, a pesar de ser alto, no podía tener más de dieciocho años y resultaba obvio a todas luces que no podría detener a alguien que quisiera hacer daño a la dama. ¡Por las barbas de Satanás, había una guerra en ciernes! ¿En qué demonios pensaba Lorn dejándola salir por ahí como si tal cosa?

Se volvió hacia su hermano.

—Yo acompañaré al fraile hasta Oban. Vuelve tú al castillo con lady Anna.

«Por todos los demonios.» Cuando vio a su hermano entornar los ojos, se dio cuenta de que Anna había vuelto a lograrlo. Una vez más conseguía que hiciera algo sin pensar. Acababa de darle una orden a su capitán. Él no cometía errores de ese calibre.

—Yo llevaré al fraile —dijo Dugald con cierta aspereza.

—Tú acompañarás a lady Anna.

Y la dama en cuestión pareció percatarse de la súbita tensión entre los dos hermanos.

—No necesito que nadie me acompañe a ningún sitio. Estoy perfectamente con Robby.

Arthur se vio de nuevo arrinconado. Dugald había marcado el territorio y no daría marcha atrás. Acababa de desafiar su autoridad y no podía permitirse una lucha de poderes con su hermano. Si alguien la acompañaba, tendría que ser él. Pero aquello significaría perder la oportunidad de comprobar si el fraile era uno de los mensajeros de Lorn. Lo que tendría que hacer era dejarla marchar. Lo más probable es que no le pasara nada. Lo más probable... Los días eran largos. Seguramente habría luz hasta que llegara al castillo. Seguramente.

Cerró los puños para no dar salida a la frustración que se retorcía en su interior.

—Estoy seguro de que estáis perfectamente —dijo para preservar el tierno orgullo del muchacho—, pero será un honor acompañaros al castillo, milady.

Anna no estaba contenta de verlo en absoluto. Después de pasar semanas evitándola, aquel hombre contradictorio decidía desempeñar el papel de protector acérrimo. Por supuesto que no olvidaba lo que había hecho por ella. Cuando al elevar la vista se encontró con sus impresionantes ojos dorados y se dio cuenta de que la había cogido, de que la había salvado, de que la estaba acunando entre sus brazos... Había sido el momento más romántico de su vida.

El momento más romántico sin pareja. Porque enseguida él la puso en pie, le dijo que tuviera más cuidado y la dejó allí con la palabra en la boca. ¿Cómo había podido atraparla a tiempo? Recordaba el brillo alarmado de sus ojos. Era casi como si supiera de antemano que caería. Algo que por supuesto era ridículo... ¿o no?

No obstante, Anna se acercó más la cesta a su regazo de manera inconsciente. Aquel hombre era demasiado observador. Tendría que pensar algo para distraerle.

—Acompañadnos pues, si insistís —dijo dando media vuelta y dirigiendo sus pasos de regreso al camino.

Sin embargo, una mano de él sobre el codo la hizo parar en seco. Al igual que lo hizo por un instante su corazón, justo antes de ponerse a latir alocadamente. No la agarraba con fuerza, pero podía notar cada uno de sus dedos quemándole la piel. Ser consciente de sus sentimientos hizo que le ardiera todo el cuerpo.

Se decía a sí misma que había exagerado la intensidad de su reacción ante él. Pero no era así. ¿Por qué él? Esa atracción que sentía era inexplicable.

—¿Dónde está vuestro caballo? —preguntó—. El castillo está en la otra dirección.

—No volveré al castillo aún. Todavía tengo que visitar a varios de los villanos.

—Pronto anochecerá.

Caramba, menuda cara le puso.

—No anochecerá hasta dentro de cuatro horas, al menos —repuso ella desembarazándose con cuidado de la mano que asía su codo—. Tengo tiempo de sobra.

Antes de que pudiera discutir ya había empezado a despedirse del hermano Rory, el fraile y sir Dugald y bajaba por el camino. La mirada de reproche de Arthur le decía que el arreglo no le hacía gracia; aun así, permaneció a su lado como una antipática y taciturna sombra. Visitaron tres hogares más. El primero pertenecía a Malcolm, que había perdido el brazo con el que blandía la espada luchando contra los rebeldes en Glen Trool y lo estaba pasando muy mal adaptándose a la vida lejos del campo de batalla. Incluso cubierto de cicatrices y con un brazo menos, Anna sabía que daría el otro con tal de poder regresar a la lucha. No entendía el amor que aquellos hombres profesaban a la guerra y jamás podría hacerlo. Estaba cansada de cicatrices, de miembros cercenados, de esposas sin marido y niños sin padre.

Arrugó la nariz y miró furtivamente al hombre de la esquina. Al parecer no todas las cicatrices le disgustaban. Algunas de ellas resultaban más bien… atractivas. Él tenía cicatrices. Una que le cruzaba el mentón y se acentuaba al apretar los dientes, algo que parecía hacer a menudo cuando ella estaba a su alrededor, y una pequeña marca en la mejilla derecha. Las manos las tenía repletas. Probablemente tendría alguna en los brazos. Y en el pecho.

Una acometida de calor invadió su cuerpo en cuanto visualizó la imagen de su ancho y poderoso torso. Desnudo. Por los clavos de Cristo, ¿qué le estaba pasando? Las fantasías, en caso de que tuvieran que darse, eran algo de lo más inapropiado a plena luz del día mientras intentaba leer para un hombre tullido.

Aunque no pudiera ponerle fin a la guerra, haría todo lo posible por ayudar, por más que fuera en algo insignificante. Seonaid, la mujer de Malcolm, decía que bebía menos *uisgebeatha* después de que ella leyera para él, de modo que Anna seguía trayendo consigo su apreciada copia del *Tristán* de Thomas de Bretaña. El viejo guerrero disfrutaba casi tanto como ella de la historia de amor prohibido entre el caballero y la princesa irlandesa.

Anna quería ignorar al hombre taciturno apostado en la puerta, pero sentía el peso de su mirada. No fue hasta que salieron de la casa que Arthur dijo:

—Sabéis leer.

Anna se encogió de hombros, consciente de que no era algo común en las Highlands.

—Mi padre creía que era importante que todos sus hijos recibieran una educación. —Lo miró a los ojos, desafiándolo a que se pronunciara al respecto—. Incluso las chicas.

La miró con detenimiento, de nuevo con el ceño fruncido, pero no dijo nada.

La siguiente casa que visitó pertenecía al sanador de la villa. Afraig se hacía mayor y ya no viajaba por la campiña con la facilidad de antaño, así que cada vez que lo visitaba, Anna le llevaba unas cuantas hierbas y plantas que recogía del bosque junto a Dunstaffnage.

Anna dejó para el final la parada más importante. Su recién enviudada amiga Beth había quedado con cinco hijos, entre ellos el bebé Catrine, Cate, nacida hacía apenas tres meses, seis meses después de que el padre fuera asesinado por los hombres de Bruce en una emboscada en el castillo de Inverlochy, justo antes de que este cayera en manos de los rebeldes.

La muerte de su marido no había hecho más que fortalecer la firmeza de Beth. Como Anna, también ella haría todo lo que estuviera en su mano para derrotar al rey Capucha y poner fin a la guerra. Anna esperaba que sir Arthur se aburriera de su conversación y encontrara algo que hacer, pero él parecía contentarse con estar sentado a la puerta y esperar junto a Robby, observándola con esa penetrante mirada de ojos dorados, demasiado intensa y perspicaz. Era como si supiera que estaba tramando algo.

A través de dos pequeñas hendiduras en la piedra Anna veía a los niños mayores jugando con una pelota. Habían abierto los postigos de madera para dejar que entrara el aire fresco del verano y ventilara el largo edificio de una sola habitación. De repente el juego cesó y tuvo la oportunidad que esperaba. Alzó la vista sobre la cabeza del bebé que acunaba en sus brazos y miró a sir Arthur.

—Parece que la pelota de los niños se ha vuelto a quedar atorada en el tejado del granero. Os importaría…

—Yo lo haré —dijo Robby saltando del asiento como si esperase una mínima excusa para marcharse.

Tuvo que reprimir una sonrisa ante su impaciencia. Tal vez se hubiera excedido un poco al pedirle a Beth que describiera al detalle los últimos problemas digestivos de Cate, incluyendo el arco de colores que adornaba sus vestiduras.

Resultado perfecto. Hombre equivocado.

—Supongo que tendremos que ponernos en marcha —dijo levantándose con la intención de devolverle el bebé a Beth. Pero entonces se le ocurrió otra idea. Tuvo que contener la sonrisa que afloró en sus labios. Sabía exactamente cómo lo distraería—. Casi lo olvido —dijo a Beth—. Os he traído unas tartas.

—Y también yo tengo unos bollitos dulces para vos —dijo Beth entendiéndolo al instante.

Antes de que él se percatara de lo que pretendía, Anna le colocó el bebé dormido sobre el regazo y cogió su cesta. Puso tal cara de horror que la joven tuvo que esforzarse al máximo para no echarse a reír. Aquella expresión casi hacía que merecieran la pena todos los problemas que le había causado. Casi.

Arthur, por su parte, intentó devolverle a Cate de inmediato.

—No sé nada de…

—No hay nada que saber —dijo Anna con dulzura—. Mantened la mano bajo su cabeza de esa forma y la niña estará bien.

Sin embargo, él tenía un aspecto decididamente angustiado.

Con tanto movimiento, el bebé empezó a agitarse y emitió una serie de pequeñas quejas y llantos. El temible caballero con aspecto de poder derrotar a todo un ejército con una sola mano miró a Anna pidiendo clemencia.

Aunque aquello le divirtiera, había algo sumamente fascinante en la visión de aquel alto y musculoso guerrero acunando a la chiquitina en sus brazos, horriblemente, pero con un cuidado que hacía que el corazón le diera un pequeño vuelco. Su miradas se encontraron y algo extraño ocurrió entre ellos. Una conciencia animal de la atracción que crepitaba entre ambos. Un reconocimiento de que aquellas bendiciones eran posibles entre un hombre y una mujer. ¿Cómo sería verle sosteniendo a un hijo de ambos?

Anna bajó la vista, avergonzada por la descabellada dirección que tomaban sus pensamientos. Imaginarse al posible retoño que pudiera tener con un hombre al que apenas conocía era una experiencia completamente nueva para ella.

—Mecedla un poco —dijo para animarlo, compadeciéndose un poco de él—. Eso le gusta. No tardaremos mucho.

Dicho esto, siguió a Beth hasta el otro lado de la estancia, donde estaba la cocina. Y Cate, Dios bendijera al angelito, hizo su parte. Sus suaves lloros y sus lamentos cada vez más altos encubrieron el rápido intercambio entre Anna y Beth.

Cuando Beth regresó para reclamar a su bebé, sir Arthur tenía todo el aspecto de alguien a quien habían arrastrado al infierno amarrado al carro de Satán.

—Bueno, no ha sido tan duro, ¿verdad? —dijo Anna mientras salían de la pequeña casa.

Arthur entornó los ojos en señal de advertencia. Parecía morirse de ganas por estrangularla. Provocar reacciones en él se demostraba como algo ciertamente placentero.

Anna se despidió de los niños con la promesa de volver pronto. Robby ya había llevado los caballos, de modo que no tardaron demasiado en ponerse en camino. Sabía que debería aprovechar la oportunidad para aprender más de él, pero estaba cansada del largo día pasado en la villa y, si había de ser sincera, no estaba de humor para que la rechazaran. Aquel extraño momento en la casa de Beth la hacía sentir… vulnerable. No quería pensar en él de ese modo. No quería que su corazón fuera dando tumbos. Lo vigilaba únicamente por su padre. No iba detrás de él en serio.

Durante los primeros kilómetros cabalgaron en fila india, pero en cuanto la carretera se ensanchó sir Arthur abandonó la cabecera y se colocó a su lado. La sorprendió que fuera él quien hablara. ¿Iniciar una conversación? Primera vez que ocurría.

—¿Por qué lo hacéis? —Ella lo miró desconcertada, de modo que Arthur se explicó—. Rodearos de tales… cosas —añadió, esforzándose por encontrar una palabra.

—¿Os referís a los frutos de la guerra? —dijo Anna de manera desafiante.

No le sorprendía que no supiera hablar de aquello que él mismo había presenciado. Los guerreros se concentraban en la gloria, en el honor del campo de batalla, no en lo que sucedía cuando las cosas salían mal. Las personas tullidas y los niños sin padre no eran algo en lo que quisiera pensar un hombre que iba a la batalla. Comprendía que cerrar el paso a ese tipo de pensamientos era algo necesario, pero eso no significaba que fueran menos reales.

—Creía que no os gustaba, y aun así… —dijo Arthur encogiéndose de hombros.

—Odio la guerra —dijo Anna con voz áspera—. Y me muero de ganas por que acabe, pero eso no significa que evite hacer lo que me toca. Esto es lo que yo puedo hacer. Y si un par de canciones o historias, o sostener a un bebé en brazos durante un rato para que su madre tenga un instante de paz, reporta un poco de alegría, por breve que sea, lo haré.

Arthur le dirigió una mirada dura y crítica.

—Tenéis un corazón muy blando —dijo como si eso fuera algo malo—. Aquel soldado no se merecía vuestro tiempo. No hace más que suicidarse lentamente con la bebida.

Advirtió el tono de aversión en su voz. Al parecer, pensaba que aquel hombre era débil.

—Tal vez —admitió Anna—. Pero Malcolm luchó por mi padre con honor y lealtad durante años. ¿Es que no merece unos instantes de mi tiempo por su sacrificio?

—Luchar es su obligación.

—Igual que esta es la mía.

—Vos la convertís en una obligación.

En esa ocasión fue ella quien se encogió de hombros. Arthur volvió a mirarla con el ceño fruncido.

—Estáis exhausta.

Anna pensó que tal vez empezaba a acostumbrarse a esas miradas de reproche, porque ya solo le provocaban risa.

—Lo estoy.

—¿Qué cuchicheabais antes con vuestra amiga?

El súbito cambio de tema la cogió con la guardia baja. Se estremeció, pero enseguida se recompuso.

—Cosas de mujeres.

—¿Qué tipo de cosas de mujeres?

Los ojos de Anna brillaron al tiempo que le dirigía una mirada aviesa.

—¿Estáis seguro de que queréis saberlo? —dijo a modo de provocación.

Arthur volvió el rostro de inmediato.

—Tal vez no.

«Dios mío, se está ruborizando.» No pensaba que aquello fuera posible. Pero esa diminuta mácula en su impasible fachada no hacía más que aumentar su atractivo. Era algo encantador. Él era encantador. No a la manera galante y besamanos de un cortesano, sino de un modo más sutil. Parecía que acabara de levantar un poco el velo para mostrar una parte de sí mismo que no revelaba con frecuencia. Lo que le encantaba era esa insinuación de su candidez totalmente inesperada.

El nudo que se le hacía en el pecho se tensó aún más. Anna era consciente de que estaba en un aprieto. Sir Arthur despertaba su curiosidad y eso resultaba peligroso. Mejor pensar en él como un simple guerrero, el tipo de hombre que ella era capaz de comprender y también de rechazar. No quería saber nada de su vida. No quería descubrir un lado diferente en él. No quería ser curiosa. Y, sobre todo, no quería estar tan colada por él.

Tenía su vida planificada. Cuando acabara la guerra su padre le buscaría un buen hombre con el que casarse. Tendrían una casa llena de niños, con suerte en las Highlands, cerca de su familia, y vivirían en la más tranquila y feliz de las paces. Ya no habría de preocuparse más por que destruyeran todo lo que conocía, todo lo que amaba. Estabilidad. Eso era lo que quería.

Puede que la hubiera sorprendido, pero eso no cambiaba el problema esencial: sir Arthur era un guerrero. Un hombre que parecía haber nacido con una espada bajo el brazo y que moriría de esa misma forma. Él jamás podría darle lo que ella quería, ya que Anna sabía que un hombre que miraba siempre a la puerta como si quisiera marcharse acabaría inevitablemente pasando a través de ella.

A Arthur no le gustaba nada lo que empezaba a descubrir de Anna MacDougall. Era mucho más fácil rechazarla como una princesita ingenua y consentida que vivía en un mundo de fantasía sin entender nada de lo que ocurría a su alrededor. Pero ese no era el caso en absoluto. Anna sabía lo que sucedía en torno a ella, puede que mejor que él mismo. Como la mayoría de los guerreros, Arthur tomaba distancia respecto a las repercusiones de la guerra. No quería pensar acerca de lo que sucedía después. Ver la guerra a través de sus ojos…

La muerte. La devastación. Hombres mutilados que aplacaban su dolor con la bebida. Mujeres abandonadas a su propia suerte. Niños sin padres. La realidad.

Se quedó circunspecto. ¿Cuántas veces habría pasado por delante de aquella realidad sin verla? ¿Cuántas veces había cabalgado junto a un castillo o una granja en llamas sin pensar en la gente que vivía en ellos? Había luchado durante casi toda su vida, pero, de repente, se sentía cansado.

—¿Por qué no os caigo bien?

La franqueza de la pregunta lo dejó desarmado, aunque tal vez no debería haberlo hecho. Anna no se amilanaba ante nada. Abierta y extrovertida, decía lo que pensaba con la confianza que solo otorga una vida de cariño, amor y ánimos constantes. Esa era una de las cosas más inusuales, y fascinantes, que ella tenía.

Se quedó dudando, sin saber qué responder.

—No me caéis mal. —Por la cara que ella puso, Arthur habría jurado que no se lo creía—. Lo que pasa es, que como ya os dije, vine aquí para cumplir con mi trabajo. No tengo tiempo para nada más.

—¿Es por las viejas rencillas?

Se puso en tensión, ya que no le gustaba el cariz que empezaba a tomar el asunto. Esa no era una conversación que quisiera tener con nadie, y mucho menos con ella.

—La enemistad entre nuestras familias acabó hace años.

—Entonces ¿todo eso es cosa del pasado? No estáis furioso por vuestras tierras ni por el castillo del lago Awe.

El pulso se le aceleró de manera inmediata. Estaba furioso, pero no con ella.

—Esas tierras no me pertenecerían a mí, sino a mi hermano Neil. Y las habría perdido después de Methven. El rey Eduardo nos recompensó por la pérdida y nos ha distinguido a mis hermanos y a mí por nuestra lealtad.

—Entonces ¿es por vuestro padre?

Se quedó petrificado. «¡Por Dios!» Eso de tirarse al cuello debía de ser una característica innata en los MacDougall. A pesar de ser bien intencionadas, sus palabras hicieron sangre.

—Mi padre murió en la batalla.

—A manos del mío —dijo Anna en voz queda—. Sería comprensible que me odiarais por ello.

Le habría gustado ser capaz de hacerlo. Pero no podía culpar a Anna de los pecados de su padre.

—No os odio. —Al contrario. La deseaba. Más de lo que había deseado jamás a ninguna otra mujer—. Aquello ya es agua pasada.

Arthur notaba todo el peso de su mirada, pero continuó mirando al frente.

—¿Cuál es la verdadera razón por la que estáis aquí?

—¿A qué os referís?

—¿Qué queréis?

Justicia. Venganza. Palabras que en ese caso significaban exactamente lo mismo.

—Lo que la mayor parte de los caballeros que luchan: tierras y recompensa.

En su caso Bruce se comprometió a devolverle Innis Chonnel a su hermano y dejó caer la promesa de una esposa rica para Arthur, la más rica de las Highlands: Christina MacRuairi, señora de las Islas.

—¿Y nada más?

—Que acabe la guerra.

—Entonces queremos lo mismo.

No sabía lo equivocada que estaba. El final de la guerra para él sería ver a Bruce en el trono y a los MacDougall aniquilados.

La miró de reojo. Era tan hermosa que le dolía el corazón al verla. Pero esa belleza resultaba engañosa. Había percibido la inocente frescura de su rostro y la dulzura de su sonrisa, pero no la fuerza que residía en ella. Percatarse de ese error era desconcertante para un hombre que se enorgullecía de sus capacidades perceptivas y de observación. Su comportamiento durante aquellas dos últimas semanas adoptaba otro matiz a la luz de lo que había visto ese día. Tal vez no fueran meras fantasías, sino un medio de protección: hacer lo que estaba en su mano para preservar un modo de vida que se desplomaba a su alrededor.

A pesar de que la admiraba, también se compadecía de ella. La suya era una batalla perdida. E incluso en su fortaleza, se entreveía cierta fragilidad que le hacía preguntarse si no sería también ella consciente de eso. Le habría encantado poder protegerla. Algo a la vez irónico y ridículo, dado que él estaba allí para destruir todo aquello a lo que Anna se aferraba con desesperación.

Le sorprendió inquietarse tanto por eso.

Le gustara o no, Anna MacDougall era el enemigo.

7

Cabalgaron en silencio durante varios kilómetros hasta que Arthur volvió a hablar.

—Hay un arroyo un poco más adelante donde podemos dar de beber a los caballos y comer algo si tenéis hambre —dijo absorbiendo el almibarado aroma de la mantequilla y el azúcar—. El olor de esos bollos está despertando mi apetito.

Tuvo la impresión de que Anna palideció un tanto, pero tal vez fuera que la luz se estaba yendo.

—Os lo ruego, por mí no os detengáis. Los caballos estarán bien hasta que…

Anna se detuvo y echó un vistazo entre los árboles, hacia la ribera del arroyuelo que tenían ante ellos.

—¿Qué hacen esos chicos?

Arthur oyó unos ladridos histéricos ahogados. Imaginó lo que pasaba por el zurrón que llevaba uno de los chicos al hombro.

—Vamos —dijo—. Ya pararemos en el siguiente arroyo.

Anna entornó los ojos y luego los abrió de repente al percatarse de lo que pasaba.

—¡No! —gritó al tiempo que cabalgaba hacia los chicos, que ya empezaban a sumergir el zurrón en el agua—. ¡Deteneos!

Los muchachos, cuyas edades estarían entre los diez y los quince años, alzaron la vista con la boca abierta en tanto que ella se acercaba. Arthur apenas podía imaginarse la incredulidad de los chicos al ver a aquella ninfa salir del bosque como una valkiria de las cruzadas.

—¿Qué lleváis en la bolsa? —preguntó mientras la miraban con cara de alelados.

El mayor de los chicos fue el primero en reaccionar.

—No es más que un chucho, milady. El cachorro repudiado de la camada.

El agudo grito de desesperación que salió de la garganta de Anna provocó una extraña congoja en Arthur.

—Dejadme verlo —exigió.

Uno de los más pequeños dijo:

—No lo querréis, milady. Su propia madre no lo quiere. Morirá de hambre si no nos deshacemos de él.

Anna emitió otra de esas exclamaciones y la congoja que Arthur sentía en el pecho se agudizó. Temía que sería capaz de hacer cualquier cosa con tal de no volver a oír aquel quejido nunca más.

—Mostrádselo a la dama —dijo con firmeza.

Los chicos empezaron a mover los pies con inquietud como si los hubieran cogido haciendo algo malo, a pesar de que lo único que querían era hacerle un favor al cachorro. El mayor soltó la bolsa en el suelo y aflojó el lazo. Apartó el borde de la tela y descubrió al chucho más enclenque y feo que Arthur había visto en la vida.

—¡Es adorable! —exclamó Anna saltando de su montura antes de que Arthur o Robby pudieran ayudarla. Los chicos se quedaron mirándola como si estuviera completamente chiflada. Anna se arrodilló y tomó entre sus brazos aquella patética bolita de pelo moteada de gris y negro—. ¡Pobre cosita! Si está aterrado —dijo mirando a Arthur en busca de comprensión—. Mirad cómo tiembla el pobre.

Arthur se percató al momento de que aquel joven podenco tenía los días contados. Era pequeño y estaba tan escuchimizado que daba pena verlo. Probablemente su madre se había negado a alimentarlo desde el día en que nació.

—Los muchachos están salvando al cachorro de una muerte mucho más cruel —dijo amablemente—. No sobrevivirá.

Anna entornó los ojos y frunció los labios, haciendo gala de una terquedad que Arthur solo podía comparar con la suya misma.

—Me quedaré con él.

Su bondadoso corazón le impedía ver la realidad.

—¿Cómo le daréis de comer?

Anna elevó la barbilla y lo fulminó con la mirada, castigándolo por atreverse a hablar de realidades.

—Ya pensaré en algo.

Notó la determinación de su voz y supo que no habría manera de disuadirla. Nadie diría que alguien con esa apariencia mansa como la de un gatito pudiera ser tan tozuda.

—No merece la pena, milady —dijo uno de los chicos—. Jamás podrá ser un buen sabueso. Si queréis un perro, os podemos dar uno de sus hermanos.

El chucho se acurrucó bajo el brazo de Anna, como si fuera consciente de que había encontrado a su salvador. Anna negó con la cabeza y sonrió.

—No quiero a ningún otro. Es a este al que quiero.

«Es a este al que quiero.» Aquellas palabras resonaron en la cabeza de Arthur. Demonios, por un momento casi sintió celos del maldito perro.

El muchacho se encogió de hombros, como si pensara: «¿Qué más se puede hacer?». Estaba claro que creía que la dama estaba tarada, pero era la nieta del señor de las tierras, así que no discutiría con ella. A Arthur le habría gustado pensar lo mismo cuando vio con qué cariño arrullaba al perro, sobre todo porque no quería que viviera la frustración de cuidar al cachorro para intentar devolverle la vida. Pero no podía. Aquel cachorro podría haber sido él mismo muchos años atrás.

Era extraño incluso pensar en ello. Jamás pensaba en el pasado. Los sufrimientos de chiquillo lo habían transformado en el guerrero que era en la actualidad. Tuvo que esforzarse más. Tuvo que entrenarse más. Hubo de aceptar las habilidades que lo diferenciaban del resto y perfeccionarlas hasta convertirlas en algo extraordinario. Él había forjado su propio destino. Tal vez no hubiera nacido guerrero, pero había hecho de sí mismo uno de los mejores de ellos. Hubo un tiempo en que estaba tan concentrado en eso que no pensaba en nada más. Pero no siempre fue así.

Arthur observaba las preocupaciones que Anna se tomaba por aquella patética criatura que sostenía en los brazos y sintió que algo se removía en su interior. Volvió la vista de pronto, irritado por el brote de sentimentalismo que la compasión de la muchacha despertaba en él. Se recordaba a sí mismo que ella era el enemigo. Pero incluso a sus oídos sonaba como algo huero.

Sir Arthur se había encerrado en su escudo de silencio e indiferencia, pero Anna estaba demasiado ocupada intentando calmar la bola de pelo oscuro que se retorcía entre sus brazos para darse cuenta de ello. Bueno, tal vez se diera cuenta, pero estaba ocupada. El cachorro parecía saber que había escapado al peligro y su aterrorizado temblor se había transformado en gimoteos de hambre. Apenas quedaban unos kilómetros para llegar al castillo cuando pidió a Arthur que hicieran un alto en el camino. Tenía que darle algo de comer. Sus patéticos aullidos le hacían trizas el corazón.

Aunque quedaba al menos media hora para que el sol se pusiera, en el profundo interior del espeso bosque que había al este del castillo de Dunstaffnage ya había oscurecido. No le gustaba el bosque por la noche, así que en aquel momento agradeció que sir Arthur insistiera en acompañarla. Robby y él se encargaron de los caballos, en tanto que ella hacía lo propio con su nueva carga. Envolvió al cachorro en la manta escocesa que había llevado por si refrescaba al caer la tarde y la usó para hacer un pequeño lecho donde el perrito reposara mientras buscaba algo que darle de comer. Se quitó uno de sus finos guantes de cuero, lo llenó de agua del arroyo y lo cerró por la muñequera. Le habría gustado tener leche, pero por el momento el cachorro tendría que conformarse con agua. Sacó una aguja de su cesta y practicó un agujero en uno de los dedos. Después, tras cortar unos pedazos de pan de uno de los panecillos, se volvió hacia el perro.

«¡Hostias!», farfulló imitando una de las imprecaciones favoritas de su hermano Alan. El pequeño granuja se había escapado. Anna dejó el guante y los trozos de pan sobre la manta y miró a su alrededor con inquietud.

«Ajá.» Sonrió. No había ido muy lejos. Distinguió su silueta no muy lejos de un árbol grande. Lo llamó, pero el cachorro huyó de ella, obviamente atemorizado todavía. Se posaba sobre las hojas y la tierra como si sus patitas fueran de madera. Pero estaba demasiado débil para hacer muchos esfuerzos, de modo que Anna lo atrapó al cabo de pocos minutos. Lo tomó entre sus brazos y se lo arrimó al pecho.

—Mira que eres traviesillo —dijo con voz afectuosa—. Si no te voy a hacer daño. ¿Es que no quieres comer?

El cachorro se lamió la punta de la nariz como respuesta y a Anna le entró la risa.

—Entonces será mejor que volvamos —dijo mirando a su alrededor y percatándose de que había ido más lejos de lo que pensaba.

Aceleró el paso, ansiosa por volver al arroyo, procurando no pensar en las sombras que se oscurecían y se tornaban más amenazantes a medida que el bosque se cerraba a su alrededor. El corazón le dio un vuelco cuando sir Arthur apareció frente a ella de repente. ¡Por Dios bendito! ¿De dónde había salido? ¡No había hecho ruido alguno!

—¿Dónde diablos os habíais metido? —preguntó.

Anna abrió los ojos sorprendida, aún más por el lenguaje grosero que por el brillo que tenía su mirada. Parecía inquieto. Preocupado. Cualquier cosa menos indiferente. La miraba del mismo modo que cuando la había salvado de caer por el precipicio. Casi se había convencido de que eran imaginaciones suyas.

—Lo solté en el suelo para buscarle comida y se escapó —dijo acercándose al cachorro para darle un besito en la cabeza.

Arthur, para sorpresa de Anna, se aproximó y acarició la barbilla del cachorro. La delicadeza que se desprendía de aquel gesto le llegó al corazón a Anna. Pensó lo dulce que serían esas caricias sobre su propio cuerpo y le entraron tantas ganas de comprobarlo que se quedó atontada. Jamás antes deseó que la acariciara un hombre, y sin embargo quería sentir el contacto de esas manazas llenas de callos y cicatrices de guerra sobre su piel. Sobre su cara. Su cuello. Y… sus pechos.

Un ligero rubor arreboló sus mejillas. ¡Por todos los santos! ¿De dónde había salido eso? Sus miradas se cruzaron, pero ella apartó la vista de inmediato por miedo a que pudiera adivinar sus licenciosos pensamientos.

—La próxima vez, hacedme saber adónde vais —dijo bruscamente. Su voz tenía un tono comedido y velado que Anna no llegaba a comprender—. No es seguro.

Se detuvo de repente y se quedó paralizado, como si hubiera oído algo. Anna permaneció atenta, pero no oía nada. De hecho había una extraña calma. Se agarró a su brazo como por instinto y se acercó a él.

—¿Qué sucede?

—Tenemos que volver a los caballos. Es por el cachorro.

Desenvainó su espada y protegió a Anna con su brazo. A pesar del repentino brinco de su corazón, se sintió segura. Protegida. Y algo más. Se sintió próxima a él.

—¿Qué pasa? —dijo con inquietud mientras intentaba no quedarse atrás—. ¿A qué os referís, con que «es por el cachorro»?

Él no contestó, sino que tiró de ella para que se apresurara.

—Aprisa. Ya vienen.

—¿Quién viene? —preguntó con una voz traicionada por el miedo—. Yo no oigo nada.

—Los lobos.

Anna se estremeció y miró a su alrededor con pánico.

—Yo no veo… —Apretó el cachorro contra su pecho—. No pienso abandonarlo.

Arthur la miró como si fuera un caso perdido.

—Ya lo sé. —Pero entonces maldijo. La empujó tras un árbol grande, le arrebató el cachorro de las manos y usó su cuerpo como un escudo para protegerla—. Quedaos tras de mí —ordenó—. Si os digo que corráis, hacedlo.

—No voy a…

Arthur la miró con furia.

—Lo haréis. Haré todo lo posible por salvar a vuestro perro, pero no permitiré que perdáis la vida por él.

Anna no comprendía nada. ¿Cómo podía estar tan seguro? Ella no había visto ni oído nada. Pero entonces lo oyó. Era un ruido de pisadas de lo más leve. Corriendo. Dirigiéndose hacia ellos. ¿Cómo había podido saber…?

La camada salió de entre los árboles con una rapidez que helaba el corazón. Los lobos eran tímidos por naturaleza y por lo general evitaban a los humanos. «Es por el cachorro.» A eso se refería. Querían al cachorro.

Al principio pensó que había al menos una decena de ellos, pero cuando su mente se aclaró lo suficiente para poder contarlos vio que apenas eran la mitad de eso.

—¿Y Robby? —preguntó.

Sir Arthur negó con la cabeza.

—Le ordené que se quedara con los caballos.

Suspiró, aliviada. No quería que el joven guardián se topara con ellos sin saberlo y provocara que los lobos le atacaran.

Sir Arthur blandía la espada y se giraba a uno y otro lado. Los lobos gruñían, con los lomos erizados y los ojos puestos en el cachorro que sir Arthur protegía bajo su brazo. ¿Eran imaginaciones suyas, o daban la impresión de estar hambrientos?

Parecían permanecer a la expectativa, examinando sagazmente a su contrincante, intentando averiguar su punto débil mientras esperaban el momento adecuado para abalanzarse sobre él. Aunque no podía verle la cara, Anna sabía que sir Arthur hacía lo mismo que ellos.

El más grande de los lobos se adelantó al resto, como si quisiera atraer su atención. Y eso era exactamente lo que hacía, según advirtió Anna. Los otros habían comenzado a rodearlos por detrás. Dios, sí que eran listos. El lobo jefe quería que sir Arthur se moviera en su dirección para que los otros pudieran atacar por la espalda. Pero en lugar de ello, sir Arthur cogió al cachorro del cogote y lo sostuvo en alto.

—¿Qué hacéis? —gritó Anna.

—Con suerte, librarme del líder de la manada. Preparaos —advirtió.

Al ver que no respondía, la miró.

—¡Anna!

Asintió con premura, ya que no quería distraerlo. Sir Arthur se había girado justo en el momento en que el lobo más grande lanzaba su ataque desde el aire en busca del inquieto cachorro. Sir Arthur se movió más rápido de lo que Anna pensaba que fuera posible. Nunca antes había visto unos reflejos como los suyos. Se llevó las manos a la boca para ahogar un grito al tiempo que él ponía la mascota fuera de peligro y rasgaba el aire con el otro brazo. Anna volvió la vista al ver la línea roja que cruzó el gaznate del lobo. Un segundo más tarde oía el ruido que este hacía al desplomarse sobre el suelo. Una vez sin su líder, el resto de la manada parecía batirse en retirada. Sir Arthur dio varios pasos al frente y blandió su magnífico espadón por encima de la cabeza como si nada, a pesar de que el cachorro solo le dejaba una mano libre. La derecha, advirtió Anna. Ni tan siquiera era su mano buena.

Otro de los lobos se aventuró a adelantarse con indecisión, pero un duro golpe con el dorso de la espada sirvió como cura para su valentía. Tras eso, los lobos huyeron del lugar, desvaneciéndose en la oscuridad con la misma rapidez con la que habían aparecido. Aquello no duró más de un minuto, pero había sido el minuto más largo de la vida de Anna. Arthur bajó la espada y se volvió hacia ella. Anna no se dio cuenta de quien hizo el primer movimiento, pero se vio rodeada por sus brazos, empujada contra el duro escudo de su pecho. Refugió su cabeza en él de manera parecida a como lo hacía el cachorro en su otro brazo y dejó que se le pasara el miedo.

—¿Estáis bien?

Alzó la vista para mirarlo. Tenía un rostro impasible, y la única señal de cómo le había afectado aquello eran los latidos de su corazón. Quería decir que se encontraba bien, que jamás se había sentido más a salvo, pero su boca estaba tan cerca que lo único en lo que podía pensar era en las ganas que tenía de que la besara, lo necesitada que estaba de un beso suyo.

Era tan guapo, con ese pelo castaño oscuro ondulado y sus extraños ojos ambarinos. Le gustaba su barbilla partida y la pequeña desviación de la nariz en el lugar en que probablemente se la habían roto. Pero de donde no podía apartar la vista era de su boca, ancha y de una sensualidad imposible de obviar. Se la veía muy suave en contraste con el resto del cuerpo. Era tan fuerte, tan protector...

Arthur emitió un ruido cavernoso y gutural al tiempo que la apretaba más contra sí. Cuando su mirada se posó sobre sus labios, Anna supo que la besaría. Entonces le tocó la cara con una mano y sintió la rugosidad de sus dedos sosteniéndole la barbilla. El corazón le vibraba como las cuerdas de un arpa, de una manera increíblemente dulce. Justo como ella había imaginado. Había algo ardiente en su mirada que provocaba hormigueos en las zonas más pudorosas de su cuerpo. Le miraba la boca como si quisiera devorarla. Las sensaciones eran tan fuertes, tan palpables, que casi podía notar sus labios sobre los de ella. La suave caricia de su boca. Sentía un estremecimiento en el estómago. Un embriagador olor especiado. Estaba tan convencida de que la besaría que cuando, en lugar de hacerlo, se separó de ella, le temblaron las piernas.

Arthur apartó la vista por un instante como si estuviera librando una batalla invisible y todo su cuerpo se contrajo como la cuerda de un arco a punto de dispararse. De repente se volvió hacia ella, desaparecido ya todo el deseo de su mirada, y le entregó el cachorro.

—Hemos de regresar.

En aquella ocasión sí le dolió su gélida indiferencia. Para Anna, confundida por la intensidad de las reacciones de su cuerpo, por su debilidad, esa capacidad para controlarse fue como una bofetada. Puede que él la deseara, pero no pensaba abandonarse a sus instintos.

Deseo. Eso era lo que ella sentía. Eso era lo que hacía que se le acelerara el pulso y su cuerpo ardiera cuando pensaba que él estaba a punto de besarla. Y también esa era la razón de la decepción que traspasaba su alma en aquellos momentos. Anna apretó el cachorro contra sí y le hizo arrumacos con la cabeza. Al menos a él sí le caía bien. Los ojos le escocían, pero se desembarazó con rabia de esa sensación. Se convenció a sí misma de que el origen de esa emoción estaba en los lobos. Su vulnerabilidad se debía al ataque, no a que él la hubiera rechazado. Aspiró hondo y procuró recomponer sus confusos sentimientos. También ella estaba dispuesta a hacer como si aquel momento jamás hubiera tenido lugar.

Una vez más, él había salido en su ayuda y casi se olvidaba de agradecérselo. Arthur intentaba sacarla de allí, pero ella lo detuvo.

—Gracias —dijo.

—No ha sido nada —repuso él quitándole importancia.

¿Un caballero modesto? No pensaba que existiera tal cosa. Pero tal vez tendría que haber adivinado que él sería así. Parecía empeñado en pasar inadvertido.

—Sé que probablemente no lo creeréis, pero por lo general no estoy tan necesitada de que me rescaten.

Arthur hizo una mueca levantando el labio.

—Esta vez no fuisteis vos, sino él —dijo señalando al cachorro que tenía en sus brazos.

—Ambos hemos sido afortunados de teneros aquí cuidando de nosotros. Sois nuestro caballero andante de brillante armadura.

Solo intentaba bromear, pero la expresión de Arthur volvió a tornarse seria.

—No creáis en cuentos de hadas, lady Anna. Acabaréis desengañándoos.

Se hacía cargo de la advertencia, pero sir Arthur se equivocaba.

—Estuvisteis increíble. Jamás vi a nadie reaccionar con tal rapidez. Era como si..

Se quedó circunspecta. Volvió a recordar el momento del ataque. ¿Cómo sabía que los lobos atacarían? Eso mismo había sucedido en el acantilado. Era casi como si supiera lo que pasaría, como si lo presintiera antes de que efectivamente ocurriera.

Por Dios bendito… Eso era lo que pasaba. Puso cara de sorpresa y clavó la mirada en él. ¿Podría ser esa la explicación a la extraña intensidad que percibía bullendo bajo la superficie? En principio lo atribuyó a su estado alerta y de observación tenaz, pero ¿habría algo más que eso?

Anna dio un paso atrás y se tapó la boca con la mano.

—Lo sabíais.

Arthur notó cómo se le agarrotaban los músculos y se ponía en tensión, en tanto que se preparaba para el miedo, para la aversión que seguía a las raras ocasiones en que alguien vislumbraba sus inusuales habilidades. Incluso sus propios padres lo miraban con inédita expresión en la cara. De pequeño intentaba fingir que no era diferente a los demás. Intentaba explicarlo, hacerle comprender al resto que no era ningún bicho raro, que simplemente sus sentidos estaban más agudizados y su conciencia más desarrollada, y que su capacidad de observación y percepción era más acusada. No podía ver el futuro. No tenía premoniciones. Eran más como presentimientos. Pero pasado un tiempo dejó de dar explicaciones. Resultaba más fácil no tener que lidiar con ello. Así que prefería mantenerse al margen y no permitir que nadie se acercara lo suficiente para tener oportunidad de adivinarlo. Era diferente a los demás. Finalmente lo sabía. Tenía la suerte de contar con habilidades extraordinarias. Estar solo no era algo que le molestara. Diantres, prefería que fuera así.

Pero Anna MacDougall no pensaba permitírselo. Intentaba resistirse, pero ella seguía tensando la cuerda. Y acababa de ver algo que nunca debía haber visto. A pesar de estar preparado para su reacción, aquel paso atrás instintivo le dolió. Le parecía que le ardieran los pulmones. Hizo como que no había oído sus palabras y se encaminó de nuevo hacia donde estaban los caballos. ¿Qué diablos le importaba lo que pensara? Tendría que estar contento de librarse de ella.

—Esperad —dijo Anna yendo tras él—. ¿Por qué estáis enfadado?

Arthur no la miró, sino que siguió su camino.

—No estoy enfadado —dijo con un tono de voz que revelaba justo lo contrario.

—Esperad —repitió, agarrándolo del brazo—. Quiero hablar de lo que acaba de ocurrir.

¿Por qué diablos tenía que tocarle siempre? Retiró el brazo para desasirse de su mano, pero cometió el error de mirarla a la cara.

—Maldita sea, dejad de mirarme de este modo —bramó.

Su vehemencia la sobresaltó, lo cual era bueno, porque disipaba el dolor.

—¿Cómo os estoy mirando?

—Como si acabara de pisotear a ese cachorro vuestro.

Anna alzó la barbilla; los ojos le brillaban de una manera peligrosa.

—Tendréis que perdonarme. No me daba cuenta de que sentíais una aversión tan fuerte a mi tacto. Intentaré recordarlo en el futuro.

¿Acaso estaba loca? Se habría reído de no estar tan furioso. ¿Aversión a su tacto? Tendría que ser justo lo contrario. Lo normal sería que saliera huyendo a la carrera, no que lo tocara y, por supuesto, tampoco que se ofendiera porque retirara el brazo. ¿Qué demonios pasaba con ella?

No actuaba del modo en que se suponía que debía actuar. Incluso Catherine, la mujer que le había profesado amor, se había negado a estar en la misma habitación que él cuando la empujó para apartarla del lugar en el que inmediatamente después caería un voladizo de piedra. Tal vez Anna no lo hubiera descubierto.

—No quería haceros sentir incómodo. Simplemente me parece que lo que acabáis de hacer es extraordinario.

De acuerdo, lo había descubierto. Pero estaba claro que eso que adivinaba en su mirada no podía ser admiración. Apretó las mandíbulas.

—Deshacerse de unos cuantos lobos, cualquiera podría haberlo hecho. Estáis exagerando un poco. Vamos, Robby se estará preguntando qué nos ha ocurrido.

Si pensaba que con aquellas palabras la haría callar se equivocaba.

—No ha sido solo eso y lo sabéis. Los lobos estaban demasiado lejos para que pudierais oírlos. Y aun así sabíais que venían. Lo sentisteis antes de que cualquier persona normal…

Se estremeció. Por más que llevara veinte años sobrellevando aquello, seguía estremeciéndose. Eso era lo que más le enfadaba. La cogió por el brazo y la atrajo hacia sí, poniendo su boca a escasos centímetros de la de ella. Incluso enfadado como estaba, sentía ese arrebatador deseo que le nublaba la mente y le revolvía las entrañas. La muchacha lo presionaba desde todas direcciones: su incansable seducción, su dulce rostro y su pecaminoso cuerpo, su embriagador perfume, sus malditas preguntas; y no sabía lo cerca que estaba de darle lo que estaba buscando. Él no seducía. No bailaba. No se andaba con tonterías. Si una mujer se ofrecía, la tomaba. Así de simple y sin complicaciones. Y así siguió actuando.

—Mirad —dijo con firmeza. Vencer las ganas que tenía de poseerla hasta dejarla sin sentido hacía que se desprendiera de cualquier sutileza. Tirarla encima del árbol que tenía ante sí resultaba demasiado apetecible—. No sé qué diablos pensáis haber visto, pero os equivocáis. Oí cómo venían los lobos y reaccioné a ello. No os pongáis a imaginar cosas por el simple hecho de que vos no lo oyerais.

—Jamás podría haberlos oído —insistió—. Estaban muy lejos.

—Para vos. Vos no estáis entrenada para identificar las señales. Ese silencio artificial, el olor que trae el viento…

Pero ella no atendía a sus explicaciones. Arthur sintió el peso de sus ojos sobre el rostro y se arrepintió de tenerla tan cerca.

—¿Qué intentáis ocultar?

—Nada. —Arthur la soltó sin demasiada delicadeza.

El escrutinio de su mirada se intensificó y tuvo que obligarse a no rehuirla. Por Dios bendito, pero si él no rehuía nada.

—Me parece que estáis mintiendo —dijo Anna en voz baja—. Me parece que no os relacionáis con los demás para que no vean lo que yo acabo de ver. Y creo que ahora mismo intentáis separaros de mí por esa misma razón.

Arthur se quedó de piedra. Todo su cuerpo se enfrió, a excepción de un pequeño lugar en la parte más íntima de su ser. Eso lo tenía ardiendo.

No quería su compasión, maldita fuera. No era un cachorro que necesitaba que lo rescataran. Reaccionó de la única forma que sabía. La miró a los ojos.

—¿No se os ocurre que la razón por la que me aparto de vos es que no me interesáis?

Anna quedó sobrecogida, estremecida por la pura y simple crueldad de sus palabras. Parpadeó varias veces, y a cada parpadeo la quemazón del pecho de Arthur se hacía más y más intensa. Pero no pensaba consolarla. Lo hacía por su propio bien. Y aun así, su trémula sonrisa casi lo desarma.

—No, para mayor vergüenza mía, no se me había ocurrido. Os ruego disculpéis las molestias que haya podido causaros.

Con la dignidad de una gran reina, dio media vuelta y se alejó de él. Y Arthur, a pesar del fuego que lo consumía por dentro, permitió que lo hiciera.

8

Aquel fue el trayecto más largo en la vida de Anna. Jamás se había sentido tan humillada. Pero para cuando llegaron al castillo la humillación se había convertido en rabia. Le había mentido con eso de que ella no le interesaba. Lo había percibido en sus ojos cuando la tenía agarrada. Claro que le interesaba. Pero, por alguna extraña razón, quería que ella pensara lo contrario.

Robby se acercó para ayudarla a bajar del caballo y Anna, determinada a probar que aquello no eran imaginaciones suyas, decidió darle el cachorro en lugar de aceptar su ofrecimiento.

—Sir Arthur —dijo con una dulzura exagerada—. Si tuvierais la gentileza…

Él la miró con una expresión inmutable, pero empezaba a descifrar esas expresiones inmutables, de modo que entrevió el recelo que se ocultaba bajo ella.

No cabía duda.

Cuando tomó su mano para ayudarla a bajar, Anna se echó hacia delante con todo su peso, obligándolo a cogerla para no dejarla caer al suelo. Por un largo instante su cuerpo quedó extendido sobre él, con los brazos alrededor de su cuello y las manos acariciando esa espesa melena que era exactamente tan suave y sedosa como parecía. Le entraron ganas de hundir los dedos entre sus cabellos y pegar su cara a la de ella.

Él emitió un sonido brusco ante ese contacto: un rugido. Eso es lo que era. Un profundo y masculino rugido. Y en cuanto lo miró a los ojos supo que mentía. Sí que le interesaba. Y se moría de ganas por tenerla, a juzgar por el fruncimiento de su boca y el nervioso temblor de su mentón.

Tampoco ella permanecía impasible. A pesar de que apenas pudiera sorprenderle el lugar en el que acabó, su cuerpo se estremeció y su corazón latía con fuerza ante el frío y duro acero de un pecho que más que de carne parecía hecho de pura cota de malla. Cuando la cabeza cesó de darle vueltas, se soltó de brazos y dejó que su cuerpo resbalara sobre él antes de apartarse. Estaba tan duro y firme como una roca, con todos los músculos del cuerpo rígidos. Anna notaba esa tensión, que se desprendía de él como las llamas de un fuego.

—Siento mucho haber hecho eso —dijo con una sonrisa de indiferencia—. No sé qué es lo que me pasa.

Arthur entornó los ojos maliciosamente, pero le dio lo mismo. Había probado lo que quería. Ella lo sabía, y lo que era más importante, él lo sabía.

—Tened cuidado, milady —la advirtió en ese oscuro y velado tono de voz que tenía—. No querréis heriros haciendo alguna tontería.

—Todo un detalle de vuestra parte que os preocupéis. —Estuvo a punto de darle una palmadita en la mejilla, pero pensó que eso podía ser meter el dedo en la llaga demasiado. Ya había obtenido su victoria—. Pero no es necesario que os preocupéis. Sé perfectamente lo que hago.

Tomó su perro de manos de Robby y se puso en marcha hacia el castillo. Aunque estuvo tentada de hacerlo, no miró atrás. Ya había visto esa mirada asesina demasiadas veces para saber qué aspecto tenía. Anna se habría contentado con dejar las cosas así, con su orgullo femenino intacto, de no ser porque despertaba su curiosidad. ¿Por qué estaba tan decidido a librarse de ella? ¿Ocultaba algo, o simplemente evitaba enredarse? Era como si hubiera querido ser cruel a propósito en el bosque. Como si ella hubiera accionado algún resorte. Solo quería agradecerle lo que había hecho y esas extraordinarias habilidades que había puesto en escena, pero él se lo había tomado como si lo acusara de ser un monstruo. Anna se mordió el labio. ¿Sería eso? ¿Le preocupaba cómo reaccionarían los demás? Suponía que aquello era comprensible. Las diferencias no eran bien toleradas en la sociedad de aquellos tiempos y provocaban miedo y rechazo. Se había esforzado en pretender que no había hecho nada extraordinario. Pero ¿lo había hecho, o no?, pensó volviendo a morderse el labio sin estar segura ya del todo. Desde luego, en aquel momento se lo pareció. Ocurrió todo demasiado rápido. ¿Había advertido señales que ella no percibió o hubo algo más? En cualquier caso, no cabía duda de que él no quería reconocer que aquello fuera extraordinario.

Más tarde le explicó a su padre lo que había ocurrido en términos parecidos a cuando se cayó en el acantilado, minimizando en gran parte su versión de la historia y dando una explicación para cada cosa. Su padre la reprendió por exponer su vida por un perro y volvió a expresarle su gratitud a sir Arthur. Anna no comprendía por qué este restaba importancia a lo sucedido. Sus cualidades podrían ser de gran ayuda en la lucha contra los rebeldes. Con sus aguzadas habilidades, Bruce y su banda de forajidos lo tendrían mucho más difícil a la hora de perpetrar aquellos ataques basados en la emboscada. Pero cuando ella le comentó que le había sugerido a su padre que se aprovechara de sus destrezas y le hiciera rastreador o, mejor aún, expedicionario, parecía que le hubieran ofrecido limpiar el guardarropa. Sir Arthur se enfadó muchísimo con ella. Durante los siguientes días sintió una inusual intensidad en su mirada cada vez que se encontraba con ella.

Ahora le resultaba más fácil tenerlo vigilado. Y eso tenía que agradecérselo a Escudero. Al parecer su nuevo cachorro le había cogido cariño a su salvador. Escudero, cuyo nombre procedía de las burlas que los hombres hacían a sir Arthur diciéndole que por fin tenía uno, iba directo hacia él en cuanto Anna se daba la vuelta. Ya estuviera en el jardín practicando junto a los hombres, comiendo en el salón, o incluso en los barracones, el perro lo encontraba. Si sir Arthur salía a cabalgar, el perro lo esperaba todo el día a las puertas lloriqueando hasta que regresaba. Aquello no habría sido tan malo si no fuera porque la pobre criatura se excitaba tanto cada vez que lo veía que se hacía pis. La última vez había estado a punto hacerlo sobre el mismo pie de sir Arthur.

Decir que el cachorro era una molestia para él era decir muy poco. El caballero ignoraba al perro, lo espantaba y le gritaba para que se fuera, pero por más que lo rechazara el cachorro no se daba por enterado. Escudero mostraba devoción por el castigo. Anna entendía el sentimiento. Al parecer ambos tenían esa misma debilidad por los caballeros apuestos de rasgos duros, pelo castaño ondulado, ojos marrones con vetas doradas y la barbilla partida. Le atraía. Tal vez sintiera, igual que el cachorro, que sir Arthur necesitaba a alguien junto a él. Su distancia la percibía como soledad; su alejamiento, como un escudo que estaba dispuesta a atravesar. Qué esperaba encontrar tras él era algo que sin embargo no sabía. Y a medida que pasaban los días sin causas para la sospecha, las excusas para rondarlo comenzaban a flaquear. Pero si no lo vigilaba por su padre, ¿por quién lo hacía?

Esa era la pregunta que se planteaba camino del gran salón para la cena. Su padre estaría ya a la espera de un informe y tendría que dárselo. No había averiguado nada. Las mayores ofensas del caballero eran su propensión al ensimismamiento y una aguda habilidad para ignorar su persona. Sabía que había llegado el momento de poner fin al espionaje. Pero ¿por qué se mostraba tan reacia a dejarlo tranquilo? Sir Arthur no tenía nada que ver con los hombres que normalmente la cautivaban. Pero no podía negar que le atraía, y mucho. Más de lo que jamás le había atraído nadie. Casi lo suficiente para hacer que se olvidara de que él era una persona totalmente equivocada para ella. Sí, ya era hora de dar por finalizado aquello.

Estaba a punto de salir de la escalera de caracol de la torre principal en dirección al corredor que llevaba al gran salón cuando una bola de pelo gris y negra la adelantó a toda carrera y dando aullidos. Anna, a punto de caerse, murmuró una imprecación muy impropia de una dama al darse cuenta de que probablemente no había cerrado bien la puerta de la cámara que compartía con sus hermanas y Escudero conseguía escapar una vez más. Pero, por suerte, la puerta cerrada al final de la escalera lo detuvo. Cuando alcanzó al pequeño diablillo, este estaba esperándola junto a aquella puerta, ladrando y moviendo la cola con excitación. Al recogerlo le lamió la cara.

—¿Adónde te crees que vas? —preguntó—. A ver, déjame que lo adivine. ¿Sir Arthur? —El perro ladró como si afirmara—. Eres un caso perdido, pequeñín. ¿Cuándo aceptaras que no te quiere a su alrededor? —El perro aulló e inclinó la cabeza como si no la hubiera oído bien. Anna suspiró y negó con la cabeza. Tal vez debería atender ella misma a ese consejo—. Está bien, está bien. Lo siento —dijo poniéndolo en el suelo y abriendo la puerta—. Pero luego no digas que no te lo advertí.

Esperaba que el cachorro se dirigiera hacia el gran salón, pero en lugar de eso fue hacia el patio. Volvió a suspirar y siguió sus pasos hasta el exterior. El frío viento del mar y la bruma que caía atravesaron su fino vestido veraniego de lana, haciéndole pensar que debería haber llevado una manta, a pesar de que cuando había bajado para comer no tenía previsto hacer ningún paseo vespertino, y que a excepción de los guardias que cubrían los muros, el *barmkin* estaba desierto. Todos debían de estar dentro comiendo. Entonces ¿por qué no lo hacía también sir Arthur?

Escudero cruzó por el centro del patio donde estaba el pozo y pasó por delante de las cocinas hacia el ala noroeste. Al parecer, el caballero estaba en los barracones. El cachorro esperó en la puerta a que Anna llegara. Fuera estaba todo muy tranquilo. Inquietantemente tranquilo. Y aquella esquina del patio en particular, especialmente oscura. Todavía no habían encendido las antorchas de la entrada. A medida que se acercaba se acrecentaba su aprensión, y se preguntó de pronto si aquello sería una buena idea. Seguirlo hasta los barracones a la luz del día era una cosa y otra diferente hacerlo de noche. El cachorro también parecía haberlo pensado mejor, porque había dejado de ladrar y la miraba con expresión vacilante.

—Tú has sido el que nos ha metido en esto —musitó—. Ya es demasiado tarde para acobardarse.

Si le hablaba al perro o se lo decía a sí misma era difícil de dilicidar. Entreabrió la puerta y miró hacia el interior. Sus ojos examinaron la oscura sala, solo iluminada por las ascuas medio consumidas del pebetero que había en la pared de enfrente. Escudero, que al parecer había vencido su miedo, salió corriendo hacia el centro de la desierta habitación, adelantándose a Anna. Musitó otra de sus maldiciones favoritas, tentada de dejarlo allí, pero en lugar de eso lo siguió hasta el interior. La puerta se cerró de golpe a su espalda haciéndole dar un brinco del susto. Procuró mantener el pulso calmado, sin saber por qué temblaba como un flan.

—Escudero —susurró para llamarlo, aunque no viera razón para ello. No había nadie allí.

El cachorro la ignoró y fue hasta el otro lado del alargado y estrecho edificio de madera, saltando sobre el camastro que ella sabía que pertenecía a sir Arthur. Su pulso se aceleró de nuevo al acercarse y ver el montón con sus pertenencias extendido sobre el jergón. Dondequiera que hubiera ido, no pensaba tardar mucho.

Se mordió el labio mientras lo consideraba. Aquella era la oportunidad que siempre había esperado para aprender algo acerca de sir Arthur Campbell. Puso a un lado su sentimiento de culpa y se dispuso a revisar las cosas con cuidado, sin saber exactamente lo que buscaba. Aparte de su malla, sus calzas con polainas, varias mudas y un broche de plata que no había visto antes, había poco más, y desde luego nada de naturaleza personal. Los caballeros llevaban poco equipaje; no sabía qué esperaba encontrar. Tal vez algo que ayudara a desentrañar el misterio.

Escudero rebuscaba entre su cota de malla, intentando llegar a algo que había bajo el jergón. No obstante, no tuvo tiempo de investigarlo, porque en ese mismo momento Anna oyó un ruido que la dejó helada: una puerta que se abría y volvía a cerrarse. Pisadas. El resplandor de una vela. ¡Por los clavos de Cristo, había vuelto!

El sentimiento de culpa se transformó en pánico. En vez de quedarse allí de pie y dar alguna excusa plausible para entrar en los barracones, cogió al cachorro del camastro y miró a su alrededor en busca de algún sitio donde esconderse. Vio un poste de madera enorme al otro lado de la habitación y se ocultó tras él justo en el momento en que el círculo luminoso se hacía visible. Daba la impresión de que se le había detenido la respiración. Se percató demasiado tarde de lo estúpido que era esconderse. El perro podría delatarla en cualquier momento. Pero Escudero parecía haber captado su nerviosismo y tenía la cabeza oculta en el hueco de su brazo.

Sir Arthur colocó la vela junto al camastro y le ofreció una clara vista de lo que estaba haciendo. Los ojos se le abrieron sin querer al verlo tirar a la cama la toalla que llevaba al cuello. Tenía el pelo y la camisa mojados. Se percató, demasiado tarde, de lo que estaba haciendo y de la razón por la que sus pertenencias estaban esparcidas sobre la cama. Se estaba dando un baño. Tuvo que ahogar un gemido de estupor cuando lo vio tomar la camisa por el dobladillo, pasársela por encima de la cabeza y tirarla junto a la toalla. La boca se le secó al tiempo que intentaba asimilar la masa vibrante de músculos que lo cubría de cintura para arriba. ¡Cielo santo, era un hombre formidable! Hombros anchos, cintura esbelta, brazos gruesos y fuertes y una capa sobre otra de músculos que cruzaban su vientre de lado a lado. Jamás había visto con anterioridad a una persona que estuviera tan prodigiosamente… bien formada. Cualquiera habría dicho, por la perfección de aquel cuerpo, que se trataba de una estatua esculpida en piedra. Salvo porque estaba hecho de carne y huesos, carne y huesos tan cálidos… Había acertado al pensar que su cuerpo acarrearía las marcas de su profesión. Las cicatrices se extendían libremente por su vientre y sus brazos. Las peores parecían un tajo enorme que le atravesaba el costado y una fea marca en forma de estrella que tenía en el hombro.

Se quedó pensando. Una extraña marca negra asomaba bajo esa cicatriz en el mismo brazo. Concentró la vista en plena oscuridad en un intento de distinguir el dibujo de lo que parecía un tatuaje. Aunque sabía que las marcas no eran algo fuera de lo común entre los guerreros, nunca antes había visto una de cerca, de modo que tenía curiosidad. Tal vez demasiada. Se inclinó hacia delante y Escudero tomó aquello por una invitación. Saltó de su regazo y corrió en dirección al guerrero medio desnudo.

Cuando Arthur descubrió que no estaba solo se puso furioso. Cuando se percató de quién estaba allí y de que se las había ingeniado para saltarse todas sus defensas, se quedó lívido. Hacía años que no lo sorprendía nadie y el hecho de que se tratara de lady Anna empeoraba las cosas. Parecía una prueba justa de lo que aquella muchacha lo distraía de sus obligaciones. Sus intercesiones ya lo habían puesto en peligro al hacerle llamar demasiado la atención. Y no tenía ni idea de en qué se estaba metiendo. ¡Era culpa suya que se hubiera convertido en el explorador de Lorn, por el amor de Dios! Ignoró al fastidioso cachorro que saltaba a sus pies y miró fijamente hacia la oscuridad para hacerle saber que la había descubierto.

Poco después Anna salía de su escondite tras el poste.

—Sir Arthur —dijo alegremente, a pesar de que el nervioso gesto de estrujarse la falda entre las manos la delatara—. ¡Qué sorpresa! Escudero y yo salíamos a dar un paseo y… bueno, la puerta estaba abierta, y parece que quería veros porque ha entrado aquí antes de que pudiera detenerlo y…

Se quedó en silencio, mirándolo a la cara. Estaba tan nerviosa que sus mejillas palidecieron antes de ruborizarse. Hasta ese momento Arthur no se había acordado de que no llevaba puesta la camisa. Pero la estúpida muchachita no tuvo el suficiente sentido común para mirar a otro lado, o al menos hacer como que no se daba cuenta. Se quedó mirando descaradamente y él interpretó a la perfección lo que estaba pensando. «Jesús.»

El aire que había entre ambos comenzó a caldearse. Arthur percibía lo afectada que estaba, no solo por la vergüenza, sino por algo mucho más poderoso: pura excitación. Anna se agachó para recoger al perro.

—Estáis… estáis ocupado. Ya nos íbamos.

—¡Quieto! —le ordenó a la bestia infernal antes de que pudiera saltar sobre los brazos de Anna.

Sería mejor que aquel pequeño saco de pulgas descarado no

intentara meársele encima de nuevo. Tanto Anna como el perro se quedaron paralizados al oír su voz. Y ambos lo miraban con cara de no haber roto nunca un plato. No sabía cuál de los dos representaba más problemas. Pero era la muchacha quien le preocupaba. La cogió por el brazo y la zarandeó ante sí.

—Lady Anna ¿qué habéis venido a hacer aquí en realidad?

—Nada, yo… —dijo bajando la vista hacia el montón de cosas que había sobre su cama, declarando así su culpabilidad.

A Arthur se le heló la sangre. Miró hacia el lugar donde había dejado el mapa y le alivió ver que ella no lo había tocado. Sin embargo, algunas de las cosas no estaban en su sitio. Entonces cayó en la cuenta. ¿Así que eso era lo que pasaba? ¿Era posible que su interés por él fuera un mero pretexto para espiarle? Por la sangre de Cristo, todo cobraba sentido. Lorn había usado a su hija para vigilarlo. De no haber estado tan furioso incluso habría reído ante la ironía.

—Me estabais espiando —dijo sin más—. ¿Es por eso por lo que sois mi sombra desde que llegué? ¿Os pidió vuestro padre que me vigilarais?

Anna tragó saliva. Un rubor rosado ascendió por sus mejillas, pero Arthur no podía saber si era por sentirse culpable o insultada.

—No sé de qué estáis hablando. Yo no soy vuestra sombra. Y mucho menos os estoy espiando.

Mentía. De haberse tratado de un hombre ya estaría muerto por lo que había hecho. Podía partirle el cuello con una sola mano. Dios… ¿Acaso creía que aquello era un juego? Si en algún momento la verdad llegara a su conocimiento, tendría que…

Debía proteger su tapadera a toda costa, así que mejor sería que se asegurara de que eso nunca ocurriera. Jamás podría hacerle daño.

La acercó más a sí y sintió cómo temblaba sobre su cuerpo. Incluso a través de la bruma de ira que lo asolaba podía oler el suave y embriagador perfume de su piel. El deseo lo atenazó como un torniquete. La muchacha no tenía ni la menor idea del peligro al que se enfrentaba, y no solo porque lo estuviera espiando. Quedaba completamente a su merced.

No sabía lo cerca que estaba de aprovecharse de la situación. Estaban solos. A la luz de las velas. Tenía el cuerpo de ella pegado a su torso desnudo y la cama justo allí, preparada para acogerlos. Si es que le daba por usar la cama. Por el momento, la pared le parecía perfecta. Sus músculos se tensaron. Contenerse era algo que le resultaba cada vez más difícil.

—Entonces ¿hay alguna otra razón por la que os haya encontrado en mi cama?

Los ojos de Anna se abrieron completamente.

—No estaba en vuestra cama —replicó con indignación—. No estabais aquí. Escudero ansiaba veros y yo simplemente tenía curiosidad —dijo alzando la barbilla—. Tal vez si vos fuerais más abierto, yo sería menos curiosa.

Arthur se quedó de piedra. ¿Estaba realmente la muy bruja culpándolo a él de que ella misma rebuscara entre sus cosas? Jamás cesaría de sorprenderle el manejo magistral de la lógica en las mujeres.

—¿Y habéis saciado vuestra curiosidad?

—No —replicó Anna, obviando su sarcasmo. Después posó la mirada sobre su brazo—. ¿Eso que tenéis ahí es un tatuaje?

Que no pronunciara la imprecación que afloró a sus labios daba testimonio de cuánto podía controlarse. El león rampante de su brazo era el único lazo exterior que tenía con la Guardia de los Highlanders y su intención era tanto servir de vínculo entre los guerreros como un medio de identificación en caso de que surgiera la necesidad. Lo mantenía oculto para evitar preguntas, y procuraba bañarse y cambiarse de ropa interior cuando no había nadie alrededor. Lo último que necesitaba era que Anna MacDougall lo viera. Pero así había ocurrido. Consciente de que el daño ya estaba hecho, dijo:

—Sí, un recuerdo de mis días como escudero.

—Es la primera vez que veo uno.

Antes de que pudiera examinarlo más de cerca, y Dios lo evitara, de que pudiera tocarlo de nuevo como parecía estar a punto de hacer, Arthur la soltó, se inclinó para sacar una camisola del montón de ropa y se la pasó por encima de la cabeza. Cubrir su desnudez debería haber aliviado un tanto la tensión, pero la inocente muchacha no tuvo el sentido común de ocultar su decepción, y a Arthur volvió a hervirle la sangre.

—No deberíais estar aquí —dijo bruscamente.

—¿Tenéis miedo de que os coja en una situación comprometida, sir Arthur?

Sabía que no hacía más que provocarlo, pero no estaba de humor para juegos. La muchacha esperaba demasiado de su honorabilidad como caballero. Él era un highlander, jugaba según sus propias reglas. Y en ese preciso momento hubo de hacer uso de todo cuanto tenía para no enseñarle una lección acerca de los límites de un hombre a la hora de controlarse.

—Tened cuidado con lo que pedís, lady Anna. Es posible que lo consigáis. —La intensidad de su mirada no dejaba lugar a dudas sobre a qué se refería—. No he sido yo quien ha aparecido en vuestra cámara sin que nadie me invitara.

La pequeña pulsión de su cuello se aceleró y sus mejillas se sonrojaron tímidamente. Pero sus ojos, esos preciosos ojos del azul del mar, seguían retándolo.

—No os intereso. ¿Recordáis?

Se quedó paralizado. Tenía todos los sentidos a flor de piel. Estaba a solo un pelo de distancia de probarle que se equivocaba. Pero hubo algo en su expresión que hizo que a ella le temblara el pulso y optara por una rápida retirada.

—Además… ha sido Escudero quien ha querido venir —dijo inclinándose para acariciar al cachorro, que no cesaba de dar vueltas sobre su jergón.

El cachorro ladró juguetonamente y comenzó a escarbar con su cabeza bajo la manta. «Por todos los demonios.» Aquel maldito perro no estaba jugando, pensó Arthur. Lo que hacía era intentar llegar a una cosa.

—Fuera —dijo Arthur para espantar al problemático chucho. Pero ya era tarde. Lo había visto.

—¿Qué tienes ahí? —dijo Anna al perro.

Antes de que Arthur pudiera evitarlo, ya estaba tirando de la esquina del pergamino que el cachorro había sacado de debajo de la manta. Maldijo por dentro, con ganas de arrancárselo de las manos, pero se obligó a hacer como si no pasara nada. ¿Cómo diablos explicaría que tenía un mapa de las tierras de su padre? Mejor sería que pensara algo rápido.

—Parece un dibujo —dijo Anna, y alzó la mirada—. ¿Lo hicisteis vos? —Arthur no dijo palabra. Ella volvió la vista al mapa y pasó los dedos por las líneas de tinta pergeñadas por la pluma—. Es exquisito.

La admiración de su voz le afectaba más de lo que habría querido. Recordó lo que le gustaban a su madre aquellos dibujos a tiza que le hacía de pequeño. Una vez que comenzó con su entrenamiento ya no tuvo tiempo para esas cosas. Luego ella murió y todo aquello careció de importancia. Apartó de su mente aquellos recuerdos. Por la sangre de Cristo, la muchachita había vuelto a conseguirlo. En lugar de inventarse una excusa para salvar el pellejo, actuaba como esa bestezuela del demonio suya, se relamía con sus halagos.

—No es nada —dijo con desdén.

Anna lo miró con aquellos ojos demasiado observadores que se percataban de mucho más de lo que él habría querido. Su expresión era implacable y no lo delató en absoluto, pero de algún modo ella sintió que estaba incómodo.

Afortunadamente lo malinterpretó.

—No hay por qué avergonzarse —dijo con una amable sonrisa al tiempo que le ponía una mano sobre el brazo.

¿Por qué diablos tenía que ser tan dulce y sonreírle de ese modo? Su vida estaba libre de complicaciones y así era como le gustaba que fuera. No quería sentirse atraído hacia ella. Pero era imposible resistirse a tanta calidez y gentileza.

—A mí me parece una maravilla. Ese modo en que habéis sabido captar el aire de la campiña… Tenéis un ojo artístico para la perspectiva y los detalles.

Arthur sintió una presión en el pecho y se dijo a sí mismo que era alivio. Estaba claro que Anna pensaba que era un bosquejo y que él se avergonzaba de que supieran que tenía un pasatiempo tan impropio de un guerrero. Tenía una suerte enorme de que el mapa estuviera a medias. Aunque esa era la razón de que no estuviera en su escarcela, donde había de estar. Pero si le diera la vuelta…

Le sería muy complicado encontrar una excusa para las anotaciones acerca del número de hombres, caballeros, caballos, y las provisiones de armas. Maldijo su ligereza por no ocultar el documento antes de irse al lago. Pensaba que no lo molestarían. Pero tendría que haberlo imaginado. Al parecer, no había lugar alguno en el que pudiera librarse de ella.

Dio un paso en su dirección con la mano en alto y una expresión adusta. Obviamente no tenía ningunas ganas de renunciar al mapa, porque se quedó dudando para después sostenerlo en alto y volver a mirarlo a la luz de la vela que él había colocado sobre una mesa junto al camastro.

—¿Qué son esas marcas?

El mundo se le vino encima a Arthur cuando se percató de que ella acababa de ver las sombras de lo que había escrito por detrás.

—Dejadlo estar ya, Anna.

«Dejadme estar.»

Anna alzó la vista y sus ojos se encontraron ante la trémula luz de la vela.

—No puedo. —Sus palabras parecieron sorprenderla a ella misma tanto como a él. Entre sus cejas se dibujaron unas arrugas de desconcierto—. ¿Es que no lo sentís?

Arthur no quería oír lo que le decía, no quería reconocer aquello que era imposible. Ella era hija de Lorn. Estaban en bandos opuestos. Maldita fuera, él no sentía nada en absoluto.

—Creí que lo había dejado muy claro cuando volvíamos de la villa.

—Oí lo que decíais, pero yo sentí algo diferente —contestó Anna con los ojos brillantes.

Arthur sintió un arrebato de furia y lo lanzó contra ella.

—Lo que sentisteis era lujuria. —La arrimó contra sí para que sintiera todo el poder de su cuerpo—. ¿Es eso lo que queréis, Anna?

Ella se quedó sin aliento. Intentó librarse de su abrazo, como un pajarillo revoloteando en una jaula, pero él no la soltaba. Esta vez no. Ya lo había atormentado durante suficiente tiempo. Tenía que aprender que aquello no era ningún

juego, que sus inferencias eran peligrosas en más de un sentido. No era solo el peligro que suponía para su misión. Era
una dama y lo que él quería conseguir era algo que ella no
podía ofrecerle.

—Soltadme —dijo Anna, escrutando su rostro con ansiedad—. Me estáis asustando.

Arthur le puso la mano bajo el cuello y calmó la agitación
de su pulso con el pulgar.

—Bien.

Dios sabía que era ella quien le asustaba a más no poder.

Instantes después, Arthur pegaba su boca a la de Anna y se
dejaba llevar por ese deseo que daba vueltas en su interior como
un torbellino a punto de desatarse.

9

Arthur la besó con todas sus fuerzas, apretando los labios, con ganas de castigarla por hacer eso con él. Por tentarlo. Distraerlo. Por ser tan odiosamente dulce. Quería darle una lección. Pero al primer contacto con su boca le pareció que le asestaban un mazazo en el pecho. Bastó un rápido roce para que el duro impacto de esa sensación aplacara su ira. El deseo invadió su cuerpo y lo inundó con un intenso anhelo. «Jesús.» Sabía como los ángeles. Esos labios eran demasiado suaves. Su piel olía demasiado bien. Y su pelo… «Dios, qué glorioso pelo…», pensó mientras dejaba que los sedosos bucles pasaran entre sus dedos. Era como de otro mundo.

Ella era de otro mundo. Un ángel enviado para torturarle.

Gruñó de placer y la soltó un poco, suavizando el beso al tiempo que volvía a sumergirse en ella, lenta y tranquilamente esa vez. La acunó junto a su pecho y besó sus labios con dulzura, rozándola, probándola, saboreando la exquisita sensación que ofrecía aquella boca moviéndose bajo la suya.

Era algo increíble. Más dulce incluso de lo que habría imaginado de haberse atrevido a hacerlo. Desde el primer momento en que puso los ojos en Anna MacDougall la había deseado, pero se negaba a pensar en ello como algo posible. Y no era posible, demonios. Estaba mal. Era peligroso. Una perdición. No debería estar haciendo eso. Pero tampoco podía detenerse.

No era más que un beso, se decía a sí mismo. Algo que ya había hecho incontables veces. Nada que escapara a su control. Y sin embargo no sentía aquello como un beso cualquiera. «Sentía.» Esa era la diferencia. Por lo general, no lo hacía. Para él un beso no era más que un medio para conseguir un propósito, un añadido al acto principal y no algo que provocara placer en sí mismo. No obstante, besarla le procuraba placer, más placer del que debía.

Estaba claro que le pasaba algo raro. Su cuerpo no reaccionaba de la manera debida ante un simple beso. Estaba ardiendo. ¿Y por qué demonios le latía tan a prisa el corazón? El deseo era algo controlable. Manejable. No era la primera mujer que le ponía caliente, pero no se había visto tan consumido por la necesidad ni en los momentos previos a hacerlo con la primera manceba en sus tiempos de escudero. Estaba empalmado. Le dolía. Jamás en la vida había estado tan caliente.

Al menos la lujuria era algo comprensible. Lo que no entendía era ese otro sentimiento. La sensación que le henchía el pecho y hacía que su corazón pareciera a punto de explotar. La sensación de tener una abrumadora necesidad de protegerla. De resguardarla y cuidar de ella. El sentimiento que le decía que la abrazara y no la soltara nunca más. La intensidad de esas reacciones debería haberle servido como advertencia. Pero estaba demasiado ocupado deleitándose con las emociones, aspirando su dulce fragancia, pasando los dedos entre sus sedosos cabellos y saboreando la delicadeza de su piel para advertirlo. Todo en cuanto podía pensar era en la mujer que se derretía entre sus brazos y que jamás podría ser suya.

Anna pensó por un escalofriante momento que tal vez lo hubiera llevado demasiado lejos. La mirada que percibió en sus ojos justo antes de que la besara fue aterradora. Apreció entonces el reflejo de un hombre al que no había visto nunca antes. No era un caballero distante y controlado, sino un guerrero salvaje e indomable. Un hombre que resultaba mucho más peligroso de lo que ella pensaba. La ferocidad de su beso la sobrecogió. Era como si toda esa oscura energía reconcentrada que ella sentía acumulándose por debajo explotara de una vez en un cruento abrazo. Anna percibía la rabia contenida en el castigo inclemente de su boca. Aquello era como para asustarse, pero incluso en el caso de que él estuviera furioso y perdiera el control, sabía que jamás podría hacerle daño. Lo que no sabía era por qué estaba tan segura. Pero lo estaba.

Y entonces, antes de que pudiera reaccionar, antes de que pudiera sacudirse la conmoción del cuerpo, antes de que le diera tiempo a pensar en lo bien que sabía, a clavo, a algo oscuro y distintamente masculino, todo cambió por completo. Arthur emitió un gemido y fue como si toda su rabia desapareciera. El beso cuya primera intención fue castigar se convertía en súplica. El abrazo que quería aplastar la acunaba ahora como si de un bebé se tratara. Lo que se disponía a ser una violación llena de pasión se transformaba en una devastadora ternura que ella jamás habría sido capaz de imaginar en un guerrero de tal fiereza.

Era algo perfecto. Él era perfecto.

Cada una de las caricias de su boca desataba un vendaval de nuevas sensaciones. Los breves besos que intercambiaba con Roger no tenían nada que ver con aquello. No la hacían sentir como si estuviera entrando en un horno de leña. No se producían cosquilleos en sitios en los que no debía ni tan siquiera pensar. No provocaban un vuelco en su corazón ni que le temblaran las piernas. Y, desde luego, no la hacían pensar en romperle la camisa a trizas y extender sus manos por una piel desnuda que se le quedaría grabada en la memoria para siempre.

Su cuerpo era tan grande y poderoso que sus duros músculos imponían como un muro de granito. Cada centímetro de sus carnes de acero daba fe de su profesión de guerrero. Pero Anna jamás imaginó que arrimar su cuerpo al acero fuera tan agradable. Ni lo cálido que podía ser el pecho de un hombre. Ni lo segura y protegida que podría sentirse. O las ganas que tendría de sumergirse en su interior y quedarse allí.

Y eso que hacía con la boca…

Era como un sueño. Sus labios eran demasiado suaves; sus besos, demasiado tiernos. ¿Era posible que se tratara del mismo hombre? ¿Cómo podía el implacable guerrero que la miraba con tanta indiferencia besarla con esa intensidad? Si hasta su mismo olor parecía sacado de un sueño: jabón con una pizca de agua salada del lago. Pero no era un sueño. Jamás había vivido un sueño tan extraño. No sabía lo que le sucedía. Le parecía desvanecerse. Empapada de calor. Sensible y afectada. Receptiva desde la primera hasta la última de sus terminaciones nerviosas. Le parecía que su cuerpo no le perteneciera. El placer había tomado el mando y no la dejaría escapar. No podía pensar más que en lo bien que se sentía. En su talentosa boca. El sutil rasgar de ese mentón contra su barbilla. El peso de la mano sobre su cintura. La suave caricia de sus dedos. Y cada vez que la provocaba con el roce de sus labios la intensidad de esa sensación iba en aumento. Elevándose. Haciéndola suplicar por algo más. Algo que Anna no comprendía, pero que necesitaba desesperadamente.

Arthur intentaba tomárselo con calma, pero sus gemidos estaban volviéndolo loco. Aunque quería hundirse dentro de ella, tenía aún más ganas de darle placer. De modo que en lugar de forzarla hasta dejarla sin sentido, la convenció por medio de las largas y lentas caricias de su boca. Y ella respondía. Vaya si respondía. Al principio de manera tímida, pero después se vio persuadida para hacerlo con más atrevimiento. Le pasó las manos alrededor del cuello y abrió la boca al tiempo que emitía un entusiasta quejido que le llegó directamente hasta la entrepierna. Esa respuesta instintiva tuvo su réplica en un bramido de pura satisfacción masculina que le atravesó todo el cuerpo.

No había nada que quisiera con más ganas que meterle la lengua hasta el fondo, tomar aquello que le ofrecía, pero era consciente de su inocencia, así que optó por rozar sus labios con la punta de la lengua por un instante y retirarla inmediatamente. Advirtió la conmoción que la embargaba, pero no la dejó pensar. Volvió a hundir la lengua en su boca, esa vez durante más tiempo, para que se acostumbrara a la sensación. Y luego, cuando notó que se relajaba en sus brazos, le hizo ver lo que quería. Enlazó su lengua a la de ella y la fue introduciendo cada vez con más profundidad en su boca.

Faltó poco para que su apasionada respuesta lo hiciera trizas. El deseo, contenido durante tanto tiempo, fluía ahora con libertad en una tormenta torrencial. Notaba cómo sus pezones se endurecían contra su pecho y lo atormentaban, lo incitaban. Al sentir la fuerza suplicante que llegaba desde su entrepierna, gruñó y se sumergió dentro de ella.

Anna respondía a sus besos y apretaba su dulce cuerpecito contra el de él. El movimiento instintivo de caderas con el que rozaba su verga estaba a punto de resultarle excesivo. La intensidad de la sensación era desmesurada. Se le alteraba la sangre. El corazón se le salía del pecho. Las riendas se le resbalaban de las manos a medida que el deseo se hacía cargo de ellas. Sus besos se volvieron más salvajes, mas insistentes, más despiadados. Arthur le puso la mano en un pecho y ella emitió una exclamación de sorpresa que quedó ahogada por sus propios gemidos. Eran cotas de placer inimaginables. Había soñado con esos pechos durante semanas y ahora que los tenía en sus manos... Eran increíbles. Grandes, suaves, ocupaban su palma entera. Acarició por encima la tersa punta de su pezón, estimulándola y obsequiándola hasta que ella dejó escapar un suave gemido entre sus labios y su espalda se arqueó buscando sus manos.

Desnuda. La quería desnuda.

Dios, sí que era un caramelo. Tan dispuesta... Parecía no contentarse con nada.

Estaba bajando en espiral por un túnel de sensaciones. Trasladándose con rapidez a un lugar sin retorno. Quería que se corriera. Quería acariciarla con las manos, saborearla con la boca y llenarla con su verga. Quería notarla húmeda y muriéndose de ganas.

Quería hacérselo.

Se decía a sí mismo que al final habría acabado recobrando el sentido, que se las habría arreglado para reencontrarse con ese control que nunca antes le había fallado, pero ya jamás podría saberlo. Fue el perro quien lo hizo por él. El cachorro comenzó a aullar, probablemente decidiendo que ya lo habían ignorado durante bastante tiempo. Aquello fue suficiente para atravesar la neblina. El impacto con la realidad fue como recibir un cubo de agua fría. Arthur se percató de golpe de la locura que estaba cometiendo. Dejó de besarla y la apartó de sí con más fuerza de lo que pretendía.

Anna quedó sobrecogida por la sorpresa.

Durante un instante, simplemente permanecieron mirándose el uno al otro a la luz de las velas con sus pesadas respiraciones como testigo maldito de lo que estaban haciendo.

Dios santo. La incredulidad se mezclaba con el escepticismo. ¿Qué demonios acababa de suceder? Él nunca había perdido el control de tal modo, jamás. Un beso, maldita fuera. Se suponía que no había más que eso. Un simple beso para enseñarle la lección. No significaba nada. Había besado a cientos de mujeres. No era algo que debiera perturbarle, nada que tuviera que dejarle tan… afectado. Y lo estaba, mucho más de lo que le habría gustado admitir. Tocarla había sido un error. ¿En qué diablos pensaba? No, no se había parado a pensar. Estaba furioso. Atormentado. Se había visto empujado más allá de toda razón por sus provocaciones y su seducción. Pero por más que condenara su locura, cuando miraba sus hinchados labios y mejillas sonrosadas lo único en que podía pensar era en hacerlo de nuevo. Y eso le afectaba mucho más. Lo bastante para que no volviera a suceder de nuevo.

—¿Ha sido suficiente para satisfacer vuestra curiosidad, milady?

Anna se quedó estupefacta.

—¿Qué queréis decir con eso?

Arthur inspiró larga y profundamente en un intento de calmar el violento latir de su corazón.

—Significa que podéis agradecer a vuestro perro el conservar la virtud intacta. —La miró con ojos duros e implacables—. Pero os juro por lo más sagrado que, si seguís con vuestros jueguecitos, la próxima vez no seréis tan afortunada.

Anna se estremeció como si la hubiera golpeado.

—¿Cómo podéis decir eso? ¿Cómo podéis besarme de tal modo y hacer como si no significara nada? Cómo si no sintierais…

—Lo que sentía era lujuria. No cometáis el error de pensar que era otra cosa.

Él no lo haría.

No podía hacerlo.

Dio un paso hacia atrás con los ojos arrasados en lágrimas. Arthur sentía sacudidas y quemazón en el pecho.

—¿Por qué hacéis eso? ¿Por qué intentáis ser cruel a propósito?

Los puños se le cerraron ante la casi irreprimible necesidad de consolarla. Solo la estaba protegiendo contra una situación imposible y lo hacía por su propio bien, por el bien de ambos.

—Simplemente os estoy haciendo una advertencia. Se acabaron los jueguecitos. Sea lo que sea lo que estabais haciendo aquí, se acaba a partir de ya. —Anna alzó la vista para mirarlo sin decir palabra, intentando buscar algo en su rostro que jamás encontraría—. Coged a vuestro perro y marchaos —añadió Arthur con una extraña dureza en la voz.

Anna recogió al cachorro y se fue de allí sin mediar palabra. Mientras Arthur se quedaba mirando su marcha, tuvo la sensación de que la habitación se quedaba a oscuras.

Solo al final de todo esto se acordó del mapa. Miró al suelo. Allí estaba, a sus pies, en el mismo lugar en que debió de haber caído cuando le había resbalado de la mano, aterrizando por la otra cara. Con que solo hubiera mirado al suelo, Anna habría visto las notas escritas en el anverso. Pero, de algún modo, el desastre que conseguía eludir no parecía nada en comparación con aquel otro que no había podido evitar.

Apenas hubo atravesado el umbral, las lágrimas de humillación y dolor traspasaron la coraza de orgullo de Anna. No pensaba darle el gusto de presenciar el daño que le había hecho. Desolada, no solo por el beso, sino por el cruel rechazo que siguió a este, se refugió en su cámara. Dado que no estaba en situación de ver a nadie, era muy afortunada de que todos parecieran estar celebrando la cena. Comunicó a su doncella que tenía dolor de cabeza y se hizo la dormida cuando llegaron sus hermanas. La sirvienta debió de descubrir que Anna mentía en cuanto la miró a la cara, pero se mostró leal y le siguió el juego. Lo último que le apetecía a Anna en aquel momento era contestar a preguntas o hablar acerca de qué había pasado. Ni tan siquiera quería pensar en lo que había pasado.

Dios, lo que decía era cierto. Terriblemente cierto. Si no había hecho algo desastroso fue por los pelos, o en ese caso por los aullidos de un cachorro.

Sus besos. Su lengua. Por Dios bendito, la increíble sensación de tener esas manos sobre sus pechos. Todo había sido demasiado bueno. No quería que aquello se detuviera. Había sucumbido a un deseo que iba mucho más allá de su experiencia en resistir. El instinto superó a la cautela, el placer dominaba a la razón y la necesidad primaria de unirse a él hicieron que todo lo demás desapareciera bajo su estela.

Su cuerpo ardía de deseo por él. Se encendía y clamaba por que lo tocara. Pensó con un rubor que la cavidad oculta entre sus piernas estaba mojada. Él podría haberla desprovisto de su inocencia sin que apenas le ofreciera resistencia. Las lágrimas corrieron por sus mejillas y un áspero sollozo se abrió paso a través de su pecho. No, sin que ofreciera ninguna resistencia. El corazón se le encogió ante aquella atroz realidad. Lo deseaba. Lo suficiente para hacer algo inconcebible. Algo precipitado y estúpido que jamás podría deshacerse.

Pero no fue solo deseo. Al menos no para ella. Cuando Arthur la sostuvo entre sus brazos y la besó, Anna se emocionó de una manera sobrecogedora. Lo que sentía por él era intenso, poderoso… diferente. Pero ese beso que tanto había significado para ella no había sido más que una cruel forma de lección para él, un medio para que dejara de «ser su sombra».

La acusación era tanto más humillante por cuanto había de verdad en ella. Era cierto que lo había estado persiguiendo, y no habría sido tan malo si solo lo hubiera hecho porque se lo pedía su padre. Pero después de lo que acababa de pasar, Anna tenía que admitir la realidad: no se trataba simplemente de una labor encomendada. Su interés por él tenía tanto que ver con ella misma como con su padre. Tal vez más, incluso.

Su cruel lección había funcionado. A la mañana siguiente, ya dejadas atrás las lágrimas, aunque no el dolor que las provocaban, Anna informó a su padre de cuanto había descubierto. Sir Arthur Campbell era exactamente lo que aparentaba: un ambicioso y capaz caballero concentrado en la futura batalla. Dejó de lado cualquier duda que albergara sobre la posibilidad de que ocultara algo.

Satisfecho con sus estimaciones, su padre le ordenó que cesara en sus esfuerzos. La atención que dirigía al joven caballero había sido muy comentada y no quería que sir Arthur empezara a sospechar. Anna no le dijo que ya era tarde para eso.

Se quedó en su habitación por lo que restaba del día, aliviada de liberarse de su carga. Aunque nada le gustaba más que estar rodeada por su familia y en un salón resplandeciente repleto de partidarios del clan, aquel era un día raro en que quería estar sola. Temía también que su mal humor fuera obvio y no quería dar preocupaciones innecesarias a su bienintencionada madre y a sus hermanas. Es más, después de aquel beso, se sentía todavía demasiado vulnerable para toparse con él de nuevo.

Tal vez fuera una actitud cobarde, pero necesitaba tiempo para recapacitar. Había pensado una y otra vez en lo sucedido, y cada vez estaba más convencida de que no había obrado mal. Era imposible que Arthur Campbell la besara de tal modo sin sentir nada por ella. Aunque él quisiera hacerle creer que solo se trataba de deseo, en el fondo de su corazón Anna sabía que había algo más. Sin embargo, él procuraba apartarla de su lado por alguna razón. Su frialdad y aquellas crueles palabras parecían calculadas justamente con esa intención. Pero ¿por qué? Y lo que era más importante, ¿por qué estaba tan desesperada por encontrar un motivo? Porque le importaba. Y, al parecer, albergaba la estúpida e infantil esperanza de que él no creyera realmente en lo que había dicho, de que también a él ella le importara.

Aquello no debía revestir importancia alguna. Se trataba de una persona completamente equivocada para ella. Un frío y distante guerrero al que no le importaba nada ni nadie, tan solo la siguiente batalla a librar. Pero por más que quisiera meterlo en ese saco, lo cierto era que no cabía en él. No era ni mucho menos tan insensible como quería hacerle ver. Había notado su emoción cuando la cogió después de que tropezara en el acantilado, y también cuando los salvó de los lobos a Escudero y a ella. Y además, la forma en que la había besado no dejaba lugar a dudas acerca de que era un hombre capaz de emociones profundas.

Jamás antes había sentido atracción alguna por los guerreros, pero con Arthur era justamente lo contrario: nunca le atrajo tanto un hombre ni su cuerpo. ¿Quién habría imaginado que los músculos podían ser tan… excitantes? Aquel físico forjado para la batalla tendría que representar todo lo que ella odiaba de la guerra y, sin embargo, jamás se sintió más protegida y segura que en sus brazos. Y el dibujo. Eso fue lo más sorprendente de todo. Que la misma mano que blandiera la espada y la lanza con tal capacidad de aniquilación pudiera dibujar con tal maestría y belleza…

Arthur Campbell no era el típico guerrero. Había algo más en él. Desde el principio, Anna sintió que era diferente. No solo porque fuera reservado, sino por la extraña intensidad que se concentraba bajo su superficie y lo alejaba del resto. Tal vez ese aura de soledad y tristeza influyera también en su atracción hacia él. Incluso ante su hermano y los demás hombres parecía un extranjero satisfecho de serlo, un hombre que no necesitaba a nadie más. Pero todo el mundo necesita a alguien. Nadie podía querer, realmente, estar solo. Tal vez no supiera que había otras opciones… La sombra de esa posibilidad se abrió paso a través del corazón de Anna. Apretó contra su pecho el cachorro que yacía enroscado sobre su regazo y besó el suave pelaje de su cabeza. Tal vez aquel hombre fuera como Escudero y necesitara que alguien le diera una oportunidad. Alguien que le ofreciera un poco de afecto.

Al día siguiente Anna ya se sentía un poco mejor. Volvió a sentarse junto a su hermano en el estrado para desayunar. El pulso se le alteraba cada vez que alguien entraba en la sala. Estaba preparada para verlo. Quería comprobar si se encontraba bien. Estaba segura de que cuando sus miradas volvieran a cruzarse sabría si ella le importaba o no, si su crueldad no era sino una manera de mantenerla a distancia, como hacía con todos los demás. A medida que transcurría la comida y Arthur no aparecía, Anna empezó a inquietarse. El indomable batir de su pecho cesó en seco cuando entraron los Campbell y el resto de sus hombres. Desafortunadamente, ese extraño comportamiento no pasó desapercibido.

—No está aquí —dijo Alan, colocando su mano sobre la de ella.

Anna, cogida por sorpresa, apartó la mirada de la entrada.

—¿Quién no está aquí?

Pero el cálido rubor que tenía sus mejillas la delataba. Alan estrechó su mano con cariño.

—Campbell.

Obviamente había acertado con cuál de ellos se trataba.

Anna se las ingenió para ofrecer una lánguida sonrisa, sin molestarse siquiera en fingir que no sabía de qué le hablaba. El interés que mostraba por el caballero no pasaba desapercibido para su protector hermano.

—Solamente quería pedirle un favor. Escudero ha vagado toda la mañana como alma en pena y me preguntaba si sir Arthur querría llevárselo con él cuando saliera a cabalgar.

La mirada de su hermano sugería que no podría engañarlo con una excusa tan mala.

—Tendrás que buscarte a otro que haga ejercicio con tu podenco por un tiempo.

Una sensación de angustia resbaló por su pecho hasta alojarse incómodamente en su estómago. La voz le tembló.

—¿A qué te refieres?

Se preparó para lo peor, pero había una parte de ella que ya sabía lo que Alan contestaría.

—Campbell partió junto a Ewen para patrullar las lindes meridionales entre los castillos de Glassery y de Duntrune. Padre sospecha que los MacDonald están tramando algo de nuevo. Estará fuera varios días, puede que semanas.

«Fuera. Se ha ido.»

¿Cómo podía marcharse sin decir palabra después de lo que habían compartido? Anna sintió una congoja en el pecho que la oprimía tanto que tuvo la sensación de que reventaría de la presión.

—Entiendo —susurró.

Era una tonta. Se había convencido de que significaba algo especial para él por la sencilla razón de que él era importante para ella. Se había convencido de que tal vez fuera diferente a pesar de haber visto su verdadero ser.

Alan entornó los ojos.

—¿Ha ocurrido algo? ¿Es que hizo algo que no…?

—Nada —dijo Anna negando con la cabeza irritada—. No ha pasado nada.

Nada significativo. Apartó la mano de la de su hermano y se cruzó de brazos. Quería hacerse una bola y arrastrarse por el suelo, pero no lo haría. No se lo merecía.

—¿Representa algo para ti, Annie querida? ¿Tienes interés por él? Pensaba que solo le hacías un favor a nuestro padre.

No estaba al tanto de que Alan conociera sus inusuales actividades, pero tal vez no tendría por qué sorprenderle tanto. Dada la edad de su abuelo y la enfermedad de su padre, Alan había ido asumiendo cada vez más responsabilidades. Anna se preguntó qué era lo que sabía. Suponía que no todo, porque de ser así no estaría tan tranquilo.

—Y así es —aseguró, para después inspirar profundamente y volver a llenarse los pulmones de aire—. No significa nada para mí —dijo. Y lo decía en serio.

Su primera impresión había sido la correcta: Arthur Campbell era un hombre con un pie en la puerta. Jamás podría ofrecerle la estabilidad que ella ansiaba. Lo único que haría, si ella lo permitía, sería partirle el corazón.

10

—Estáis hecho una porquería, Guardián. ¿Qué demonios os pasa?

Arthur procuraba no mostrar su enfado, pero aquel avispado marino tenía una habilidad asombrosa para meter el dedo en la llaga. No le pasaba nada, demonios. Nada que no se curara con una noche entera de sueño. Pero no había tenido una noche tranquila desde que saliera de Dunstaffnage diez días atrás. Sus sueños se veían invadidos por una muchacha de grandes ojos azules y cabellos rubios. Una muchacha cuya expresión al salir de los barracones todavía le perseguía. Siempre estaba rebosante de alegría. Esa fue una de las primeras cosas que le atrajo desde el principio. Pero él la había entristecido. De hecho, su cara decía que la había destrozado. Deseaba con todas sus ganas que ya no albergara tiernos sentimientos hacia él. Eso sería estúpido. «Muy estúpido», se dijo a sí mismo.

Se le tensó la mandíbula. Estaba claro que no solo invadía sus sueños, sino todos sus pensamientos. Llevaba a Anna MacDougall en lo más profundo. No podía entender por qué no dejaba de pensar en ella. Había huido, algo que siempre hacía cuando una mujer comenzaba a pedirle algo más que ratos de cama, pero esa vez no daba resultado. Lo único que había conseguido era ponerse de los nervios. Estaba seguro de que esa irritante incapacidad para concentrarse acabaría cuando la viera y se asegurase de que estaba bien. Debería ser capaz de quitársela de la cabeza. Concentrarse en su tarea. Y no poder hacerlo le ponía furioso. Pero tenía muy claro que no quería explicarle nada de aquello a MacSorley. Se reiría de él de por vida.

—Yo también me alegro de veros, Halcón —dijo observando al gigantón de las islas y percatándose de las arrugas de tensión que surcaban su cara bajo el tizne de la ceniza. Los guerreros de la Guardia de los Highlanders, además de llevar una coraza negra y mantas oscuras, se tiznaban la piel para confundirse con la noche y así moverse sigilosamente a través de las sombras—. Tal vez debiera preguntaros yo lo mismo, ¿no?

El hombre que había junto a Halcón Erik MacSorley emitió una exclamación aguda, algo que recordaba a la risa, pero que tenía más de burla que de diversión.

—La mujer lo tiene cogido por los huevos. Ha salido de cuentas y Halcón está que salta cada vez que oye un ruido, creyendo que será el mensajero. —Lachlan MacRuairi, conocido por el nombre de guerra de Víbora entre la Guardia de los Highlanders, sacudió la cabeza expresando su rechazo—. No hay nada más patético.

Halcón esbozó una amplia sonrisa.

—Mi mujer puede agarrarme de los huevos todo lo que quiera. Y ya veremos lo tranquilo que estás tú cuando te toque.

Una oscura sombra pareció surcar el rostro de MacRuairi, en tanto que su penetrante y acerada mirada brilló como la de un gato salvaje en medio de la noche. Y pensar que la gente decía que Arthur ponía los pelos de punta…

—Antes de que eso ocurra se helará el infierno. Ya tuve esposa. Y prefiero que me arranquen los huevos y me los metan por las narices antes que tener otra.

De todos los miembros de la Guardia de los Highlanders, MacRuairi era el único que no le caía bien a Arthur y en quien no confiaba. El oriundo de las Highland Occidentales y descendiente del poderoso Somerled, rey de las Islas, tenía negro el corazón, muy mal genio y una lengua viperina. MacRuairi, al igual que la serpiente desalmada de la que recibía su nombre de guerra, también contaba con un golpe mortal silencioso.

Los sentidos de Arthur se habían despertado desde el principio, advirtiéndole que actuara con cautela. Pero no se necesitaban cualidades extraordinarias para advertir la ira que emanaba de MacRauairi, o mejor dicho, su rabia. Lo que perturbaba a Arthur era la oscuridad que iba asociada a ella. Una oscuridad que no había hecho más que aumentar desde que los ingleses capturaran a la esposa del rey, a su hija, a su hermana y a Bella MacDuff estando estas bajo su custodia. Solo pensaba en rescatarlas. Meses atrás, había intentado liberar a Bella de la jaula de la que pendía en lo más alto del castillo de Berwick, pero aquello se mostró como una tarea imposible, incluso para los guerreros de élite de la Guardia de los Highlanders. Habían conseguido liberarla de su cruel cautiverio hacía poco, aunque nadie sabía dónde se encontraba.

Sin embargo, MacRuairi era un hombre útil. Aparte de blandir con maestría las espadas que llevaba cruzadas a la espalda, era capaz de entrar y salir de cualquier sitio. Su falta de conciencia también resultaba valiosa cuando tocaba hacer tareas desagradables. Para ganar aquella guerra todos ellos tendrían que ensuciarse las manos. Las de MacRuairi simplemente estaban más sucias que las de los demás.

Solo MacRuairi estaba menos integrado que Arthur en la Guardia de los Highlanders. La mayoría de los hombres no se fiaba del hostil isleño, y hacían bien. El líder de la Guardia, Tor MacLeod, lo toleraba y había llegado a algún tipo de entendimiento con su antiguo enemigo de sangre, pero solo William Gordon y MacSorley parecían apreciarle sinceramente.

—Nunca digas nunca jamás, primo —dijo MacSorley—. Tu problema fue casarte con la mujer equivocada. Uno de estos días llegará la adecuada —añadió, para luego hacer una pausa y mirarle con expresión taimada—. Si es que no lo ha hecho ya.

Arthur sospechaba que MacSorley se refería a Bella MacDuff, condesa de Buchan, que no había tardado en mostrar cuán mal congeniaba con el infame guerrero y pirata. Arthur pensaba que el sentimiento era mutuo, pero tampoco llevaba allí tiempo suficiente para saber si MacSorley hablaba en serio.

Pero si él estuviera en su lugar, vigilaría bien su espalda durante los siguientes días. MacRuairi puso cara de querer matarlo.

—No tienes ni puta idea de lo que hablas.

MacSorley simplemente sonrió.

—Vaya lenguaje más vulgar. ¿Acaso he tocado tu fibra sensible?

No por unos días. Arthur vigilaría su espalda durante una semana entera. MacRuairi parecía a punto de saltarle al cuello.

—Estoy ya hasta las pelotas de oírlo. Eres como un cura intentando convertir paganos. Esparce tu veneno acerca de las maravillas del matrimonio en otro sitio. No me interesa.

La amplia sonrisa de MacSorley parecía enfurecer aún más a su pariente. Arthur no podía creer que estuviera oyendo al petulante marino cantar las excelencias del matrimonio y de la «mujer adecuada». La arrolladora personalidad de MacSorley y su atrevido encanto atraían casi tanto a las mujeres como la bonita cara de MacGregor. Halcón amaba a las mujeres y las mujeres le amaban a él. Se hacía difícil pensar que sentaría cabeza con una sola. Tenía que ser un bellezón. El enorme vikingo siempre tenía una bandada de mujeres preciosas de cuerpos exuberantes a sus pies.

Arthur, consciente de que MacSorley no pararía de meterse con su pariente hasta que se liaran a golpes, cambió de tema.

—¿Para qué queríais verme? Asumo que ha de ser importante para arriesgarnos a un encuentro como este.

El rey tomaba grandes precauciones para preservar la identidad de Arthur. Los encuentros solo eran concertados en caso de necesidad, por medio de mensajes cifrados en alguno de los numerosos monumentos de piedra que salpicaban la campiña, tales como el círculo de menhires en el que se habían reunido aquella noche. El rey Robert sentía una conexión apasionada con el pasado ancestral de Escocia, y aquellas piedras místicas parecían una alusión adecuada a su guardia secreta formada por los mejores guerreros de Escocia.

La mayoría de las comunicaciones se hacían a través de mensajeros, rara vez se arriesgaba Arthur a verse con sus camaradas de la Guardia. Después de infiltrarse entre los Mac-Dougall, se había convertido en una tarea más difícil si cabe. Había perdido mucha de la libertad de movimientos de la que disfrutaba trabajando a su aire. Esa noche, tuvo que escabullirse del castillo de Duntrune cuando hubo anochecido y esperar con todas sus fuerzas que nadie se percatara de su ausencia.

MacSorley se puso serio.

—Sí. Recibimos noticias la pasada semana de que veníais al sur. Me alegro de que vierais el mensaje.

Arthur procuraba revisar los monumentos con tanta frecuencia como podía. Cuando vio las tres piedras más pequeñas distribuidas en un triángulo en el centro se dio por enterado: era la clave para acudir en cuanto fuera posible. Era el mismo mensaje que él había dejado en la cueva norte del castillo Dunollie antes de partir hacia el sur. Al tener salida al mar, aquella cueva era el lugar más seguro para una incursión de los hombres de Bruce y estaba a solo unos kilómetros de Dunstaffnage.

—Doy por sentado que si sabíais de dónde partir es que habéis recibido el mío.

MacSorley asintió.

—Nos sorprendió mucho que os marcharais de Dunstaffnage.

Arthur se esforzó por ocultar sus emociones para que no le traicionara la bruma de culpa que se extendía por su conciencia. Maldita fuera, no es que hubiera olvidado su misión. Simplemente tenía que salir de allí.

—No fue posible evitarlo —dijo sin dar más explicaciones—. Lorn tiene miedo de que Angus Og esté tramando algo. He acompañado a su hijo Ewen para ver qué podemos averiguar.

—Mi primo siempre está tramando algo —dijo MacSorley del poderoso jefe MacDonald—. Está movilizando a su flota para la batalla contra los MacDougall.

—Eso mismo es lo que creía.

El ataque desde el mar contra los MacDougall sería tanto o más importante que el ataque por tierra. Bruce tenía pensado presionar a Lorn desde ambas direcciones. Esa era una de las razones por las que las habilidades de MacSorley eran tan valiosas. Él sería el encargado de dirigir el ataque desde el mar.

—Lorn está bien informado —dijo MacRuairi.

Arthur hizo una mueca.

—Sí, lo está. Pero he sido incapaz de averiguar cómo lo consigue. No ha aparecido ningún clérigo extraño por allí, ni tampoco he visto mensajero alguno.

MacSorley sonrió.

—Por eso es por lo que os hemos hecho venir. Intercepté a uno de los mensajeros de Eduardo cuando se dirigía hacia el norte con una misiva para Lorn. Es un mensaje de los que Lorn aguardaba, aunque no las noticias que él esperaba —dijo ampliando su sonrisa—. El rey Eduardo ha declinado la petición de Lorn de enviar tropas adicionales al norte. Y gracias a mi primo aquí presente, sabemos hacia dónde se dirigía el mensajero.

Arthur no tenía que preguntar cómo había conseguido que hablara. MacRuairi siempre conseguía que lo hicieran.

—El priorato de Ardchattan.

Arthur se estremeció de emoción. El priorato estaba cerca de Dunstaffnage, justo en el corazón de Lorn. Ahí la tenían: la oportunidad que estaban esperando.

—Así que están usando clérigos —dijo Arthur. Era lo que él sospechaba.

—Eso parece —concedió MacSorley—. Lo único que tenéis que hacer es vigilar la iglesia y ver quién va a recogerlo. Como caballero de Lorn, vuestra presencia no será comprometedora en caso de que os descubran. ¿Cuándo podréis escaparos?

—Marcharé al amanecer.

—¿Podréis explicar esa necesidad repentina de volver al castillo? —preguntó MacRuairi.

—Alguien tendrá que volver para informar a Lorn. Me ofreceré voluntario.

Arthur ansiaba partir de inmediato una vez tuvo clara la misión, pero se tomó unos minutos para comprobar cómo estaban sus compañeros de la Guardia.

MacSorley y MacRuairi eran los únicos miembros de la Guardia de los Highlanders que estaban en el oeste, vigilando las aguas. MacKey, Gordon y MacGregor estaban al norte, manteniendo las rutas libres de mensajeros y sembrando el caos y la destrucción en torno a Ross, por lo que le había hecho a las mujeres, en tanto que el resto del equipo permanecía al este junto al rey.

Ariete —Robert Boyd— y su compañero, Dragón —Alex Seton— acababan de regresar de una misión exitosa al sudoeste, con sir James Douglass y sir Edward Bruce, el único hermano que le quedaba al monarca. El rey Robert había perdido a tres hermanos en un año, dos a manos de MacDowell, el hombre al que habían hecho salir de Galloway con el rabo entre las piernas. También Seton había perdido a un hermano.

—¿Se han percatado ya Ariete y Dragón de que están luchando en el mismo bando? —preguntó Arthur.

El fatal emparejamiento entre Seton, un caballero inglés, y Boyd, el hombre que odiaba todo cuanto remitía a Inglaterra, fue uno de los obstáculos más complicados durante los primeros momentos de la Guardia.

—Están peor que nunca —dijo MacSorley con tal expresividad que a Arthur le quedó claro que hablaba en serio—. Dragón ha cambiado desde la muerte de su hermano. Está furioso y la mayor parte de su furia la dirige contra Ariete. —La sonrisa volvió a su rostro—. Pero hay buenas nuevas. ¿A qué no sabéis a quién trajeron con ellos, capturado cerca del castillo de Caerlaverock en Galloway?

—¿A quién? —preguntó Arthur.

—A mi antiguo compañero, sir Thomas Randolph.

Arthur maldijo sin ocultar su sorpresa.

—¿Y qué hizo el rey?

La noticia de que su joven sobrino se había pasado al bando de los ingleses el año anterior había significado un mazazo para el rey, que intentaba reconquistar su reino. Lamentablemente, cambiar de bando era algo demasiado usual. El mismo rey Robert lo había hecho muchas veces durante los primeros años de guerra, pero la deserción de Randolph le llegó en un momento especialmente difícil. En el momento más bajo de su lucha.

MacSorley negó con la cabeza mostrando su rechazo.

—Le perdonó. En mi opinión con demasiada facilidad. Especialmente después de que el muchacho tuviera el coraje de criticar a su tío por luchar como un pirata en lugar de como un caballero.

—Al parecer, Halcón fracasó en su intento de dejar huella en el chaval —dijo MacRuairi secamente.

—Puede ser —dijo MacSorley—. Pero tendré otra oportunidad. El rey ha prometido mandármelo de nuevo para que lo adiestre.

Arthur enarcó una ceja.

—¿Por qué me da la sensación de que el joven caballero tendrá su castigo después de todo?

MacSorley se encogió de hombres de un modo no demasiado inocente.

—Conseguiré hacer de ese muchacho un highlander —dijo mirando a Arthur con sorna—. Espero que vos no lo hayáis olvidado, sir Arthur. Se os ve muy elegante con vuestro atuendo de caballero.

La broma estuvo más cerca de la verdad de lo esperado.

—Que os den, Halcón. ¿Queréis que os lo demuestre?

MacSorley soltó una risotada.

—Puede que más tarde. Mi esposa me arrancará las pelotas si viene el mensajero y no estoy allí. Y vos deberíais volver al castillo de Duntrune antes de que descubran que os habéis marchado.

Ya se habían despedido cuando Arthur lo recordó.

—Tened —dijo sacando el mapa que había acabado días atrás—. Es para el rey.

MacSorley lo sostuvo en alto a la luz de la luna para verlo mejor.

—Demonios, no está nada mal. El rey estará encantado. Lo necesitará para su incursión por el oeste. Mandaré un mensajero enseguida.

Arthur asintió.

—Y yo mandaré noticias en cuanto tenga algo.

—*Airson an Leòmhann* —dijo MacSorley.

«Por el león»: el símbolo del reino de Escocia y el grito de guerra de la Guardia de los Highlanders.

Arthur repitió las palabras y se deslizó entre las sombras sin saber cuándo los vería de nuevo o si tan siquiera tendría ocasión de hacerlo. En la guerra no había nada seguro.

Menos de veinticuatro horas después ya estaba en su puesto. Desde su posición tras el pastizal del altozano al este del priorato tenía una visión ventajosa tanto de la iglesia de piedra con planta de cruz como del claustro cuadrangular que daba cobijo a los monjes al sur. El priorato de Ardchattan, establecido por Duncan MacDougall, lord de Argyll, unos setenta y cinco años antes, era uno de los tres monasterios valliscaulianos de Escocia. Arthur no sabía mucho acerca de esa rara orden monacal, salvo que eran conocidos por seguir un estricto código.

A solo diez kilómetros de Dunstaffnage, en la ribera norte del lago Etive, Ardchattan era el emplazamiento perfecto para enviar mensajes desde él, sobre todo sabiendo que el prior pertenecía al clan MacDougall. Había sido uno de los primeros sitios en los que se fijara a su llegada el mes anterior. Pero a pesar de tenerlo bajo vigilancia durante varios días, Arthur no registró más visitas para los monjes que las de un par de mujeres de la villa.

Ahora, tendida ya la trampa, no tenía más que esperar para conseguir por fin algunas respuestas, unas respuestas que le harían estar más cerca de cumplir su misión para el rey Robert y de ver a John de Lorn pagar por lo que hizo a su padre.

Catorce años eran muchos, pero él seguía recordándolo como si hubiera pasado el día anterior. A sus doce años estaba desesperado por impresionar al hombre que era un rey para él.

Todavía se acordaba de los reflejos del sol en la cota de malla de su padre, que cubrían la figura de Cailean Mor, el Gran Colin, con una aureola de luz plateada cuando congregaba a su guardia para la batalla en el *barmkin* del castillo de Innis Chonnel. En aquella ocasión, su padre había bajado la vista para mirar a aquel hijo al que intentaba ignorar la mayor parte del tiempo.

—Es demasiado pequeño. Lo único que conseguirá es que lo maten.

Arthur estaba a punto de decir algo en su defensa, pero Neil lo paró en seco fulminándolo con la mirada.

—Dejadle venir, padre. Ya tiene edad.

Arthur notó la mirada de su padre sobre él y procuró no caer bajo el peso de su escrutinio, pero jamás en sus doce años de vida se había sentido tan falto de fuerzas. Pequeño para su talla. Flacucho. Débil. Y encima de eso, monstruoso.

«No soy un monstruo.» Pero eso era lo que veía en los ojos de su padre.

—Apenas puede levantar la espada —dijo el padre.

La vergüenza que reflejaba su voz rasgaba como un cuchillo. Arthur sabía lo que estaba pensando: «¿Cómo puede este enano esmirriado ser sangre de mi sangre?». Una sangre que había forjado a algunos de los guerreros más fieros y duros de las Highlands. Los Campbell nacían como guerreros.

Todos menos él.

—Yo me encargo de él —dijo Neil poniéndole una mano sobre el hombro—. Además, puede que nos sea de ayuda.

Su padre arrugó el entrecejo, incomodado por que le recordaran las extrañas habilidades de Arthur, pero asintió.

—Simplemente asegúrate de que no se meta en medio.

Arthur estaba tan emocionado que apenas podía controlarse a sí mismo. Tal vez aquella fuera su oportunidad. Puede que al final tuviera ocasión de probarle a su padre que sus habilidades podrían ser útiles, como Neil había dicho.

Pero la cosa no fue como él esperaba. Estaba demasiado excitado. Demasiado ansioso. Lo forzaba todo demasiado y se precipitaba demasiado. Y estaba demasiado emocionado. Sus sentidos no respondían del modo en que normalmente lo hacían.

Se acercaban a las lindes entre las tierras de los Campbell y los MacDougall, justo después de la orilla este del lago Avich, cerca del cordón de Lorn, el viejo camino de las colinas de Lorn que usaban los boyeros y los peregrinos en dirección a Iona. Neil y él cabalgaban en la avanzadilla junto al explorador del terreno, anticipándose a cualquier ataque sorpresa del enemigo por aquel estrecho paso. Cruzaron un vado en un pequeño arroyo y detuvieron la marcha cerca de Loch na Sreinge.

—¿No tienes ninguna corazonada todavía?

Arthur negó con la cabeza, con el corazón latiéndole a toda prisa y el sudor acumulándose sobre sus cejas en su intento de agudizar los sentidos. Pero aquella era su primera batalla y, desvanecida ya la emoción, era presa del miedo y la ansiedad.

—No.

Entonces lo oyeron. Tras ellos, a no más de cincuenta metros al otro lado de la boscosa ladera. Gritos de ataque.

Neil maldijo y le ordenó ocultarse tras un árbol.

—Quédate ahí. No te muevas hasta que venga a por ti.

Para su propio horror sus ojos se anegaron en lágrimas, añadiendo más miseria a su desprecio por sí mismo. ¿Cómo había podido fallar? ¿Cómo no había percibido su llegada? Todo aquello era culpa suya. Tenía una oportunidad de ponerse a prueba, de mostrar sus habilidades, y en lugar de eso dejaba tirada a la única persona que confiaba en él.

—Lo siento, Neil.

Su hermano le obsequió con una sonrisa alentadora.

—No es culpa tuya, muchacho. Era la primera vez que salías de campaña. La próxima saldrá mejor.

La confianza ciega de su hermano en él no hacía sino empeorar las cosas. Quería ir tras ellos, pero su padre tenía razón, lo único que conseguiría sería estorbarles. Parecieron transcurrir horas hasta que el fragor de la batalla se desvaneció y Neil seguía sin ir en su busca. Arthur, temiendo que algo malo hubiera sucedido a su hermano, no pudo esperar más. Reptó entre los árboles con cuidado y se dirigió hacia el campo de batalla. De repente se detuvo. Los sentidos que acababan de traicionarle afloraban de nuevo.

El choque del acero contra el acero parecía rodearlo por todas partes, imposible de distinguir, pero algo le dijo que tenía que girar hacia la izquierda. Sintió un arrebato de pánico y comenzó a correr en la dirección de la que provenían los sonidos. Arrastraba la espada entre las hojas y la tierra, y se esforzaba por no tropezar a medida que recortaba a través de los árboles y subía a gatas una pequeña cuesta para tomar refugio tras una roca enorme.

Entonces los vio. Dos hombres, a poca distancia del resto, ocultos por la curva que hacía la ladera, estaban librando un fiero combate de espadas en la base de una pequeña cascada. Se trataba de su padre y de un hombre al que solo había visto de lejos una vez en la vida: su enemigo, John MacDougall, lord de Lorn, hijo del jefe del clan MacDougall.

Arthur contuvo la respiración mientras observaba cómo los dos hombres, ambos en la plenitud de su madurez, intercambiaban poderosos mandobles con sus espadas. Cuando ya parecía que aquello no podría durar mucho más, su padre alzó la espada con ambas manos por encima de la cabeza y la hundió sobre su oponente. Arthur estuvo a punto de gritar de alivio al ver que Lorn caía de rodillas por la fuerza del golpe y se le escapaba la espada de las manos. Se le heló la sangre del miedo. Sabía que estaba a punto de presenciar su primera muerte en el campo de batalla. Le entraron ganas de taparse los ojos, pero se descubrió incapaz de mirar a otro lado. Era como si supiera que ocurriría algo importante. El sol se reflejaba en el yelmo de Lorn. Su padre alzó la espada, pero en lugar de sentenciarlo a muerte le colocó la afilada punta sobre el cuello.

Los hombres estaban muy lejos. La cascada debía de haber ahogado el sonido de sus voces. Era imposible que pudiera oírlos. Pero lo hacía.

—La batalla ha terminado —dijo su padre—. Llamad a vuestros hombres; los Campbell han ganado por hoy. —Arthur echó una mirada hacia el otro lado de la curva, cerca del vado del arroyo, y comprobó que su padre decía la verdad. El cuerpo de su enemigo yacía junto al lecho del arroyuelo, enrojeciendo las aguas con su sangre—. Rendíos —ordenó su padre— y os perdonaré la vida.

Arthur vio el brillo de odio en los ojos de Lorn incluso tras el yelmo con nasal que llevaba. Tenía la boca torcida por la rabia. Le llevó cierto tiempo, pero al final asintió.

—Sí.

¡Los Campbell habían ganado! Arthur estaba lleno de orgullo. Su padre era el mejor guerrero que jamás hubiera visto. El Gran Colin bajó la espada y comenzó a alejarse de allí. Arthur sintió una corazonada, pero su grito de advertencia llegó demasiado tarde. Su padre se volvió justo a tiempo para que la hoja de la daga de John de Lorn se alojara en su estómago en lugar de en la espalda. Arthur se quedó paralizado, inmovilizado por el horror, mientras los ojos de su padre encontraban los suyos ocultos tras el peñasco. Se tambaleó, cayó de rodillas y la vida se fue escapando de su ser con una lentitud desgarradora. Su padre mantuvo la mirada fija en sus ojos todo el tiempo y en ella Arthur leyó un simple ruego: «Véngame».

Lorn gritó y varios de sus hombres aparecieron tras la curva como respuesta a la llamada. Al ver al poderoso jefe del clan Campbell caído a los pies de su líder emitieron un clamoroso grito de victoria. Lorn señaló hacia la colina en la dirección en que se encontraba Arthur. Él sabía que no podía verlo, pero debía de haber oído el grito con el que alertó a su padre. Cuando comenzaron a andar en su dirección, Arthur dio media vuelta y salió corriendo.

No recordaba mucho de lo que sucedió después. Se quedó escondido entre árboles y rocas durante casi una semana entera, demasiado aterrorizado para moverse. Neil decía que cuando al fin consiguió regresar al castillo llegó medio muerto. Arthur le contó a su hermano lo ocurrido de inmediato, pero entonces ya era demasiado tarde para contrarrestar la versión de los hechos de los MacDougall. Incluso en el caso de que Arthur pudiera explicar cómo había oído a los hombres desde aquella distancia, Neil sabía que no creerían lo que contaba. Los MacDugall habían ganado la batalla y Lorn se apuntaba el tanto de derrotar al poderoso jefe de los Campbell.

Poco después de eso Lorn sitiaba Innis Chonnel y obligaba a los Campbell a la rendición de las armas. Desde aquel día Arthur se prometió hacer justicia a su padre. Se prometió aniquilar a MacDougall por ese asesinato traicionero. Y se prometió que jamás se dejaría dominar por las emociones.

Catorce años llevaba esperando su momento, trabajando

para convertirse en uno de los mejores guerreros de las High-lands, un guerrero del que su padre habría estado orgulloso, y ahora tendría su oportunidad. No podía permitir que nada interfiriera en ello. Tenía que permanecer en guardia. Sus sentidos ya le habían abandonado una vez y le había fallado a su padre. No pensaba permitir que volviera a ocurrir.

Pero en lo más profundo deseaba...

¿Qué carajo importaban sus deseos? Había ciertas cosas que ni tan siquiera él podía cambiar. La muchacha era hija de Lorn. Que ella le hiciera desear que las cosas fueran diferentes carecía de importancia.

Recostó la espalda en un árbol cercano. Como quedaba una hora más o menos para el ocaso calculó que tenía tiempo para relajarse. Tras el atropellado ritmo de su marcha hacia el norte le sentó bien descansar un poco. Aunque sus instrucciones fueran simplemente identificar al mensajero sin interferir, lo cual significaba no poner a MacDougall sobre aviso y permitir que Bruce interceptara próximos mensajes, tenía que estar preparado para cualquier cosa. Pero estaba tan tenso como un resorte a punto de saltar y relajarse le resultaba imposible. Era consciente de que no era solo la trampa para el mensajero lo que le tenía agarrotado, sino la perspectiva de su regreso al castillo.

La volvería a ver.

La congoja que sentía en el pecho lo traicionaba. Se decía a sí mismo que se debía solo a que deseaba asegurarse de que estaba bien y no a que quisiera verla. No a que no pudiera dejar de pensar en ella. Y por supuesto nada tenía que ver con que la echara de menos. No podía ser tan estúpido.

«Otro mes —se dijo—. Aléjate de ella durante un par de semanas más y todo habrá acabado.» En cuanto conociera la identidad del mensajero podría ver lo que descubriría acerca de los planes de MacDougall para la batalla. Pero en cuanto esta comenzara su misión estaría cumplida. Se marcharía sin mirar atrás.

Sacó un trozo de cecina de vaca y una torta de avena al percatarse de que no había comido nada desde por la mañana, se lo comió y lo bajó tomando un poco de agua del arroyo con la que había llenado su odre. Después se quedó observando el verde paisaje distraídamente.

El corazón le dio una violenta sacudida. Se quedó petrificado por un momento. El hambre se apoderó de él con una avidez tan intensa que lo dejaba sin respiración. Observó como un hombre ansioso por un plato de comida cómo la muchacha en la que había estado pensando toda la semana se materializaba ante él como salida de sus propios sueños. A pesar de que todavía estaba a una distancia considerable y de que llevaba un vestido con capucha por encima de sus cabellos dorados, sabía que era ella. Sentía su cercanía hasta en los huesos. En su misma sangre. Todos sus nervios se pusieron a flor de piel mientras la observaba bajar de un pequeño bote y comenzar el ascenso por el frondoso sendero que llevaba desde el pequeño embarcadero hasta el claustro.

Se esforzó por atisbar una pequeña porción de su rostro ante la evanescente luz del día. La necesidad de verla, de asegurarse a sí mismo que ella se encontraba bien, casi le hizo olvidar dónde se encontraba. Dio un paso al frente sin percatarse de lo que acababa de hacer. Maldijo y se escondió tras el árbol antes de que alguien lo viera allí plantado como un loco cegado de amor. ¿Qué diablos estaba haciendo ella ahí?

Llevaba consigo la canasta y, una vez más, solo traía un hombre como escolta. La muchacha tenía una habilidad singular para estar en el sitio equivocado en el momento equivocado. Justamente igual que en la iglesia de Ayr…

Se quedó estupefacto. La verdad apareció justo ante sus ojos. No, aquello no era posible. Pero no creía en las coincidencias. O Anna MacDougall tenía una prodigiosa capacidad para aparecer exactamente allí donde no debía o el mensajero era ella.

«El mensajero es ella.»

Llevaba los mensajes en la canasta, ocultos bajo las tartas o lo que fuera que cargara en ella. Arthur recordó cuán inquieta se había mostrado en la villa. Cómo le había dejado el bebé mientras ella se llevaba la canasta a la cocina. La palidez de su rostro cuando mencionó el hambre que le estaba dando el olor de los bollos. Y también ella fue la encargada de recoger la plata en Ayr. Había tenido la verdad ante sus mismas narices todo el tiempo. ¿Cómo había podido estar tan ciego?

Se le tensó la mandíbula. Sabía cuánto la había subestimado. Dos veces. Porque era bonita, joven e inocente, porque parecía tan amable y vulnerable, por ser una muchacha, jamás se había preguntado por su presencia allí aquella noche, ni tan siquiera después de saber que había estado espiándolo.

Diablos, era una idea magnífica. Usar mujeres como mensajeras. Ahora pensaba en las mujeres que había visto ir y venir de las iglesias. Jamás se le ocurrió que pudieran hacer otra cosa. Se habían colado pasando delante de su propia red.

Habría sentido admiración, de no ser porque acababa de percatarse de algo muy importante que lo consumía por dentro. La sangre se le heló por completo y un hilillo de sudor le corrió cogote abajo. Por los clavos de Cristo, ¿cómo podía su padre usarla de ese modo? Si no tuviera planeado hacerlo, podría matar a MacDougall solo por el hecho de ponerla en tamaño peligro. ¿Acaso no se daban cuenta de lo que habría podido pasarle de no estar él allí aquella noche para salvarla de MacGregor y sus hombres? Podrían haberla matado.

El corazón parecía salírsele del pecho a medida que ella se acercaba a la puerta. Apretó los puños, luchando por no arrancar a correr hasta ella, echársela al hombro y sacarla de allí al momento. Sentía una necesidad animal de llevarla a algún sitio seguro en el que pudiera encerrarla y protegerla.

«No es tu trabajo. No es responsabilidad tuya. No es tuya.»

El sudor frío se acumulaba en su ceño. Cuando pensaba en el riesgo que estaba corriendo, casi se volvía loco de… Se sobresaltó al percatarse de lo que era. ¡Jesús, era miedo! No se sentía así desde que Dugald intentara curarlo de su aversión a las ratas desarmándolo y encerrándolo en una oscura alacena llena de ellas.

Anna llamó a la puerta. Un momento después respondió un sacerdote. A pesar de que Arthur mantenía los oídos atentos, hablaban tan bajo que no pudo oír lo que decían. No obstante, por la expresión de disculpa del monje y la negación que hizo con la cabeza, dedujo que este decía a Anna que no había mensajes. Pareció que ella encorvaba los hombros. Intercambiaron unas cuantas palabras más y Anna regresó enseguida al bote.

Arthur observó cómo se marchaba y supo al instante que su misión acaba de complicarse muchísimo más de lo que ya estaba. Por todos los demonios, ¿por qué tenía que ser ella? Luchaba contra aquello que tenía que hacer. Pero mantenerse alejado de Anna MacDougall ya no era una opción. Poco importaba lo que sus instintos le advirtieran, su misión le obligaba a permanecer tan cerca de ella como fuera posible. Tenía que estar al día de los planes de MacDougall.

Estaba a punto de librar una batalla. Pero por una vez en su vida Arthur dudó de su habilidad para salir indemne.

11

Anna se echó la capucha hacia atrás al tiempo que entraba en la cámara de su padre. Soltó la canasta en la mesa y se sentó junto a este y su madre al calor de las brasas del hogar. Incluso en verano, los muros de piedra del castillo hacían de él un lugar frío y con corrientes de aire.

Su madre levantó la cabeza del nuevo estandarte de seda en el que trabajaba y la miró, extrañada.

—¿De dónde vienes, Annie querida? Es tarde.

—He ido a llevar tartas a los monjes del priorato —respondió Anna inclinándose para besar a su madre.

Se encontró con la mirada de su padre. La expresión de este se ensombreció al ver contestada su tácita pregunta con una leve negación de cabeza. Tosió antes de que su esposa pudiera hacer más objeciones. Aunque Anna sabía que lo hacía a propósito, aquel áspero y húmedo sonido la preocupaba.

—¿No me hablaste de una nueva infusión de hierbas del padre Gilbert que ayudaría a aliviar el encharcamiento de mis pulmones?

Su madre se sobresaltó, apartó sus bordados y se puso en pie de repente.

—Lo había olvidado. Le diré a Cook que lo prepare ahora mismo.

En cuanto la puerta se cerró tras ella su padre dijo:

—¿El rey Eduardo no ha respondido?

Anna negó con la cabeza.

—Ya deberíamos tener noticias suyas.

Su padre se levantó y empezó a deambular ante la chimenea, enfureciéndose más a cada paso que daba.

—Esos asquerosos rufianes de Bruce deben de haberlo interceptado. Parece que la mitad de nuestros mensajes no llega a su destino, ni con la ayuda de las mujeres —dijo apretando la mandíbula—. Pero dado que no hemos oído nada acerca del destacamento de soldados, creo que podemos dar por sentado que no enviarán a nadie. El joven Eduardo está demasiado ocupado intentando salvar su propia guarida para preocuparse por la nuestra.

Anna no podía creer que después de todo lo que había hecho su padre por el primer rey Eduardo, el nuevo rey lo abandonaría de tal modo.

«El que se acuesta con niños…»

Acudió a su mente ese viejo dicho, pero Anna se lo quitó de la cabeza porque en cierto sentido le parecía desleal. Su padre no tuvo otra opción. El primer rey Eduardo era demasiado poderoso. Tras la derrota de Wallace en Falkirk, o se hacía aliado del rey inglés o le confiscaban las tierras. Cuando Bruce usurpó la corona, la alianza se hizo más necesaria si cabe. Si Bruce y los MacDonald estaban en un bando, los MacDougall no podían más que apoyar al otro: Inglaterra.

—¿No deberíamos intentar enviar otra misiva?

—No tenemos tiempo —espetó su padre, claramente molesto por lo que percibía como una pregunta estúpida—. Los ingleses se mueven con lentitud. Tardarían semanas en llegar tan al norte cargando con toda esa vajilla y esos muebles para estar cómodos. Incluso en el caso de que Eduardo cambiara de opinión, necesitaría días para reunir a los hombres. El rey Capucha estaría aquí junto a su banda de asesinos salteadores de caminos antes de que a los ingleses les diera tiempo a llenar sus carros de fruslerías.

Anna intentaba no tomarse como algo personal la cólera del padre. Tenía todo el derecho a perder los nervios. El enemigo estaba prácticamente encima y nadie venía en su ayuda. El conde de Ross, al igual que el rey Eduardo, todavía no había respondido a su petición de unir fuerzas. Iba quedando patentemente claro que estarían solos ante Bruce: ochocientos hombres contra los tres mil con que contaba el usurpador según los informes.

El miedo le atenazaba la garganta. Los MacDougall eran fieros combatientes y Lorn uno de los mejores generales de Escocia en la batalla, pero ¿podrían superar tal desventaja? Su padre había estado a punto de derrotar a Bruce anteriormente, pero entonces el rey forajido tuvo que huir con unos pocos cientos de hombres ante sus mucho más numerosas fuerzas. En esa ocasión serían los MacDougall quienes estarían en clara inferioridad numérica. «Poco importa», pensó Anna con entereza. Su padre ganaría de todos modos. Un solo MacDougall valía por cinco rebeldes. Aun así, por más veces que se dijera que John de Lorn superaría incluso la peor de las apuestas, su leal corazón no podía negar que existía la más mínima, la ínfima posibilidad de que perdieran.

«Perder.»

Un escalofrío le recorrió el cuerpo. Solo pensar en esa palabra le parecía la más vil de las blasfemias. No podía permitir que eso ocurriera. Las consecuencias eran demasiado execrables para considerarlas. Pero todo aquello que apreciaba, todas sus esperanzas de un futuro feliz, parecía pender sobre la punta de un alfiler, o, en este caso, de una espada. El más leve empujoncito haría que todo se precipitara al vacío. Los gruesos muros del castillo de repente le parecían finas vidrieras, dispuestas a romperse en mil pedazos. Su situación era complicada, puede que incluso desesperada. Con todo, había un modo de conseguir atenuarla un poco.

El tiempo pareció detenerse. El pavor se apoderaba de su estómago en un tenso nudo y el hormigueo que ello provocaba aumentaba a medida que Anna se percataba de lo que se vería obligada a hacer. La solución acechaba en lo más profundo de su mente desde hacía meses, pero no había querido considerarla.

Anna se aferró a los faldones de su capa como si fueran una cuerda a la cual pudiera asirse.

—¿Y qué pasa con Ross? —preguntó en voz baja—. Todavía queda tiempo para que se presente.

Su padre la miró con cierto desdén.

—Sí, pero como te he dicho ya, no lo hará.

¿Era reproche lo que advertía en su mirada? ¿Acaso se arrepentía de haberle dado opción? Anna aspiró profunda y entrecortadamente en un intento de controlar el ritmo frenético de su pulso. Su helada piel se cubrió con una fina pátina de sudor. El pecho le oprimía tanto que apenas podía respirar. Todo su ser se rebelaba contra lo que estaba a punto de sugerir. Pero no le quedaba alternativa. Un marido era un pequeño precio a pagar en comparación con la supervivencia de su clan. Se casaría con el mismo diablo si fuera necesario.

—¿Y si le diera un motivo para pensárselo mejor? —Su padre la miró a los ojos. Anna supo que había adivinado lo que sugería por el aire de reflexión que adoptó su mirada, aunque tal vez fuera eso lo que él esperaba de ella desde un principio—. ¿Qué pasaría si hiciera un ruego personal al conde?

Tuvo que detener sus palabras. Sus dedos agarraban la lana de la capa con tanta fuerza que se cortaba la circulación. El corazón le latía a un ritmo frenético y martilleaba en sus sienes. El estómago se le descompuso. «Todo irá bien. Yo me encargaré de que funcione. No es un hombre tan temible.» Sir Arthur era alto, musculoso, de una belleza sombría y, no obstante, nunca se ponía nerviosa en su presencia. Tal vez hubiera superado su miedo a los guerreros.

«Sir Arthur.» El corazón le dio un vuelco. La imagen del caballero apareció ante sus ojos, pero la alejó de su mente. No significaba nada para ella. Poco importaba ya que su corazón hubiera querido volar hacia él momentáneamente. Aunque las cosas fueran diferentes, él ya había expresado con una claridad dolorosa lo que sentía por ella: nada.

Pero tendría que pasarse toda la vida intentando olvidar aquel beso.

Su padre esperaba que continuase, pero Anna no era capaz de encontrar las palabras.

—¿Qué pasaría si...? —Anna hubo de detenerse para aclararse la garganta—. Si la oferta de sir Hugh sigue en pie, estoy dispuesta a aceptar su proposición de matrimonio. A cambio, tal vez el conde vea el beneficio de unir nuestras fuerzas.

Su padre no dijo nada durante un momento, sino que se quedó estudiando su rostro con una intensidad tal que a Anna le pareció estar retorciéndose en su interior.

—¿Crees que te seguirá queriendo? No le hizo ninguna gracia que lo rechazaras.

Le ardían las mejillas de la vergüenza que suponía no haberse parado a pensar en esa posibilidad. Su padre tenía razón. El joven caballero, herido en su noble orgullo por el rechazo, se puso hecho una furia.

—No lo sé, pero merece la pena intentarlo.

Ya habían lastimado su orgullo hacía poco. ¿Qué importaba un mazazo más o menos?

—A tu madre no le gustará la idea —dijo John de Lorn mirando hacia la puerta—. Los caminos pueden ser muy peligrosos con Bruce y sus hombres por ahí sueltos.

Eso ya lo había pensado Anna.

—No se preocupará si Alan me acompaña. Llevaremos una buena escolta.

Su padre asintió mientras se acariciaba el mentón.

—Sí. Tu hermano te mantendrá a salvo —dijo con una sonrisa, en tanto que ella intentaba enmascarar su desengaño. Había una parte de Anna que esperaba que su padre se negara. Este se levantó y la besó en la coronilla—. Eres una buena chica, Annie querida.

Por lo general Anna rebosaba de alegría cuando su padre le dirigía un cumplido, pero en esa ocasión le entraron ganas de llorar. Su felicidad era un pequeño precio a pagar, pero, aun así, era un precio a pagar. Su padre la tomó de la barbilla para que lo mirara a los ojos. Anna parpadeó ante la cálida y húmeda calina del hogar.

—Sabes que no te lo pediría si tuviera una alternativa.

Una solitaria lágrima resbaló por su mejilla. Le temblaba la boca, pero se esforzó por sonreír.

—Lo sé.

En ese momento aquella suponía su única esperanza. No importaba lo malo que pareciera. Haría todo lo que estuviera en su mano para asegurar la alianza.

De todos modos tampoco había nadie que se interesara por ella.

Sin embargo, cuando Anna abandonó los aposentos de su padre, todas esas lágrimas que había estado aguantando salieron precipitadas en un torrente de esperanza extinguida, una esperanza que ni tan siquiera era consciente de estar albergando.

El regreso de Arthur al castillo, solo, no fue tan difícil de explicar como imaginaba. Lorn estaba ansioso por oír un informe de lo que su hijo había descubierto acerca de sus enemigos del oeste. La lucha por la supremacía entre las tres principales ramas de los descendientes de Somerled, los MacDonald, MacDougall y MacRuairi, llevaba años dominando la política de las Highlands Occidentales. Cuando murió el último de los jefes del clan MacRuairi, dejando a su hija Christina de las Islas como única heredera al trono, estos perdieron poder y la terna se redujo a dos. Lachlan y sus hermanos eran todos hijos bastardos, un título que en su caso era completamente merecido.

La información de Ewen ofrecida por Arthur acerca de la movilización de tropas de los MacDonald a lo largo de la costa occidental no era nada sorprendente, pero aun así provocó un sustancial arrebato de furia en Lorn, y también inquietud, a pesar de que procurara ocultarlo. Aunque tal vez no tanta como debiera, lo cual le hacía preguntarse qué habría planeado aquel conspirador pendenciero. Y ahora, gracias a su descubrimiento en el priorato, sabía perfectamente cómo averiguarlo.

Pero como su regreso al castillo se produjo a una hora tardía, su reunión con lady Anna tendría que esperar hasta la mañana siguiente. Se decía a sí mismo que estaba inquieto simplemente porque tendría que encontrar un motivo para algo que se vería como un cambio de parecer repentino: en lugar de evitarla, inventaría excusas para estar con ella. Pero tampoco quería darle falsas esperanzas a la muchacha. A pesar de que hubiera cometido el error de besarla, y Dios, menudo error había sido aquel, una relación entre ellos era algo imposible. Sabía que no sería fácil. Seguramente la muchacha habría pasado toda una semana pensando en aquel beso. Dios sabía que él mismo no había sido capaz de pensar en otra cosa.

Aunque ya la había visto cruzando el jardín de Ardchattan, cuando la vio entrar en el gran salón a la mañana siguiente sus sentidos se avivaron como si fuera la primera vez. Todo parecía estar más vivo, más intenso. Jamás antes le había afectado tanto la presencia de alguien como lo hacía en ese momento la de lady Anna MacDougall. Se empapó de ella, de cada uno de los detalles, de cada matiz, desde los mechones de pelo dorado que escapaban de su velo azul a la altura de la frente y las sienes hasta los finos bordados de seda del *cotehardy* que ceñía su figura en todos los lugares apropiados.

«No…»

Dejó caer la mirada sobre sus pechos. Se le quedó la boca seca. Veía, aunque puede que fueran imaginaciones suyas, el apenas esbozado relieve de sus pezones perlando esa parte de la tela. Le asaltaron los recuerdos y una ola de calor salió de su entrepierna. Pensar en el tacto de aquella exuberante suavidad hizo que se le endureciera la verga. Qué impresionante había sido acunar ese pecho, sentir el peso de esas carnes perfectamente redondeadas sobre la palma de su mano al tiempo que su pulgar acariciaba el terso brote de su pezón. Maldijo para sí, súbitamente incomodado por aquellos recuerdos, demasiado viscerales en conjunto.

Estaba caliente. Excitado. Hambriento.

¿Cómo demonios iba a mirarla sin acordarse de las sensaciones que le procuraba tener su cuerpo pegado al de ella? ¿Cómo podría ver el sensual arco sonrosado de su boca sin recordar lo dulce que sabía, la suavidad de aquellos labios bajo los suyos, y que el erotismo de sus lenguas entrelazadas le había hecho entrar en un torbellino de deseo más fuerte que cualquier otra cosa que hubiera sentido nunca? Jamás podría mirar esa pálida piel suave como la de un bebé, que era como terciopelo al tacto, sin recordar cómo la había tocado.

Dios, lo único que quería era tirarla en la cama, enrollar sus piernas a su cintura y hundirse hasta olvidarse de todo. Jesús, tenía que dejar de pensar en eso. Tenía que parar de torturarse con cosas imposibles. Siempre había sido capaz de reprimir sus impulsos, pero con Anna era diferente.

Porque ella era diferente. Y no le hacía ninguna gracia reconocerlo.

Arthur se daba cuenta de cómo lo observaba su hermano, pero no podía apartar la vista. Su corazón latía más aprisa a cada paso que ella daba y cada uno de sus nervios se ponía en tensión mientras se preparaba para el momento en que ella se percatara de su presencia. Pero en cuanto la tuvo más cerca percibió una extraña punzada. Algo no marchaba bien.

No sonreía. Sus ojos no brillaban con alegría y travesura. Y su risa, ese leve y efervescente sonido al que podría atender durante horas, permanecía en completo silencio. Se había acostumbrado tanto a su perpetuo buen humor, al despreocupado encanto con el que parecía iluminar las estancias, que el vacío dejado por su ausencia oscurecía el gran salón.

Maldición. ¿Le habría hecho más daño del que pensaba? La culpa lo atormentaba.

Por un instante pensó que pasaría de largo junto a él, pero entonces notó el peso de su mirada. Se quedaron contemplándose el uno al otro. La quietud era absoluta.

Esperó a ver su reacción. Esperaba presenciar cómo el color ascendía por sus mejillas, cómo se le cortaba la respiración y se aceleraba el pulso en su cuello. Esperaba que se delatara. Pero en lugar de eso se puso en guardia.

Lady Anna llevaba todos sus pensamientos y sentimientos escritos en la cara. Esa era una de las cosas que Arthur encontraba tan cautivadoras e irresistibles de ella. La inocencia y la emoción infantil que mostraba, su preciosa vulnerabilidad. Mas esa expresión, antes siempre accesible, permanecía oculta.

Percibió la frialdad de su mirada por un breve instante antes de que la apartara y pasara de largo. Como si hubiera dejado de existir. Como si ella jamás se hubiera derretido en sus brazos. Como si el beso en el que no podía dejar de pensar jamás hubiera tenido lugar para ella. Como si no hubiera estado a punto de sucumbir bajo su cuerpo.

Su indiferencia le corroía el pecho como si de un ácido se tratara. Quemaba. Dolía. Le hacía perder el control por completo, sentir la necesidad primitiva de cometer alguna locura, como empujarla contra la pared y besarla hasta que se rindiera a sus pies una vez más.

Pero él era un hombre que mantenía el control. Se refrenaba. Era diferente. No tenía necesidades de tal tipo. Y sin embargo, con una sola mirada de frialdad, Anna MacDougall conseguía sacar de él los impulsos barbáricos que llevaba en la sangre.

Al parecer había conseguido su objetivo. Su cruel rechazo surtía efecto. No dejaba de ser irónico que se mostrara indiferente justo cuando él deseaba que no fuera así. O puede que nunca hubiera estado interesada en él. Tal vez lo único que quería fuera vigilarlo.

Se le agrió la expresión y se le agarrotaron los músculos, más molesto por ese pensamiento de lo que le habría gustado admitir. Por desgracia, su hermano se mostraba inusualmente perceptivo. Dugald simuló un escalofrío.

—Vaya, parece que hace un poco de frío por aquí. Creo que a la muchachita se la ha pasado ya el capricho, hermanito. Con lo que te ha costado quitarle las ganas, pensé que estarías más contento —dijo, haciendo una pausa para negar con la cabeza—. ¿Será posible que al fin te haya hecho tilín una mujer? Creía que eso no pasaría nunca.

Arthur se recostó sobre el muro de piedra que tenía tras de sí, aparentando una indiferencia que no sentía. Era cierto que le gustaba, pero antes muerto que dejar que Dugald conociera su debilidad.

—No es más que una muchacha apetecible.

—Más apetecible aún porque no puedes tenerla.

Arthur se encogió de hombros y dio un largo trago a su *cuirm* hasta vaciar la copa.

—Lo que yo quiero de ella no es algo que pueda darme una inocente jovencita de la nobleza.

Dugald rió y le dio una palmada en el brazo.

—Comparto tu dolor, hermanito. Yo mismo estoy sintiendo algo parecido. Sé de una muchacha con una boca talentosa que haría bastante por aliviarlo. Te la mandaré.

Arthur desvió la mirada hacia la tarima en la que se acababa de sentar lady Anna. Le tentaba hacerlo. Le tentaba mucho. Pero no le interesaban las mujeres de su hermano. Torció el gesto en una media sonrisa.

—¿Tú compartiendo, hermano? No pareces tú mismo. Pero en este caso no será necesario. No creo que tenga problemas para encontrar alivio.

Si quisiera, sabía de unas cuantas mujeres entre las que podía elegir. El problema era que no quería. Al menos, no con ellas.

Dugald se encogió de hombros.

—Como desees —dijo acercándose a él con una amplia sonrisa—. Pero no sabes lo que te pierdes. Esa muchacha podría dejar seca a una vaca con la boca que tiene y hace unas cosas con la lengua que…

La voz de Dugald se confundió con el ruido de fondo. Las perversas habilidades que pudiera representar la fulana de Dugald no le interesaban. Arthur volvió la vista hacia el estrado. Ella era quien le interesaba, maldita fuera. Aunque Dios sabía que no debería ser así. Pero igual habría dado que Arthur fuera invisible, porque no miró una sola vez en su dirección. Su irritación crecía por minutos. Aferraba con fuerza la copa de peltre y la llenaba una y otra vez a medida que el ágape avanzaba. Su plan para acercarse a ella sería más complicado de lo que pensaba, pero si creía que se libraría de él tan fácilmente estaba muy equivocada.

«Ha vuelto.»

Anna se rebeló ante el inoportuno deseo que arremetía contra su pecho y se obligó a no mirar en su dirección. A no pensar en él. Sir Arthur no era para ella. Jamás lo fue. Su destino estaba concretado. Ya había tomado su decisión. Su padre y su clan contaban con ella. Era demasiado tarde para arrepentirse o pensárselo mejor, por más que verlo le devolviera todas esas ingratas emociones de golpe y porrazo.

¿Cómo no se había fijado en él al principio, cuando en ese momento ya no podía ver a ninguna otra persona? Aquel orgulloso joven caballero de oscura belleza era el hombre más apuesto de toda la sala. Y sin duda también el más fuerte. Sus mejillas se acaloraron. Con solo mirar su figura alta y de anchos hombros volvían a ella los recuerdos de su torso desnudo. Cada uno de sus esculturales músculos. Cada una de sus rígidas líneas. Cada uno de los gramos de su fibrosa carne.

Intentaba ignorarlo, pero sentía el peso de su mirada mientras comía. O intentaba comer, ya que tenía la boca completamente seca y la comida le parecía insípida y terrosa. La miraba con tal intensidad que le daban ganas de salir corriendo. Algo que hizo en cuanto tuvo oportunidad.

Anna se apresuró a salir del gran salón con más sentimientos encontrados de los que podía albergar, corrió por la escaleras hacia su cámara de la torre y se puso a hurgar en el armario en busca de su capa de montar. Necesitaba salir de allí.

Un día. Solo tenía que evitarle durante un día y tras eso se marcharía. Tenían previsto partir hacia el castillo de Auldearn, la fortaleza real del conde de Ross, a la mañana siguiente. ¿Por qué no podía permanecer fuera del castillo hasta que ella se hubiera marchado? Así todo habría sido mucho más fácil.

En su desesperación por escapar, revolvía los montones de prendas de lana y de seda que colgaban de su armario sin importarle el desorden que creaba. ¿Dónde estaría?

Estaba a punto de obviar el frío matinal y salir de todos modos cuando se percató de que probablemente su doncella ya habría puesto la capa en su arcón para el viaje. Abrió la tapa de madera y dejó escapar un suspiro de alivio al ver que la pieza de lana con ajedrezado de colores gris, azul y verde estaba doblada encima de todo. Se la echó prestamente sobre los hombros, cogió en brazos a Escudero, temiendo que el cachorro saliera corriendo en busca del caballero pródigo, y volvió a bajar la escalera como un torbellino. Antes de salir al *barmkin* miró por el resquicio de la puerta para asegurarse de que tenía vía libre. No quería correr ningún riesgo de toparse con él. Sabía que aquello era ridículo. Sir Arthur hacía todo lo posible por evitarla. Pero había algo en la forma en que la había mirado durante el desayuno que llamaba a la cautela.

Cruzó el patio y se dirigió hacia los establos. Una vez en la seguridad de su interior soltó al revoltoso perro en el suelo e hizo que el mozo de cuadras llamara a Robby mientras ella preparaba la montura de su caballo.

No tenía ningún destino en mente, con tal de salir del castillo era suficiente. La impresionante fortificación de piedra y los grandiosos muros del *barmkin* le parecían muy pequeños de repente. Acabada su tarea, se dispuso a recoger a Escudero del suelo cuando se abrió la puerta y el cachorro prorrumpió en aullidos y gañidos al tiempo que saltaba de sus brazos disparado como una flecha.

—¡Mierda! —salió de sus labios antes de que le diera tiempo a refrenarse.

No necesitaba mirar para saber quién era. Si la reacción de Escudero no se lo decía, sí lo hacían las de su propio cuerpo. El aire cambió. La piel le ardía. Sus sentidos se despertaron. La habitación se hizo cálida al instante y el leve olor a fragancia masculina se filtraba a través de los penetrantes y terrenales olores del establo. Cerró los ojos, rezó una plegaria que le diera fuerza y se puso en pie lentamente para enfrentarse a él.

Sus miradas se encontraron. La repentina excitación que la embargó fue como un látigo que la llamara al orden. Aquella era una impresión que parecía no disminuir nunca. Se le cortó la respiración, al tiempo que esa aguda y repentina opresión volvía a envolverle el pecho y a estrujarla. Un irritante acceso de nostalgia tomaba forma en su interior, pero lo aplastó con rapidez, sin compasión. Él no significaba nada para ella. Ya no. No después de lo ocurrido en los barracones. Él le había enseñado lo equivocado que era para ella. Y más valía que le creyera.

Controló sus facciones para hacer de ellas una máscara impasible, haciendo acopio de cada gota de sangre real que corría por sus venas. Era descendiente de reyes, tataranieta legítima, seis generaciones después, del poderoso Somerled. Lo saludó con una ligera inclinación de la cabeza y dijo fríamente:

—Sir Arthur, veo que habéis regresado.

Su intento de mostrarse digna se vio en cierto modo arruinado por el temblor de su voz. Una cosa era fingir que no le afectaba su presencia en un salón lleno de gente y otra muy diferente hacerlo en un pequeño establo. A solas. Mientras él la miraba de esa manera tan intensa. Con rabia. Tenía el rostro enrojecido por completo, a excepción de las comisuras de la boca y de su palpitante sien, que para desgracia suya estaban blancas.

El corazón le latía a toda prisa de los nervios. ¿Dónde estaba Iain? El mozo de cuadras ya debería haber vuelto.

Arthur pareció leerle la mente y endureció la mirada, algo que no hizo sino enervarla más, dado que ya era lo suficiente severa. No tenía motivos para estar furioso con ella.

—El muchacho no vendrá. Le dije que os llevaría a donde necesitéis ir.

¡Por Dios, eso no! No quería ir con él a ninguna parte. Ni tan siquiera quería tenerlo cerca. Anna alzó la barbilla, negándose a que la amilanara la sensación de peligro que le transmitía. No había hecho nada malo. Solo esperaba que no se percatara de cómo le temblaban las manos.

—Eso no será necesario.

Arthur dio un paso al frente y Anna hizo esfuerzos por no tambalearse. Pero la sangre latía con fuerza en su cuello. Y él lo vio. La sonrisa que se dibujó en sus labios la hizo sentir como un ratón ante los ojos de un gato.

—Me temo que sí lo será. Si salís del castillo marcharé con vos. —Arthur la miró de tal modo que hizo que a Anna le hirviera la sangre—. Me parece que habéis olvidado algo.

Tartamudeó, completamente descolocada por el calor que fluía por sus venas.

—¿Qué... qué?

—Vuestra canasta —dijo mirándola a los ojos. Anna se quedó helada, descompuesta por la sorpresa. No era posible que lo supiera. Casi suspiró de alivio cuando él añadió—: No creo haberos visto salir del castillo sin ella.

Demasiado observador, más de lo que convenía. Sir Arthur era peligroso en muchas y diferentes formas. Su padre montaría en cólera si alguien descubriera lo que ella y algunas de las otras mujeres hacían. Anna se recompuso enseguida, irritada por permitir que la angustiara.

—Solo tenía intención de salir a cabalgar. Hoy no visito a nadie de la villa.

Arthur se quedó mirándola por más tiempo del debido, y Anna volvió a preguntarse si sabría algo. Sin embargo, en esa ocasión su expresión no traicionó sus pensamientos.

Una serie de ladridos frenéticos hizo que Arthur dirigiera su atención al suelo, hacia el perro que saltaba sobre su pierna.

—¡Abajo! —dijo en una voz que no aceptaba discusión. El perro se sentó inmediatamente y se quedó mirándolo con cara de adoración—. Vuestro cachorro necesita aprender modales.

Anna frunció los labios.

—Le gustáis.

«Dios sabrá por qué motivo.» Intentar sacarle algo de afecto a Arthur Campbell era como querer extraer agua de una roca, una experiencia condenada al fracaso y la frustración. Arthur entornó los ojos como si Anna hubiera dicho eso en voz alta.

—Normalmente los animales gozan de buenos instintos.

—Normalmente sí —concedió, dejándole muy claro que ella pensaba diferente en ese caso.

Aquel brillo peligroso volvió a llenar su mirada.

—¿Y qué hay de vos, Anna? ¿Qué os dicen vuestros instintos?

«Corre. Escóndete. Aléjate de él tanto como puedas para que no te haga más daño.» Mirar esa mandíbula afilada y recortada, sus sensuales y carnosos labios y esos ojos oscuros veteados de ámbar era ya suficientemente doloroso.

Apartó la vista, conteniendo la emoción que acudía a su garganta.

—Yo no hago caso a mis instintos.

Al menos ya no lo hacía. Estaban equivocados. Sus instintos le habían hecho creer que entre ellos había algo especial. Que tal vez él tuviera necesidad de ella. Que se sentía solo. Y que quizá fuera diferente a lo que parecía: un ambicioso caballero, un soldado aguerrido que vivía por y para su espada.

Incluso en ese preciso momento sus instintos le hacían creer que la tensión que bullía entre ambos significaba algo, que bastaría que la tomara en sus brazos y la besara de nuevo para que todo volviera a la normalidad. Pero era demasiado tarde para eso.

—Los instintos solo sirven para obligarte a hacer cosas de las que luego te arrepientes —añadió.

Arthur tensó el mentón y el músculo de su mandíbula empezó a temblar de modo ominoso. Se acercó más todavía. Tan cerca que Anna sentía todo el calor que irradiaba. Tan cerca que olía el especiado olor a sol que emanaba su piel. Empezaron a temblarle las piernas. Por Dios, había olvidado lo alto que era. Parecía que los muros se cerraran en torno de ella. Le costaba respirar. Le costaba incluso pensar mientras se cernía sobre ella de tal modo. Usaba su salvaje masculinidad contra ella con la sutilidad de un carnero batiéndose en duelo.

—¿Y vos, os arrepentís, Anna?

La embaucadora suavidad de su voz no la engañaba en absoluto. Advertía perfectamente la rabia contenida en sus palabras, como si le importara que su corazón hubiera cambiado de parecer. ¿Por qué hacía eso? ¿Por qué intentaba confundirla? Había sido él quien le había dicho a ella que se alejara.

—¿Qué más da? Y menos ahora. Lo dejasteis todo muy claro antes de huir con mi hermano.

Anna intentó franquear la puerta y dejarlo allí, pero Arthur la detuvo con el implacable escudo de su pecho. Por la línea blanca que se formó en la comisura de su boca no le cupo duda de que había captado la indirecta.

—Entonces ya habéis acabado con el espionaje. ¿Es eso?

Anna lo observó atentamente. ¿Eso era lo que creía? Bueno, qué más le daba a ella lo que pensara. Apartó lentamente su mirada y la dirigió hacia la puerta.

—Sí, eso es. Ahora si me permitís, me gustaría partir.

Empujó su pecho con el dorso de la mano, pero era tan firme como un acantilado rocoso. Un acantilado con montones y montones de piedras cortantes y afiladas.

—Ya os dije que marcharía con vos.

—Vuestros servicios ya no son necesarios. He cambiado de opinión. No saldré a cabalgar esta mañana.

La manera en que llameaban sus ojos revelaba que no le hacía ninguna gracia que lo rechazaran. Bien, pues peor para él. Ella no lo había elegido como su caballero andante. Entonces notó que los músculos de su espalda se tensaban y se preguntó si no lo habría llevado demasiado lejos. Pero Arthur no hizo más que torcer el gesto, representar una reverencia exagerada y apartarse del camino.

—Como deseéis, milady. Pero si cambiáis de opinión ya sabéis dónde encontrarme.

Anna pasó junto a él como un rayo, con la barbilla bien alta.

—No lo haré. Tengo muchas cosas que hacer antes de partir.

La mano que posó sobre su hombro la hizo detenerse de golpe. Pero incluso esa forma ruda de tocarla hacía que sus sentidos se desataran.

—¿Vais a alguna parte, lady Anna?

Intentó desembarazarse de su brazo y lo fulminó con la mirada al ver que no la dejaba partir.

—No es asunto vuestro.

Un destello acudió a sus ojos al tiempo que Arthur se acercaba más a ella. Anna sentía la energía que vibraba entre ambos y la arrastraba consigo. Tenía la boca tan cerca...

—Decidme.

No podía besarla, se decía Anna presa del pánico. No podía permitir que la besara.

—Me caso —dijo bruscamente.

12

Arthur retiró el brazo como si quemara.

«Me caso.» Sus palabras le sentaron como un mazazo en el estómago. Era incapaz de moverse. Cada hueso, cada músculo, cada una de sus terminaciones nerviosas se había petrificado.

—¿Con quién? —preguntó con una voz mortecina, vagamente amenazante, que no parecía la suya, sonaba como la de MacRuairi.

Anna no quería mirarlo a los ojos. Se puso a retorcer los gruesos faldones de lana de su falda con las manos.

—Con sir Hugh Ross.

Un cuchillo incrustado entre sus costillas le habría resultado menos doloroso. El hijo y heredero del conde de Ross. Arthur lo conocía, por supuesto. El joven caballero ya se había hecho un nombre por sí mismo. Era un guerrero temible, un estratega, dentro y fuera del campo de batalla. El hecho de que fuera un buen partido lo empeoraba más.

No comprendía la rabia que consumía su interior, ni por qué se sentía traicionado. Ella no le pertenecía, diantres. Jamás podría pertenecerle. Pero eso no le hacía olvidar que apenas quince días antes la había tenido en sus brazos y que había estado a muy poco de despojarla de su inocencia.

—Al parecer habéis tenido una semana muy ajetreada, milady. No perdéis el tiempo.

Un cálido rubor tiñó sus mejillas.

—Aún no hemos concretado los detalles.

Arthur advirtió algo en su voz que le hizo entornar los ojos aviesamente.

—¿A qué detalles os referís? ¿Estáis prometida o no?

Anna alzó la barbilla y él captó el desafiante brillo de su mirada a pesar del sofoco de su rostro.

—Sir Hugh me propuso matrimonio hace un año, poco después de que muriera mi prometido.

—Creía que lo habíais rechazado.

—Así fue. Lo he pensado mejor.

Arthur comprendió de qué trataba todo aquello de repente. Al no contar con la ayuda del rey Eduardo, los MacDougall habían decidido pedírsela a Ross y ofrecer a lady Anna como incentivo añadido para la alianza. Poco importaba si ella lo había pensado mejor o era su padre quien así lo había decidido. Arthur no podía permitir que unieran sus fuerzas. Una alianza entre Ross y los MacDougall pondría en peligro la victoria de Bruce. Su trabajo, su obligación, era detener aquello.

Arthur la miró con dureza.

—¿Y cómo sabéis que sir Hugh se mostrará abierto a vuestro repentino cambio de sentir?

—No lo sé. —Anna le dirigió una mirada penetrante—. Pero haré todo lo que pueda para persuadirlo.

No era necesario adivinar a qué se refería. Su reacción fue instantánea. Primitiva. Por un breve instante la ira se apoderó de él y perdió el control. Sintió un vacío en la mente. Lady Anna estaba a escasos centímetros de verse aplastada contra la pared del establo con sus labios sellados por los de él, toda su virilidad entre las piernas y una lengua hundiéndose en el interior de su boca, allí donde debía estar.

Pero incluso en el furor de su rabia podía más la necesidad de protegerla. No confiaba en sí mismo para tocarla de tal modo.

Anna puso los ojos como platos y tuvo la prudencia de dar un paso atrás. Pero él la seguía cautivando con la trampa de su penetrante mirada.

—¿Así que lo tenéis todo bien planeado?

Asintió.

—Sí. Será lo mejor para todos.

Que aquello sonara como si estuviera intentando convencerse a sí misma no le consolaba en absoluto.

—Vuestro plan tiene un problema.

Anna lo miró, dubitativa.

—¿Y cuál es?

—Ross está en el norte. Los caminos son demasiado peligrosos para que os trasladéis. Es demasiado arriesgado. Bruce y sus hombres se pondrán en camino en cualquier momento. Vuestro padre no aprobará eso.

Lorn era un hijo de perra desalmado, pero parecía amar a su hija de una manera genuina.

—Ya lo ha hecho. Una partida de guardianes me escoltará, junto con mi hermano Alan. Puede que el rey Capucha sea un bribón asesino, pero no le hace la guerra a las mujeres.

Arthur luchaba por mantener bajo control sus malos humos. Lorn tenía que estar muy desesperado para aceptar eso. El muy hijo de perra haría lo que fuera por ganar, incluso poner en peligro a su hija.

—Si se dan cuenta de que sois una mujer. En la oscuridad, no seréis tan fácil de distinguir. Podrían confundiros con un mensajero.

¿Acaso había olvidado ya lo que había estado a punto de ocurrirle en Ayr? Jesús, cuando pensaba en el peligro… Se le heló la sangre. De nuevo le entraron ganas de empujarla contra la pared del establo, esa vez para procurar que entrara en razón. Podrían herirla. Asesinarla.

—Mi hermano me protegerá. Estoy segura de que no pasará nada.

Arthur sentía una vena a punto de estallar en la sien. Ni un centenar de hombres podrían darle seguridad. Sus esfuerzos por controlarse fracasaron.

—¡No seáis loca! ¡No podéis ir! Es demasiado peligroso. Mandad un mensajero, mejor.

No necesitaba más que ver la posición de su barbilla y la manera en que entornaba los ojos para saber que había cometido un error. Para tratarse de una muchacha de apariencia tan dulce mostraba una terquedad digna de admiración.

—Ya está decidido. Y vos, me temo, no tenéis nada que decir al respecto.

Las mujeres tenían que ser sumisas y dóciles, maldita fuera. Y allí estaba ella, codo con codo con él, sin retroceder un centímetro. Si no estuviera tan furioso le parecería admirable.

En esa ocasión, cuando Anna dio media vuelta y se dirigió hacia la puerta, Arthur no la detuvo.

«Nada que decir al respecto.» Eso ya lo veremos.

Si ella no entraba en razón, tal vez su padre lo hiciera.

Los hombres de Bruce estaban batiendo todo el área, asaltando, saqueando, haciendo todo lo que podían por sembrar el caos y expandir el miedo en el corazón del enemigo. La guerra no tenía lugar solo en el campo de batalla sino también en el interior de las mentes. Un grupo de escolta del clan MacDougall sería algo irresistible. Anna tendría una flecha en el corazón antes de que pudieran darse cuenta de su error.

Se decía a sí mismo que era la amenaza que eso suponía para la misión lo que hacía que se agarrotaran todos sus músculos. Evitar ese tipo de alianza, mantener aislado a MacDougall, esa era la razón por la que estaba allí. Pero no eran los mensajes ni la alianza en lo que pensaba. Todo cuanto podía ver era a Anna tirada en un charco de sangre. Tenía que hacer que Lorn se alejara de ese estúpido camino.

Y si no podía… De ninguna de las maneras la dejaría partir sola. Si Anna daba un paso fuera de ese castillo, allí estaría él para acompañarla, allí donde pudiera protegerla y tenerla a la vista. Y había una cosa que tenía muy clara: no cabía ni la más remota posibilidad de que la dejara casarse con Hugh Ross.

—¿Te ocurre algo, Annie? Pareces contrariada.

Anna alzó la vista para mirar a su hermano Alan, que acababa de acercarse para cabalgar a su lado. Tras navegar en *birlinn* esa mañana el primer tramo del viaje, el resto del trayecto lo harían a caballo. La ruta marina desde Dunstaffnage hasta la villa de Inverlochy a través del lago Linnhe había supuesto menos de media jornada, una travesía en la que habrían empleado varios días en caso de hacerla por tierra. Ojalá el resto del viaje fuera igual de sencillo. Había tres lagos salados y numerosos ríos que recorrían Gleann Mor, la falla del Gran Glenn que dividía Escocia entre Inverlochy, en el nacimiento del lago Linnhe, hasta Inverness y el fiordo de Moray, pero las rutas marinas estaban separadas por terreno suficiente para hacer impracticable el viaje en barco. En lugar de eso, cabalgarían los poco más de cien kilómetros que había de Inverlochy hasta Nairn, al este del cual se encontraba el castillo de Auldearn. Con suerte tardarían cuatro días en llegar. Anna era consciente de que retrasaba su marcha, a pesar de que galopaban a un ritmo mucho más castigador que aquel trote pausado al que estaba habituada.

Resultaba irónico que estuvieran haciendo prácticamente la misma ruta que había seguido el rey Capucha el pasado otoño abriéndose paso a través de las Highlands y apoderándose de los cuatro castillos principales que jalonaban el camino: los castillos de Inverlochy y Urquhart, pertenecientes a los Comyn, y los castillos reales de guarnición inglesa en Inverness y Nairn. Dado que esos castillos seguían ocupados por los rebeldes, se verían obligados a buscar otro hospedaje que entrañara menos peligro. Anna sospechaba que si querían evitar a los hombres de Bruce tendría que acostumbrarse al paisaje de los bosques. Al menos así se libraría de aquel sol abrasador por un tiempo. Cabalgaban desde hacía varias horas y aunque el velo protegía su rostro, tenía calor, estaba pegajosa y, sí, también enfadada, como había advertido su hermano. Furiosa, a decir verdad. El tiempo, no obstante, no tenía nada que ver con su inusual mal humor. Ese honor se lo reservaba a cierto caballero entrometido.

Se había negado a dirigirle la mirada durante todo el día. Pero eso no significaba que no supiera exactamente dónde estaba: cabalgando a la cabeza del grupo, inspeccionando el camino que tenían por delante en busca de señales de peligro. «Peligro.» Eso era decir poco. El peligro era que él los hubiera acompañado en el viaje.

—Estoy bien —aseguró a su hermano, consiguiendo esbozar una sonrisa forzada—. Tengo calor y estoy cansada, pero me encuentro bien.

Alan la miró de reojo con un desinterés engañoso.

—Creía que a lo mejor tenía algo que ver con Campbell. No parecías muy contenta cuando dijo que nos acompañaría.

Su hermano era demasiado astuto. Un rasgo que haría de él un buen jefe en el futuro, pero nada que resultara apreciable para una hermana pequeña que prefería guardarse sus pensamientos para sí misma. A pesar de sus esfuerzos por no reaccionar a esas palabras, le rechinaban los dientes.

—No tendría que haberse entrometido.

Cuando su padre le contó que sir Arthur había intentando disuadirlo de que cancelara el viaje, no podía creerlo. Al fracasar en ello, pidió permiso para acompañarles argumentando que sus habilidades como rastreador ayudarían a garantizar su seguridad. Y para mayor desgracia de Anna su padre había accedido. De modo que en lugar de ignorarlo durante una sola jornada, ahora tendría que soportar su presencia constante durante días, semanas incluso. ¿Acaso intentaba atormentarla a propósito? Aquello que tenía que hacer ya era difícil sin que él anduviera revoloteando por ahí.

—Es un caballero, Anna. Un explorador. Informar sobre la posición del enemigo es exactamente su trabajo. Y no puedo decir que no esté agradecido de que venga con nosotros. Si es tan bueno como dice ser, nos será útil.

Anna se dirigió a Alan con cara de estar horrorizada.

—¿Estás de acuerdo con padre?

Alan endureció el mentón. Jamás criticaría a su padre de manera abierta, aunque quisiera hacerlo, como era el caso.

—Habría preferido que te quedaras en Dunstaffnage, aunque entiendo la razón por la que padre insistía en que vinieras. Ross se mostrará más dispuesto ante una solicitud directa —dijo con una sonrisa—. Eres una bribonzuela, Annie querida, pero una bribonzuela encantadora.

Anna torció el gesto.

—Y tú eres tan protector que molestas, pero yo también te quiero.

Alan se echó a reír y Anna no pudo sino unirse a sus risas.

Sir Arthur volvió la cabeza al oírlo y la cogió desprevenida. Sus miradas se cruzaron por un momento antes de que le diera tiempo a apartar la vista bruscamente. Pero fue suficiente para que sintiera una buena punzada en el pecho. ¿Por qué tenía que ser tan doloroso?

Alan no obvió ese intercambio de miradas. Volvió a ponerse serio y a mirarla con intensidad.

—¿Estás segura de que eso es todo lo que pasa, Anna? Ya sé lo que dijiste, pero me parece que entre sir Arthur y tú hay algo más que las labores de vigilancia que padre te encomendó. Yo creo que sientes algo por él. —La pulsión que Anna sentía en el pecho le decía que su hermano tenía razón, por más que le habría gustado que no fuera cierto—. Podemos apelar a Ross sin necesidad de un compromiso —dijo su hermano con cariño—. No es necesario que sacrifiques tu felicidad para llegar a un pacto.

No pudo evitar emocionarse. Era tan afortunada de poder contar con un hermano como él… Sabía que pocos hombres la tratarían con tal consideración. La felicidad no era algo a tener en cuenta en el matrimonio entre nobles. El poder, las alianzas, la riqueza, eso era lo que importaba. Pero el amor del que Alan disfrutó en su matrimonio le había dado a su hermano una perspectiva única. A pesar de todo, tendrían muchas más oportunidades de conseguir el apoyo de Ross con una alianza. Alan lo sabía tan bien como ella. Además, ayudar a su familia jamás podría constituir un sacrificio. Arthur había expresado con brutal claridad que no había nada entre ellos.

—Estoy segura —dijo con firmeza.

La firmeza de su voz debió de convencerlo. Alan siguió cabalgando junto a ella un rato más en recuerdo de sus anteriores viajes en los excepcionales momentos de paz, pero al final acabó volviendo junto a sus hombres.

Durante la primera jornada hicieron grandes progresos y llegaron hasta el lago Lochy, donde hicieron noche en una posada cercana a la orilla sur del mismo. Aquel pequeño edificio de piedra con tejado de paja parecía antiguo, y dada su situación junto a una calzada romana, Anna supuso que debía de serlo.

Estaba agarrotada y dolorida. Sus piernas, trasero y espalda se resentían por cada una de las horas de ese largo día, de modo que agradecía estar bajo techo y en una cama, por más rudimentarios que fueran. Se lavó y se las compuso para comer un poco de caldo de pescado y pan de centeno antes de caer rendida en el camastro junto a Berta, su doncella, que roncaba en el jergón de al lado.

La segunda noche, no obstante, no tendrían tanta fortuna. Su cama sería un simple jergón en una pequeña tienda instalada en el bosque al sur del lago Ness.

Había sido un día largo, más largo todavía gracias al constante flujo de informes de exploración de sir Arthur. Para evitar escenarios susceptibles de peligro, tales como rutas a campo abierto o lugares propicios para las emboscadas, había veces en las que se desviaban bastante del camino. Lo cual significaba que en lugar de los cuarenta kilómetros que habrían recorrido, hicieron probablemente unos cincuenta y cinco a través de la espesura de los bosques y las colinas serpenteantes de Lochaber. Aquello a Anna le pareció de una precaución exagerada. Por lo pronto, no había visto nada fuera de lo normal, más que gentes de la villa, pescadores y algún que otro ocasional grupo de viajeros. Si los hombres de Bruce patrullaban los caminos, no se habían hecho notar. ¿Tal vez esos kilómetros de más fueran otra forma de tormento ideada por sir Arthur? Como si no fuera suficiente con su presencia.

Las piernas de Anna, poco acostumbradas a pasar días cabalgando, le temblaron al arrodillarse a la orilla del río para lavarse las manos. Metió la cabeza en la corriente con la esperanza de sacudirse el cansancio, pero el frío golpe de agua no la refrescaba lo suficiente. Cuando intentó levantarse, cosa que hizo a duras penas, tuvo que refunfuñar al percatarse de la objeción de sus huesos y articulaciones, que crujían como si se tratara del cuerpo de una anciana. Se tomó su tiempo para saborear el momento de soledad, sin ninguna prisa por volver al campamento. Aunque el resto del grupo estaba a pocos metros de ella, el denso palio de árboles parecía absorber todo el sonido. De vez en cuando llegaba hasta ella el murmullo apagado de sus voces, pero aparte de eso todo permanecía en una calma excepcional, lo que representaba el mayor momento de paz que tenía desde su llegada al *barmkin* el día anterior por la mañana, cuando se encontró a sir Arthur Campbell preparado para salir con ellos. Aquellos dos días intentando forzarse a no mirarlo se habían cobrado su cuota. Era peor de lo que temía. A pesar de que lo ignorara y evitara sus ojos cada vez que él miraba en su dirección, cada uno de sus movimientos le afectaba de manera dolorosa. El desasosiego, que parecía quemarle el pecho hasta agujerearlo, era cada vez mayor. Más duro. Se ensañaba con sus emociones, dejándola desnuda y expuesta. No sabía por cuánto más podría soportarlo. ¿Por qué tenía que estar él allí?

Suspiró con hastío y le dio la espalda a la tranquilizadora corriente de agua que corría sobre las rocas. Berta haría que su hermano fuera a buscarla como un loco si no regresaba en el par de minutos que había prometido. Además, se estaba haciendo de noche.

Apenas había dado unos pasos en dirección al bosque cuando un hombre salió de entre las sombras y le cerró el paso. El pulso se le aceleró, presa del pánico. Estuvo a punto de dar la voz de alarma, pero su gritó quedó sofocado al reconocerlo. Cerró la boca de golpe, pero su pulso seguía igual de acelerado.

—¡No hagáis eso! —espetó al tiempo que alzaba la vista para mirar el bello rostro de sir Arthur—. Me habéis dado un susto de muerte.

No había hecho un solo ruido. Cómo un hombre tan corpulento podía moverse con tal sigilo era algo que escapaba a su comprensión.

—Mejor —respondió él—. No deberíais estar aquí sola.

—No estaba sola —dijo Anna con una sonrisa forzada—. Os tenía a vos espiándome.

Anna se complació enormemente al ver que tensaba la mandíbula. Era horrible por su parte que le complaciera tanto, pero intentar sacarle algún tipo de reacción a aquel hombre le parecía un logro absoluto. Sir Arthur le dirigió una mirada pausada y penetrante.

—Algo de lo cual seguro que vos conocéis todos los secretos.

Ahora le tocaba a ella endurecer el gesto. Había demasiada proximidad. Aunque su hermano y el resto de los hombres estuvieran a un grito de distancia, aquello suponía una intimidad con él mucho mayor de la que ella quería. Cualquier tipo de intimidad con él podía ser peligrosa.

Eso le hacía recordar cosas. Como el sabor especiado de sus besos. O el modo en que los gruesos músculos de su torso se tensaban a la luz de las velas. O la manera en que los mechones ondulados de su cabello mojado caían sobre su cuello. O su olor. «Olor a jabón y a virilidad», pensó Anna mientras aspiraba.

Arthur no se había afeitado, y la barba incipiente le daba un aspecto desarrapado y peligroso que, ¡maldito fuera!, le hacía todavía más atractivo.

Al comprobar que a pesar de todo lo ocurrido todavía conseguía afectarle del mismo modo, Anna se puso furiosa y trató de apartarlo de su camino. Un ejercicio de futilidad como jamás hubo alguno.

—No hay motivos para preocuparse.

Él la agarró del brazo para detenerla, como si la impenetrable barrera de su torso no fuera suficiente.

—La próxima vez que os alejéis del campamento, no lo hagáis sin guardia, preferiblemente yo o vuestro hermano.

Sus mejillas se ruborizaron, enfadada con el tono y su actitud prepotente. Sir Arthur Campbell, caballero al servicio de su padre, traspasaba los límites.

—No tenéis derecho a darme órdenes. La última vez que miré no erais vos, sino mi hermano, quien estaba al cargo.

Sus ojos brillaron al tiempo que él la agarraba del brazo con más fuerza. Hablaba en voz baja y su boca… Anna se quedó sin aliento. También su boca estaba baja, a una altura peligrosa, tan cerca de la suya que dolía. Si se pusiera de puntillas, era posible incluso que llegara a tocarla.

Dios, qué ganas tenía de hacerlo. Estaba desesperada por hacerlo. Una ola de calor invadió todo su cuerpo, concentrándose en los pechos y la entrepierna. Los pezones se le pusieron erectos; se morían de ganas por rozarse con su duro pecho.

Aquella traición de su cuerpo resultaba humillante. Él no tenía ningún derecho a hacerla sentir así. No después de rechazarla de manera tan cruel. No después de que se marchara y dejara claro que era tal y como lo había imaginado desde un principio. ¿Por qué no podía dejarla en paz simplemente?

—No me desafiéis en esto, Anna. Si queréis que consiga la complicidad de vuestro hermano, lo haré. Lo único que intentaba era evitaros la vergüenza de que os traten como a una cría, pero haré todo lo que esté en mi mano para manteneros a salvo.

Hubo algo en su voz que hizo que le dieran escalofríos.

—¿Qué pasa? ¿Están los rebeldes cerca de aquí? ¿Visteis algo?

Una sombra cruzó la mirada de Arthur. Negó con la cabeza.

—Por ahora no.

—Pero tenéis un presentimiento.

Arthur la miró con total desconfianza, como si pensara que intentaba embaucarlo para que admitiera que ella tenía razón en cuanto a las habilidades que había mostrado con anterioridad. Parecía dispuesto a negarlo, pero luego se encogió de hombros y le soltó el brazo.

—Sí, siento el peligro. Y también vos deberíais sentirlo. No cometáis el error de pensar que no están ahí simplemente porque no los hayamos visto.

Asintió, solviantada por lo que parecía una preocupación sincera.

—Haré como me pedís.

Ambos sabían que no era una petición, pero Arthur parecía estar satisfecho con su aprobación y no quiso discutir de semántica.

Anna era consciente de que debía salir de allí cuanto antes, pero hubo algo que la hizo preguntar:

—¿Por qué estáis aquí, sir Arthur? ¿Por qué insististeis en uniros a nuestro grupo?

Él apartó la vista. La pregunta le incomodaba. Mejor. Endureció el gesto.

—Pensé que podría ser de ayuda a vuestro hermano.

—Y yo pensé que no os gustaba hacer reconocimiento del terreno.

Su boca se torció en una irónica y enigmática sonrisa.

—No es tan malo como temía.

Anna observó sus rasgos con atención, pero no estaba muy segura de lo que buscaba.

—¿Y esa es la única razón? ¿Por ayudar a mi hermano?

Arthur bajó la vista para mirarla a los ojos. La intensidad de su mirada la penetró con la sutileza de un rayo. Era consciente del tic que latía bajo su mentón. Se estaba controlando, pero ¿de qué?

—Dado que no atendisteis a mis advertencias, no me quedó otra opción que venir y asegurarme de que llegarais a vuestro destino a salvo.

Entregada a salvo a las manos de otro hombre.

—Estoy segura de que sir Hugh apreciará vuestros servicios.

Arthur se puso en tensión y los ojos le brillaron con un fuego descontrolado. Por un momento Anna pensó que la empujaría contra el árbol y la besaría. Pero no lo hizo. En lugar de eso apretó los puños y se quedó mirándola con rabia. Se decía a sí misma que no era decepción lo que sentía. Eso se decía a sí misma. Pero no lo creía.

—No me provoquéis, Anna.

Pero el tiempo de las advertencias ya había pasado para ella.

—¿Que no os provoque? ¿Cómo podría provocaros si no os afecta? Lo dejasteis muy claro aquella noche en los barracones. Fuisteis vos quien dijo que me apartara de vuestro camino y no al contrario, ¿recordáis?

—Lo recuerdo.

La suavidad de su voz le dijo que no era eso todo lo que recordaba. La piel comenzó a arderle y le parecía salir de ella. Los recuerdos crepitaban entre ellos como un soplo de aire sobre ascuas, encendiéndose, dispuestos a prenderse fuego. Anna estaba sumida en la frustración. No podía entender por qué le hacía aquello.

—¿Es que habéis cambiado de opinión?

En otro momento Arthur habría admirado aquel desafío. La franqueza y la naturalidad de Anna eran lo que hacían de ella una mujer única. Pero en ese momento no. No quería pensar en si había cambiado de opinión. Le estaba costando Dios y ayuda simplemente no ponerle las manos encima. ¿Por qué no podía ser tímida y retraída? Ahí sí se sentía seguro.

Sabía que actuaba como un idiota, pero esos dos días junto a ella, viéndola volver la cara para evitar su mirada, actuando como si él no fuera más que una espada mercenaria, habían hecho que llegara al límite de su autocontrol. No podría aguantar verla otra noche merodeando por el campamento riendo y divirtiéndose con los hombres con unas sonrisas que brillaban por su ausencia cuando miraba en su dirección.

Le gustaba estar al margen, maldita fuera. Pero desde su puesto en los confines del campamento, lejos de la camaradería de la fogata, se encontraba suspirando por la calidez de esas sonrisas. Por un poco de esa risa. Un poco de esa luz.

Su intención era que ella reconociera su presencia. Pero todo cuanto había conseguido era revolver cosas que no necesitaban ser removidas. Tales como el sobrecogedor deseo de empujarla contra el árbol y abusar de ella. Casi podía sentir cómo sus brazos le rodeaban el cuello y sus piernas envolvían sus caderas, en tanto que él se hundía en su interior, lenta y profundamente. Casi veía su pequeño y suave cuerpo estirándose contra el suyo, todas esas seductoras curvas fundiéndose sobre él, las excitantes turgencias de sus pezones rozándole el pecho…

¡Demonios!

Tuvo que agitarse para recuperar la compostura. Pero la hinchazón que ocultaban sus calzones era dura e implacable. Aquello no tenía que ser tan endiabladamente difícil.

«Concéntrate. Haz tu trabajo. Mantente lo bastante cerca para vigilarla, pero sin tocar. No dejes que se acerque demasiado.»

Había demasiada gente dependiendo de él. Tenía que estar pendiente de lo que realmente importaba. Asegurarse de que Bruce llegara al trono y derrotar a sus adversarios. Como John de Lorn. Esa era la oportunidad de ver cómo su enemigo pagaba por lo que le había hecho a su padre.

Justicia. Venganza. Enderezar lo torcido. Sangre por sangre. Esa había sido toda su motivación desde que tenía uso de razón. Había dedicado su vida a tratar de consagrarse como el mejor guerrero con un solo objetivo en mente: destruir a Lorn. Esa fría determinación era su compañera desde hacía catorce años. La firme resolución de llevar una misión hasta sus últimas consecuencias, costara lo que costase. Esa era la única cosa que tenían en común todos los miembros de la Guardia Highlanders, a pesar de sus grandes diferencias de personalidad, desde el irreprimible buen humor de MacSorley y la impulsividad de Seton hasta el mal genio de MacRuairi. Pero nunca antes había tenido tantos problemas para aferrarse a ello.

Arthur dio un paso atrás con la intención de disipar la bruma de deseo que le atenazaba. Pero su cuerpo bullía de deseos insatisfechos. Unos deseos que cada vez le parecía más difícil ignorar. Andar por ahí con la verga pegada al vientre no era algo que hiciera mucho para remediar su mal humor. Y su mano tampoco resultaba un gran alivio.

Al ver que él no contestaba, Anna dijo:

—¿Y bien?

¿Había cambiado de opinión? Negó con la cabeza.

—No.

Nada había cambiado. Seguía siendo la hija del hombre al que había ido a aniquilar. Lo único que el futuro les depararía sería la traición. No tenía intención de empeorar las cosas.

Anna no dio muestras de que su respuesta la decepcionara. Más bien parecía algo que esperaba.

—Entonces ¿por qué hacéis esto? ¿Por qué actuáis como si os importara con quien contraiga matrimonio? No me queréis, pero tampoco queréis que me tenga nadie, ¿es eso?

Arthur musitó una imprecación al tiempo que se pasaba las manos por los cabellos.

—No es eso.

De hecho, era exactamente eso. Anna había dado justo en el clavo. Estaba celoso, maldita fuera. Aunque no tuviera ningún derecho a estarlo. Aunque fuera él quien la desalentara. Aunque no hubiera ninguna posibilidad de que estuvieran juntos. Pensar en que ella se casaría con otro hombre hacía que cayera en ataques de celos juveniles.

Anna lo miró a los ojos.

—Entonces explicádmelo —dijo en voz baja—. ¿Qué es lo que sentís por mí?

«Jesús.» Esa era la última cosa en la que quería pensar. Solo ella sería capaz de tal pregunta. Anna MacDougall no tenía ni una pizca de timidez o de desánimo. Era directa. Sin rodeos. Sin pretensiones. Dios, era una mujer increíble.

Ni todo el entrenamiento del mundo podía hacerle parar de mover los pies nerviosamente. No se sentía tan acorralado desde aquella vez en que sus hermanos lo hicieron retroceder hasta el saliente de un acantilado y lo provocaron para que se defendiera de sus espadazos.

—Es complicado —dijo, saliéndose por la tangente.

Los ojos de ella no dejaban de escrutar su rostro en busca de algo que no había en ellos.

—Complicado no me vale. —Anna bajó la mirada—. No quiero que estéis aquí —añadió con una voz tan rígida como la posición de sus hombros. Tampoco él quería estar allí, pero no le quedaba más opción que hacerlo. Anna volvió a alzar los ojos para mirarlo. Ya no había calidez en esas profundidades azul brillante—. Os lo ruego, dejadme en paz, simplemente.

El suave ruego de esa voz apelaba a su conciencia, pero escocía en el pecho de igual forma. Anna dio media vuelta y se alejó de allí con el porte majestuoso de una reina.

Desearía poder hacerlo, por el bien de ambos. Pero su misión era lo primero. Unas cuantas semanas más. Podría aguantar unas cuantas semanas más. Había resistido desafíos mucho más peligrosos. Todo cuanto tenía que hacer era apuntalar sus defensas, cerrar compuertas y prepararse para el asedio final.

13

Arthur marchaba en la avanzadilla, inspeccionando el terreno con dos de los hombres de MacDougall, cuando se percató de que algo no iba bien. Un cambio en el aire. Un escalofrío que le recorría la nuca. La súbita sensación que activaba todas sus terminaciones nerviosas para advertirle: «Peligro».

Habían cumplido la tercera jornada del viaje prácticamente en su totalidad. El trayecto a caballo por la ribera oeste del lago Ness fue más largo de lo esperado, no por intentar eludir a los hombres de Bruce, sino debido a un puente impracticable de Invermoriston. Habrían probado a cruzar las turbulentas aguas en caso de no llevar consigo a Anna, pero en lugar de eso tuvieron que desviarse otros ocho kilómetros del camino para llegar al siguiente vado. Así pues, se aproximaron al extremo sur de los bosques de Clunemore más tarde de lo que él esperaba. Desde allí torcerían hacia el este, abandonando el camino para alejarse todo lo posible del castillo Urquhart, ocupado por los rebeldes. El plan era acampar la última noche a orillas del lago Meiklie, lo cual quería decir que el día siguiente sería más agotador aún, ya que la relativamente plana carretera daría paso a las colinas.

A pesar de que Arthur trabajaba mejor solo, Alan Mac-Dougall insistió en que le acompañaran dos de sus hombres por si se encontraba con dificultades. Al no poder explicarle al hermano de Anna que esos hombres representarían más problemas que ayuda sin traicionar sus habilidades, Arthur tuvo que acceder a regañadientes.

A la primera sensación de peligro alzó una mano para que los hombres se detuvieran. Bajó del caballo, se arrodilló y puso una palma plana contra el suelo. La leve reverberación confirmó lo que sus sentidos ya le habían advertido.

Richard, el más grande de los dos guerreros y explorador habitual de MacDougall, se quedó circunspecto.

—¿Qué hay?

Arthur bajó la voz.

—Volved atrás y decidle a vuestro señor que salgan del camino de inmediato.

Alex, que era aprendiz de explorador, lo miró con extrañeza bajo el acero de su nasal. Al contrario que Arthur, Alan y el puñado de caballeros que usaban yelmo, cota de malla pesada y peto, los hombres del clan de los MacDougall llevaban armadura más ligera y el *cotun* de cuero acolchado que preferían los highlanders. Esa indumentaria de guerra hacía más fácil el movimiento. No era la primera vez que Arthur tenía ganas de deshacerse de su aparatoso atuendo de caballero y mandar a paseo la mascarada. El más joven de los hombres miró a su alrededor.

—¿Por qué?

Arthur frunció los labios. Se puso en pie y volvió rápidamente a su montura.

—Hay un grupo numeroso de jinetes que se dirigen justo hacia nosotros.

Richard lo miró como si estuviera loco.

—Yo no oigo nada.

Aquellos idiotas acabarían haciendo que los mataran a todos. Sin tiempo para sutilezas, Arthur agarró al mayor por su grueso pescuezo, lo alzó un par de centímetros de la montura y acercó su cara a la de él.

—Haced lo que digo, maldita sea. Dentro de un par de minutos será demasiado tarde. ¿Queréis que maten a la dama por vuestra estupidez?

El hombre negó con la cabeza, impresionado con la transformación que sufría el caballero. Cuando empezó a boquear para recobrar el aliento Arthur lo soltó de un empujón.

—Yo los rodearé por la espalda e intentaré distraerlos. —Con suerte, se dijo, podría desviarlos hacia el norte—. Decidle a sir Alan que se aparte del camino inmediatamente, que se dirijan hacia el este y cabalguen tan rápido como puedan. Abandonad las carretas si es necesario. Nos encontraremos en el lago en cuanto me sea posible.

Súbitamente, Richard movió su gruesa cabeza hacia el norte. Un leve sonido de pisadas de caballos batía en su dirección. Se volvió hacia Arthur con una mirada que albergaba tanto temor como sospecha. Inconscientemente, dio media vuelta con su caballo.

—¡Por los huesos de Cristo, tenéis razón! Los oigo.

Arthur no tenía tiempo de preocuparse por la inquietud del otro.

—Iré con vos —dijo Alex.

—No —repuso Arthur en un tono de voz que evitaba cualquier discusión—. Voy solo.

Así sería más fácil evitar que los capturaran. Además, siempre cabía la posibilidad de que conociera a alguien. Se suponía que MacGregor, Gordon y MacKay estaban en el norte.

—¡Marchad! —dijo.

Los hombres hicieron lo que les pedía sin más discusión.

Arthur tampoco perdió más tiempo. Caballo y hombre se introdujeron entre los árboles en su carrera por alcanzar a los jinetes por la espalda antes de que aparecieran ante el grupo de MacDougall. Era consciente de que a pesar de estar advertidos, tardarían cierto tiempo en conducirlos hasta un sitio seguro. Anna era una buena amazona, pero no podía decirse lo mismo de su doncella. Las carretas ralentizarían su ritmo aún más. Si algo sabía de las mujeres era que no les gustaba nada abandonar sus finos trajes y zapatos. Al menos Anna no había insistido en llevar con ellos al maldito cachorro. Arthur estaba ya cansado de limpiarse el pis de los pies.

Arthur zigzagueó entre los árboles, usando el sonido de los caballos como guía, y cabalgó en paralelo a los hombres unos pocos y preciosos minutos hasta que se dirigió hacia ellos. Ahora venía la parte delicada: acercarse lo suficiente para llamar su atención, pero no tanto para que lo capturasen. Maldijo para sí al ver por primera vez al grupo de jinetes a través de un hueco entre los árboles. Tenían todo el aspecto de una partida de guerreros. Había más de los que le habría gustado, al menos una veintena de hombres armados hasta los dientes con mantas de colores oscuros, vestimenta de guerra y cascos oscurecidos con brea, un modo de camuflarse en la noche propio de la Guardia de los Highlanders que adoptaron más tarde muchos de los guerreros de Bruce.

Normalmente no se lo pensaría dos veces ante un ejército tan formidable. Estaba adiestrado para luchar contra cosas peores. Pero esos hombres conocían el terreno y él no. Tendrían ventaja. Un giro mal dado y acabaría en sus garras. Aun así él contaba con ventajas que ellos no tenían: unos sentidos afilados como cuchillos, velocidad, una fuerza y un entrenamiento superiores y la habilidad de desaparecer entre las sombras.

Distinguió ante él una ruptura en la línea de árboles. Ahí lo tenía. Apretó los dientes, bajó la cabeza y salió como un rayo hacia el claro. Fingió sorprenderse por su presencia y giró abruptamente hacia la izquierda, como si quisiera evitar ser visto. Un grito lo alertó del cumplimiento de su objetivo. No se atrevió a aminorar la marcha y mirar hacia atrás para ver si habían mordido el anzuelo. Una fracción de segundo de retraso podía significar la diferencia entre escapar o ser capturado. Pero momentos después oyó el atronador sonido de las pisadas de caballo tras él y sonrió. La caza había comenzado.

Anna intentaba no pensar en lo tarde que se hacía. Pero a medida que la oscuridad descendía y que la luna se alzaba en el cielo le costaba más creer que se encontraba bien. Ese miedo que permanecía en espera ante el tumulto de sus propios esfuerzos para escapar a los soldados enemigos regresó con toda su fuerza en cuanto estuvieron a salvo. Y la cosa empeoraba con cada hora que pasaba sin el regreso de Arthur. Que le atormentara todo lo que quisiera, eso no le importaba. Pero que volviera sano y salvo.

Se ajustó la capa a los hombros y se dijo que no debía preocuparse. Llegar hasta ellos de nuevo tomaría su tiempo tras la animada persecución en la que Arthur los embarcaría. «Pero ¿tanto tiempo?» Se mordió el labio en un intento de mitigar la creciente sensación de pánico. «Él no se dejaría atrapar.» Sin embargo, ellos eran un montón de hombres y él solo uno. «No puede estar muerto.» De ser así lo sabría. El corazón le dio un vuelco. ¿No era eso cierto?

—Milady, la sopa está deliciosa. Tomad —dijo Berta sosteniendo la cuchara ante ella—. Probadla. Aunque sea solo un poco —añadió, como si Anna fuera una niña de cinco años que se negaba a comer nabos.

Pero a Anna seguían sin gustarle los nabos. Negó con la cabeza y se esforzó en sonreír a su preocupada doncella.

—No tengo hambre.

La anciana puso cara de estar extrañada, haciendo que las arrugas de sus ojos color miel se desparramaran por su rostro. El aspecto de Berta, con su apenas uno cincuenta de estatura y tan delgada como un palillo, no es que fuera formidable. Pero en aquel caso su cara era de decepción. Podía ser tan testaruda y hosca como una mula vieja.

—Tenéis que comer algo. Conseguiréis poneros enferma.

Ya lo estaba. Enferma de preocupación. Solo de pensar en comida le daban ganas de vomitar. Contuvo el acceso de bilis que le llegó a la garganta.

—Comeré —mintió Anna—. Dentro de un rato.

Berta le dio una palmadita en la mano, que descansaba sobre el musgoso tronco que las separaba. Se habían reunido en torno al fuego junto al resto de la escolta, pero el campamento permanecía en una quietud inusual y los hombres estaban desanimados. Todos eran conscientes de que habían escapado por poco y no era ella la única que se preguntaba qué habría ocurrido con el caballero que los puso sobre aviso.

—Que muráis de hambre no hará que vuelva antes.

Los pensamientos de Anna eran más trasparentes de lo que creía, pero estaba demasiado preocupada para fingir que no sabía de qué le hablaba Berta.

—¿Creéis que le habrá ocurrido algo?

Berta apretó su mano y negó con la cabeza tristemente.

—No lo sé, pequeña mía. No lo sé.

El corazón de Anna sufrió una violenta sacudida. La perspectiva había de ser terrible para que Berta no se esforzara por mentirle siquiera. Volvieron a quedar en silencio. Anna miraba las llamas de la hoguera sin verla en tanto que Berta acababa su sopa.

Entonces Anna oyó una rama que crujía tras ella y se levantó de un salto. Volvió el rostro con el corazón en la boca, esperando ver a un caballero vestido con cota de malla sobre su caballo. Así fue y por un segundo pensó que sería Arthur. Pero su corazón se topó con una decepción. Se trataba simplemente de su hermano Alan, que desmontó del caballo y ató las riendas a un árbol cercano. La expresión sombría que demudó su rostro a medida que se acercaba a ella la llenó de pavor.

—¿Has descubierto algo? —preguntó.

—No —repuso su hermano negando con la cabeza—. Ni rastro de él.

—Crees que… —Anna no se atrevió a terminar la frase.

Alan la miró con detenimiento.

—Ya debería haber regresado.

La verdad dolía como un puñetazo en las entrañas. Lágrimas de angustia afloraron en sus ojos. Acababa de brotar la primera de ellas cuando oyó un silbido que atravesaba la noche.

—Es el centinela nocturno —dijo Alan antes de que Anna tuviera tiempo de preguntar—. Alguien se aproxima.

La alarma dio origen a una pequeña conmoción. Anna había sido la primera en saltar de su asiento de golpe, pero eso mismo fue lo que hicieron el resto de los hombres. Lo primero que oyó antes de verlo fueron los vítores provocados por la emoción y el alivio. Momentos después, Arthur penetraba en el círculo de luz que proveía el campamento y el corazón de Anna daba tumbos en el interior de su pecho. Inspeccionó al caballero en busca de señales de herida, pero aparte del cansancio que reflejaba su apuesto rostro y de la suciedad y el polvo de su cota de malla se le veía en perfectas condiciones. Completamente indemne.

La emoción la embargaba con tal fuerza que dio un paso adelante sin poder controlarse. Luchó por dominar el impulso de ir tras él, de correr a sus brazos, de rodearlo con los suyos y llorar toda su angustia en la sucia y polvorienta cota de malla que revestía su pecho. No tenía derecho a hacerlo. Ni fundamentos. No estaban prometidos, ni se cortejaban siquiera. No eran nada el uno para el otro. Pronto ella pertenecería a otro hombre.

Entonces Arthur la vio. Por un estúpido momento ella se convenció de que la estaba buscando. Sus ojos se encontraron con una fuerza letal que repercutía en su pecho y lo golpeaba con los ecos de la nostalgia.

Si en aquel momento él hubiera vuelto el rostro, ignorándola con frialdad, probablemente Anna habría afrontado su futuro con una resolución firme en el corazón. Pero en lugar de eso Arthur percibió su desesperación y asintió levemente. «Estoy bien.»

Era una nimiedad, pero al menos era algo, y servía como reconocimiento de que existía una conexión entre ambos. Entre ellos dos había algo especial. No podía negarlo por más tiempo. Ella le importaba.

Arthur la miró por última vez y siguió adelante para encontrarse con Alan.

Las emociones de Anna estaban descontroladas. Le afectaba demasiado lo que acababa de ocurrir para concentrarse en nada, así que escuchó a medias el informe que le hacía a su hermano. Eran los hombres de Bruce. Un grupo numeroso de guerreros. El número le llamó tanto la atención que se quedó sin aliento. Veinticinco hombres. Lo normal sería que Arthur estuviera muerto. Primero los había desviado varios kilómetros del castillo de Urquhart y después se había dirigido hacia el este. Sin embargo, los malhechores habían dado pruebas de ser buenos perros de presa, y Arthur se había visto obligado a volver a pie al campamento. Anna sospechaba que estaba dejando muchas cosas en el tintero.

Alan le agradeció los servicios prestados a todos y le conminó a que se sentara en tanto que pedía comida y bebida para él. Su hermano habló con Arthur un rato más antes de dejarle comer, pero en voz baja, de modo que ella no pudo escuchar nada. Anna picoteó de un trozo de cecina de ternera y torta de avena y se quedó merodeando por allí, como hicieron la mayoría de los hombres. Sin embargo, a medida que caía la noche, algo empezó a preocuparle. El campamento se animó con su regreso, y resultaba obvio que todos se alegraban de que no lo hubieran capturado, pero la celebración no era la esperada y eso la desconcertaba. Además, sucedía algo anormal. Nadie se le había acercado, aparte de su hermano. En lugar de las palmaditas en la espalda, las bromas pesadas y los brindis que serían de recibo, le pareció que más de uno lo miraba con cara rara.

Arthur no parecía percatarse. Acabó con su comida, terminó el odre de cerveza que le habían llevado y se retiró de nuevo a la soledad de los bosques. Anna le observó partir y sintió una apremiante necesidad de hacer algo. Miró a los hombres del clan que tenía alrededor. ¿Qué les pasaba? ¿Por qué actuaban de tal modo?

Llegó un punto en el que ya no pudo aguantarse más, se excusó y fue a buscar a su hermano. Alan estaba hablando con algunos de sus hombres, pero al verla llegar les ordenó que se retiraran.

—Creí que estarías aliviada.

Evitó hacer como que no entendía de qué hablaba.

—Lo estoy.

—Y entonces ¿a qué viene esa cara, pequeña?

—¿Por qué actúan los hombres de ese modo? ¿Por qué no le dan las gracias? ¿Por qué lo evitan?

—¿Estás segura que no es justamente lo contrario, hermana? —repuso Alan esbozando una sonrisa irónica—. Campbell no es precisamente conocido por su sociabilidad. Le gusta estar solo. —Su hermano tenía razón, pero en esa ocasión no se trataba solo de eso. Los soldados se mostraban incómodos, casi temerosos. Cuando se lo hizo saber, Alan suspiró y negó con la cabeza—. Ocurrió algo hoy cuando nuestros hombres batían el terreno. Richard me lo contó y probablemente también se lo contó al resto. Según parece, Campbell oyó a los jinetes bastante antes de que hubiera señal alguna de ellos. Richard dijo que era cosa de brujería.

Todo el placer que Anna pudiera sentir al ver confirmadas sus propias sospechas respecto a lo ocurrido con los lobos, palideció en comparación con la furia que atormentaba su interior. Sus mejillas se ruborizaron de la indignación.

—Eso es ridículo. ¿Es que no se dan cuenta de que nos ha salvado a todos? Tendrían que estar agradecidos y no tratarlo como a un perro.

—Estoy de acuerdo. Pero ya sabes lo supersticiosos que pueden ser los highlanders.

—Eso no es excusa.

—No, no lo es. Hablaré con Richard e intentaré acabar con ello.

Anna saltó de su asiento de repente.

—Hazlo o hablaré con él yo misma. No pienso permitir que rechacen a sir Arthur por ayudarnos. ¡Por las llagas de Cristo, Alan! Sin esa brujería, es posible que ahora estuviéramos todos muertos.

Alan la miró con detenimiento, y lo que vio en ella pareció preocuparle. Se quedó pensativo, asintiendo simplemente con la cabeza, en lugar de regañarla por usar ese lenguaje vulgar. Anna se marchó de allí con el propósito de encontrar a Arthur, pero su hermano debió de adivinar su destino, porque le gritó:

—Mañana por la tarde llegaremos a Auldearn, Anna.

Ella se volvió y le dirigió una mirada inquisitiva, preguntándose a qué vendría aquello.

—Sí.

—Si tienes intención de ir en serio con el compromiso de boda, tal vez sería mejor que lo dejaras tranquilo.

Dudó al oír la verdad en palabras de su propio hermano. Pero no podía hacerlo. Las acciones de ese hombre habían despertado todos sus instintos de protección. Tenía que agradecérselo, aunque los demás no lo hicieran.

Lo encontró a orillas del lago, sentado en una roca plana, después de haber tomado un baño. Tenía el cabello mojado y vestía una simple camisola de lino con una túnica y las polainas de cuero. Estaba inclinado sobre su peto, aplicándole aceite con un trapo, y su expresión, vista de perfil, era más sombría que nunca. Aunque resultaba obvio que la había oído llegar, Arthur no se dio la vuelta. Una vez que estuvo más cerca, Anna distinguió lo que limpiaba y el mundo se le vino encima.

«Sangre.»

Se apresuró hacia él sin pensarlo, se arrodilló y le puso una mano en el brazo.

—Estáis herido.

Cuando alzó la vista para mirarla, la luna iluminó su rostro.

—No es mía —dijo.

Una sensación de alivio se expandió por todo su ser. Suspiró profundamente. Aunque su rostro permanecía impasible, percibió una extraña emoción en su voz. Prácticamente sonaba como si estuviera arrepentido. Como si la muerte de uno de sus enemigos fuera algo que le perturbara. Tal vez para los guerreros matar no fuera tan fácil como ella imaginaba. En cualquier caso no para él. Eso lo hacía más humano en cierto sentido. Más vulnerable. ¿Sir Arthur Campbell vulnerable? Ese pensamiento la habría hecho reír solo un par de semanas antes.

—No teníais otra alternativa —dijo Anna con ternura.

Arthur le mantuvo la mirada por un momento y después la dirigió hacia la mano que tocaba su brazo. Anna sintió inmediatamente la intimidad de esa cálida y rígida piel que apretaba con sus dedos y se apresuró a retirarla. Pero eso no contuvo la necesidad de acurrucarse junto a él y reposar la mejilla contra el amplio escudo protector de su pecho.

Arthur volvió a la tarea de sacar las manchas incrustadas entre las pequeñas piezas de metal. Anna se sentó junto a él en una roca más baja y lo observó en silencio durante varios minutos.

—¿Por qué estáis aquí, Anna?

—Quería agradeceros lo que habéis hecho hoy.

Arthur se encogió levemente de hombros, sin levantar la mirada de su tarea.

—No hice más que mi trabajo. Para eso estoy aquí.

Anna se mordió el labio al recordar lo furiosa que le puso su intromisión y el escepticismo con el que acogió sus razones para acompañarles.

—Al parecer teníais razón —admitió—. Os agradezco que nos hayáis acompañado en el viaje. Todos lo agradecemos —dijo frunciendo el gesto con irritación—. Aunque algunos tengan una extraña forma de demostrarlo.

Los hombros de Arthur se tensaron casi imperceptiblemente.

—¿Qué es lo que dicen?

—Que sentisteis a los jinetes antes de que fuera posible hacerlo.

Arthur enarcó una ceja, divertido con su intento de suavizar el golpe.

—Seguro que dijeron algo más que eso.

Las supersticiones de sus compañeros de clan sonrojaron las mejillas de Anna.

—Es cierto, ¿verdad? Es como aquello que pasó con los lobos y cuando tropecé en el acantilado. Podéis ver las cosas antes de que sucedan.

Anna le suplicó con los ojos que no mintiera. Otra vez no. Él se quedó callado durante tanto tiempo que pensó que no le contestaría.

—No es del todo así —dijo finalmente—. Es más como un presentimiento. Mis sentidos están más afinados de lo normal. Eso es todo.

—¿Afinados? —repitió ella—. Son extraordinarios. —Su alabanza no pareció sino incomodarle más—. No entiendo cómo el resto de los hombres no es capaz de comprenderlo. Nos salvasteis a todos.

—Dejadlo estar, Anna. No tiene importancia —dijo mirándola con gesto severo.

Parecía decirlo en serio, algo que más que atenuar sus facultades las resaltaba.

—¿Cómo podéis decir eso? ¿Es que no os molesta? Tendrían que agradeceros lo que habéis hecho y alabar vuestras extraordinarias habilidades, en lugar de actuar como niños que tuvieran miedo de encontrar un trasgo en la cama o fantasmas dentro del armario.

La indignación que Anna sentía por el trato que le dispensaban no encontraba el aprecio esperado. Una vez más le pareció que esa conversación le incomodaba.

Arthur la miró con dureza.

—No es algo que me moleste y tampoco necesito que hagáis las cosas más difíciles abogando por mi causa. No quiero que mencionéis nada acerca de lo que creyeron ver. Dejadlo pasar y caerá en el olvido. Insistid y lo empeoraréis.

Hablaba desde la experiencia.

Anna tuvo que apretar los labios para no discutir. Aquello no estaba bien y la injusticia que conllevaba hacía aflorar todo su instinto de protección.

Le molestaba. Había de hacerlo, por más que se mostrara despreocupado. Que estuviera tan acostumbrado a esa sutil crueldad de la gente y que la diera por sentada hacía de ello algo más duro. Se le encogía el corazón. ¿Cuántas veces lo habrían rechazado o repudiado para que se convirtiera en una persona tan insensible e indiferente? ¿Sería eso lo que lo alejaba de los demás? Todo su distanciamiento e individualismo le parecieron de repente una máscara para su soledad. Llevaba tanto tiempo solo que había llegado a convencerse de que le gustaba. Su corazón se compadecía de él. Era tan afortunada de tener a su familia… Odiaba pensar que una persona pudiera estar solo.

—¿Anna? —dijo él buscando sus ojos a la luz de la luna. ¿Habría adivinado la dirección que tomaban sus pensamientos?—. Prometedme que no diréis nada.

Anna puso mala cara, pero asintió. Él se levantó y tras pasarse el ceñido peto por la cabeza se vistió con un tabardo limpio y se afanó en la sujeción de sus numerosas armas. Observar cómo se vestía era un acto que rebosaba intimidad, pero a Anna no le avergonzaba hacerlo. Al contrario, le parecía más bien natural. Como si pudiera pasar todos los días de su vida viendo cómo él se preparaba para la guerra. Aquel pensamiento tendría que haberla horrorizado, pero, en lugar de eso, se vio invadida por una intensa sensación de anhelo, de añoranza por algo que se le escapaba de las manos. Hacía que se planteara su futuro y pensara que tal vez él no fuera el hombre equivocado, sino exactamente el adecuado para ella. Un guerrero estable. Eso parecía algo contradictorio. Pero tal vez fuera ella quien se equivocaba de cabo a rabo.

—¿Qué haréis cuando acabe la guerra? —preguntó.

Se preguntaba si no habría pensado en hacer algo con sus dibujos, tal vez. ¿O estaría simplemente esperando a la siguiente guerra para luchar en ella?

La pregunta le cogió desprevenido. Arthur estaba ciñéndose la espada y la dejó a medias. Lo cierto era que no había dedicado mucho tiempo a pensarlo. Hacía muchos años que la guerra consumía su vida. Luchar era para lo único que servía. Primero junto a su hermano Neil y luego como miembro de la Guardia de los Highlanders. Era un soldado profesional. Uno de los mejores del mundo. Era lo único que sabía hacer. Pero ¿era eso lo que él quería? ¿Lo habría elegido de tener la oportunidad? Una vez que hubiera justicia para su padre, que Bruce tuviera asegurado el trono, una vez cumplidos los objetivos... ¿qué haría entonces?

Tierras y una rica esposa serían su recompensa. Eso tendría que bastar. Pero al mirar a aquella mujer que lo acababa de defender tan fervientemente, que lo veía como alguien extraordinario en lugar de espeluznante, que tenía un corazón que no le cabía en el pecho, se preguntaba si realmente sería suficiente con eso. Al mirar esa carita respingona, bañada por la luz de la luna entre tenues sombras, sintió una extraña congoja. Saber que era algo imposible no le impedía seguir deseándola. Pero ya había mostrado demasiado de sí mismo. Estaba tan acostumbrado a mentir acerca de sus habilidades que le resultaba extraño oír la verdad en voz alta. Extraño, pero también consolador. Se había mantenido apartado del resto durante tanto tiempo que olvidaba lo que era tener conexión con alguien.

Estaba completamente loco.

Su única excusa era que ella le había cogido en un momento de debilidad. La sangre que limpiaba de su peto era la de los dos hombres que se había visto obligado a matar para defenderse.

«Protege tu identidad cueste lo que cueste. Protege la misión.»

Dios, a veces odiaba lo que tenía que hacer. Acabó de ajustarse el armamento antes de contestar.

—Yo diría que eso dependerá del resultado.

Incluso en ese claroscuro percibió que el rostro de Anna palidecía, pero se recobró con rapidez.

—No hay más que un resultado posible. No conocéis a mi padre. No perderá. —Arthur se puso tenso. Sabía eso mejor que nadie. Esa era la razón por la que estaba allí—. El rey Capucha y los rebeldes serán sometidos y llevados ante la justicia.

A pesar de que sonara como el mejor y más leal de los soldados del clan MacDougall, podía percibir la fragilidad que se escondía tras aquella bravata. Anna seguía aferrándose a unas ilusiones que empezaban a presentar fisuras. Pero estaba claro que era consciente de lo desesperado de su situación, o no estarían allí en ese momento.

—Y aun así acudís a Ross para trocaros por tropas adicionales.

Anna enderezó la espalda de pronto. Sus ojos brillaban con intensidad ante el resplandor de la luna.

—No se trata exactamente de eso.

Sí se trataba de eso. Y su trabajo era asegurarse de que no ocurriera.

No quería ser cruel, pero ella necesitaba afrontar la realidad. El péndulo se alejaba de los MacDougall. Bruce estaba ganando la guerra.

—¿Y qué pasará si fracasáis, Anna? ¿Qué pasará si Ross no está de acuerdo en mandar más hombres? Entonces ¿qué?

—Mi padre pensará algo. —Sonaba tan desesperada que, sin darse cuenta, estuvo a punto de acercarse hasta ella para consolarla—. ¿Por qué habláis de tal modo? —preguntó—. Habláis como un rebelde. ¿Por qué estáis aquí entonces, si no creéis en nuestra victoria?

Maldijo para sí. Tenía razón. Y pronto descubriría cuánta. Se le encogió el estómago al pensar en cómo le afectaría descubrir la verdad. Le gustaría poder suavizar el impacto de algún modo.

—Esa es justamente la razón por la que estoy aquí, Anna. Por creer en una causa. Por creer que ganará el bando adecuado. Pero las cosas no pasan siempre del modo en que uno piensa. No quiero veros sufrir. —Detuvo sus palabras y volvió a la cuestión original—. Para cuando la guerra acabe me han prometido tierras y otras recompensas. Eso debería bastar para mantenerme ocupado.

Anna inclinó un tanto la cabeza y una líneas blancas diminutas poblaron su entrecejo.

—¿Otras recompensas? ¿Qué tipo de recompensas? —Aunque él no le contestó, la respuesta pareció acudir a su cabeza de repente. Se sobresaltó al caer en la cuenta y su expresión de extrañeza desveló más de lo que quería—. ¿Una esposa? ¿Os han prometido una esposa? —Arthur asintió levemente, reconociéndolo—. ¿Quién?

Una de las mayores herederas de las Highlands occidentales, la hermana segunda de Lachlan MacRuairi, lady Christina, señora de las Islas.

—No lo sé —mintió Arthur—. Cuando acabe la guerra me encontrarán la esposa adecuada.

No era la primera vez que deseaba ser capaz de ocultar mejor sus emociones. El dolor que apreciaba en el rostro de Anna lo empujaba a hacer algo precipitado, como tomarla entre sus brazos y hacerle promesas que jamás podría cumplir.

—Ya veo —dijo ella con voz apocada—. ¿Y por qué no me lo contasteis?

Él la miró con detenimiento.

—¿Como hicisteis vos?

Anna se estremeció. Al parecer, había olvidado hacia dónde se dirigían. Pero él no lo había hecho. A cada paso que los acercaba a Auldearn y Ross, Arthur sentía crecer la inquietud en su interior. Sabía que tenía que hacer algo para evitar esa alianza, por la misión, según se decía a si mismo. Pero ¿qué?

Tal vez no tuviera que hacer nada en absoluto. Era posible que Ross simplemente se negara a retomar las conversaciones sobre el compromiso. Pero con solo mirar la dulce cara de Anna, Arthur fue consciente de que estaba soñando. Sir Hugh se quedaría con ella con los ojos cerrados. Apretó la mandíbula y le tendió la mano.

—Vamos, hemos de regresar. Se hace tarde y tenemos un largo día por delante.

Cuando Anna deslizó una mano sobre la de él una ola de calor invadió todo su ser. Se sentía... satisfecho. Como si no hubiera nada más natural que tener esa pequeña mano entre las suyas. Todos sus instintos clamaban por agarrarla y no dejarla escapar.

Pero en lugar de eso, permitió que sus dedos se desenlazaran. Caminaron en silencio hasta el campamento. Ya se habían dicho suficiente. Tal vez demasiado.

14

—¿Le pasa algo a vuestra comida?

La voz de sir Hugh sacó a Anna de sus ensoñaciones. ¿Cuánto tiempo llevaba mirando su escudilla como una boba y quitándole la miga al pan poco a poco, sin decir palabra? Intentó cubrir su metedura de pata con una sonrisa al tiempo que la vergüenza se revelaba sus mejillas en forma de rubor.

—No, está deliciosa. —Para dar fe de ello se metió un trozo de ternera en la boca y fingió deleitarse. Una vez lo hubo masticado pidió disculpas—. Me temo que todavía estoy cansada por el viaje y no soy una buena compañía.

Hacía dos noches que habían llegado a Auldearn. El último día de marcha fue agotador, pero afortunadamente sin incidentes. Si esperaba en su fuero interno otra oportunidad para hablar con sir Arthur antes de que llegaran, tuvo que llevarse una decepción. No era que él la hubiera evitado, pero tampoco la había buscado.

Algo cambió aquella noche en el lago, al menos para Anna. Arthur le había ofrecido una parte de su ser que parecía no revelar a menudo, una parte de él que tal vez la necesitara. Y lo más importante: no la había espantado. ¿Y por qué no lo había hecho? Todo habría resultado más sencillo. Anna luchó por reprimir la cálida inflamación que acudía a sus ojos y su garganta en tanto que la miseria se apoderaba de ella. Eso era lo que le faltaba, ponerse a llorar en medio de la comida como si fuera una doncella medio loca y enferma de amor. Seguro que así impresionaría a sir Hugh.

Aunque era joven, apenas veintitrés años, sir Hugh Ross era un hombre cuya grandeza, prestancia y decidido atractivo se reflejaban desde el tabique de su perfectamente torneada nariz patricia hasta la punta de su afilada y corta barbilla. Pero el orgulloso caballero parecía mucho mayor. Prácticamente parecía controlarse en demasía, con tanta serenidad y tanto control sobre sí mismo y esa arrogancia de príncipe, algo que tampoco estaba muy lejos de la verdad, dado el rango que ostentaba entre la nobleza escocesa. Rígido, sin sentido del humor, con ese aspecto frío y despiadado tan propio de los hombres de su época.

Sir Hugh le dirigió una sonrisa de comprensión que no mejoró en modo alguno la severidad de su semblante.

—Por supuesto, después de cabalgar a tal paso y estar a punto de tener un encontronazo con un grupo de rebeldes, es algo previsible. —Su rostro adoptó un aspecto sombrío—. Tendría que despellejar a Bruce con sus propias espuelas por hacerse líder de esa banda de piratas desalmados —añadió, volviendo su acerada mirada sobre ella—. Fuisteis muy afortunados de recibir aviso a tiempo de escapar —dijo mesándose la barba mientras la observaba. Anna no podía apartar los ojos de sus grandes y huesudas manos, unas manos que podrían aplastar o asesinar con la facilidad con que las suyas rompían una ramita—. Fue sir Arthur Campbell, ¿no es cierto? El hermano pequeño del rebelde Neil Campbell.

Anna asintió, incomodada con su propia timidez. El nerviosismo que sentía en presencia de sir Hugh, el cual fue la causa primera de que rechazara el compromiso, no hacía más que agravarse desde su llegada. Sonreír y contestar a sus educados intentos de conversación se convertía en toda una batalla. La observaba como si pudiera leer sus pensamientos. ¿Se habría delatado? Ella no había mirado en dirección a sir Arthur desde que llegaron. Al menos creía no haberlo hecho. Pero estaba más que segura de que él sí la había estado observando. Lo cual, probablemente, explicaba parte de su inquietud. Seducir a un hombre bajo la fulminante mirada de otro no era tarea fácil. Pero tenía que hacerse. Aunque no le gustara la idea. Y la idea no le gustaba en absoluto. Los días pasados se habían encargado de dejarlo claro. Temía pensar demasiado en lo que sentía por Arthur por miedo a lo que descubriría.

—Tuvimos mucha fortuna —comentó al percatarse de que sir Hugh esperaba que dijera algo.

Anna no sabía qué le sucedía. Jamás tuvo ese tipo de problemas en la conversación con nadie. Procuraba controlar el temblor de sus manos, pero le inquietaba tanto la intensidad de su mirada que tiró el trozo de pan que tenía en la mano. Cayó sobre la mesa, junto a su copa y al intentar recogerlo al mismo tiempo que Hugh Ross sus manos se tocaron. Antes de que le diera tiempo a retirar la suya, sir Hugh la cubrió con sus dedos. Su pulso se aceleró hasta embarcarla en una sensación cercana al pánico. Su corazón revoloteaba en su interior como si se tratara de un pajarillo enjaulado.

—Estáis nerviosa —dijo soltándole la mano y devolviéndole el pan.

Le ardían las mejillas.

—No tenéis nada que temer, lady Anna —dijo visiblemente divertido—. Soy bastante inofensivo. —Ella debió de poner cara de no creérselo en absoluto, pues él añadió—: Bueno, puede que no completamente.

Esa inesperada muestra de humor la hizo sonreír y por primera vez sintió que se empezaba a relajar. Lo miró de medio lado, protegida bajo sus largas pestañas.

— Bueno, milord, es que vuestra persona es... ciertamente imponente.

—Lo tomaré como un cumplido, aunque no creo que fuera esa vuestra intención —dijo entre risas, para después acercarse más a ella y susurrar—: ¿Qué os parece si me esfuerzo por ser imponente con todos menos con vos? Con vos seré de lo más inofensivo. Será nuestro secreto.

Anna, incapaz de resistirse a su encanto, sonrió hasta que se le marcaron los hoyuelos. ¿Sir Hugh Ross encantador? Jamás lo habría creído. ¿Acaso el malhumorado noble ocultaba más de lo que Anna conocía?

—Creo que eso me gustaría, milord —dijo sintiendo que volvía a ella una pizca de su atrevimiento—. Tal vez ayudaría que sonrieseis más —añadió alzando la vista para mirarlo.

Sí, cuando sonreía no parecía intimidar tanto.

Sir Hugh esbozó entonces una amplia sonrisa y buscó sus ojos con la mirada.

—Pues entonces lo haré —replicó. Hizo una pausa en su discurso y Anna observó cómo se entretenía en trazar el relieve del pie de la copa, interrumpiéndose de un modo casi sensual que la devolvió a su estado de inquietud—. Estoy muy contento de que hayáis decidido viajar hasta el norte, lady Anna.

Cada vez estaba más colorada. No se le escapaba el significado de sus palabras. Estaba dispuesto a renovar las conversaciones en torno al compromiso. Sabía que debía sentirse aliviada. Para eso había ido hasta allí. Podría ayudar a salvar a su familia. Entonces ¿por qué notaba como si una estaca se alojara en su pecho?

Asintió con tibieza, incapaz de encontrarse con su mirada de repente, temiendo que desvelaría demasiado. El pecho se le acongojaba al percatarse de que el lazo de su futuro cada vez se anudaba con más fuerza. Sus sentimientos personales no importaban. Debería contentarse con saber que había puesto su granito de arena para ayudar a la familia. Eso sería recompensa suficiente, ¿verdad?

Ross se volvió e hizo señas a una sirvienta que pasaba para que rellenara sus copas. Anna volvió la vista inconscientemente hacia Arthur. Sabía dónde estaba sin necesidad de mirarlo. Parecía atravesar toda la sala con el calor de su ira. Sus miradas se encontraron solo durante un instante, pero fue tiempo suficiente para que la fuerza de su ira resonara como el rugido de un herrero en la fragua. Por lo general, contenía tanto sus emociones que Anna se preguntaba si realmente existirían. Pero eso se acabó. Jamás lo había visto tan fiero y salvaje. Parecía un hombre cuya contención pendía de un fino hilo.

Se volvió, sobrecogida por la emoción que la embargaba. Desafortunadamente no volvió la vista con suficiente rapidez y sir Hugh apreció parte del intercambio. Notó cómo se ponía en guardia y entornaba los ojos mirando a sir Arthur.

—Campbell no parece demasiado feliz con nuestro arreglo. No me gusta la forma en que os mira —dijo volviendo la mirada hacia ella y enarcando una ceja de tal modo que resultaba cualquier cosa menos casual—. ¿Hay algo que debería saber, lady Anna?

Maldijo a Arthur por su imprudencia. Lo arruinaría todo. ¿Y para qué? Ya había tenido oportunidades más que suficientes para mostrar sus sentimientos, si es que albergaba algunos. Y ahora no le quedaba opción. Su padre contaba con ella.

Aun así dudaba. Esa sería su última oportunidad para echarse atrás. Su corazón tiraba en una dirección, y el deber y su familia tiraban de la otra. Anna recordó la conversación mantenida con sir Arthur. Oírle hablar de perder la guerra la había hecho temblar. Inspiró profundamente y se desembarazó de todas las dudas. Sus sentimientos personales no importaban. Tenía que hacerlo. Cuando Bruce llegara, tendrían muchas más posibilidades con Ross y sus hombres a su lado.

Negó con la cabeza.

—No, no hay nada que deberíais saber.

La certeza de su voz pareció convencer a sir Hugh. Asintió.

—Bien —dijo tendiéndole la mano—. Venid, hay algo que me gustaría mostraros y creo que hay ciertas cosas que deberíamos discutir.

Anna ignoró el dolor que le oprimía el corazón y sonrió, si bien trémulamente. Sin ninguna mirada más, dio la mano a Ross y le permitió que la sacara del gran salón con su futuro ya más que decidido.

Eso era lo que se sentía cuando uno perdía el control. Eso era lo que se sentía cuando alguien quería algo con tantas ganas que mataría por conseguirlo. No por el bien o el mal, ni por estar en el campo de batalla, sino por la pura satisfacción de ver a otro hombre atravesado por la punta de su acero.

Arthur quería matar a Hugh Ross. Le entraban ganas de

matarlo solo por la forma en que miraba a Anna. Por los pensamientos lujuriosos que de seguro recorrían la mente de aquel hijo de perra. Arthur no creía ser capaz de contenerse en caso de que la mirada de Ross se detuviera de nuevo sobre sus pechos. Le asestaría un lanzazo en el entrecejo desde el otro lado de la estancia. Podría hacerlo con los ojos cerrados. Quedarse apartado durante los últimos dos días, obligado a contemplar cómo otro hombre cortejaba a esa mujer que, supuestamente, no significaba nada para él era como un lento y agonizante descenso a la locura. Arthur libraba una batalla perdida. Sus intentos de permanecer indiferente, de centrarse en la misión, no funcionaban. Todos esos años de entrenamientos y experiencia en la batalla no le habían preparado para aquello. Ver a Anna y a Hugh Ross juntos estaba haciéndole pedazos. Pero esa noche había sido la gota que colmaba el vaso. Cuando vio a Ross acariciarle la mano, Arthur estuvo a punto de salir hacia allí hecho una furia y partirle todos los dientes de un puñetazo. Al diablo con el subterfugio. Se estaban riendo, maldita fuera. Riendo.

Había querido convencerse de que ella no sería capaz de pasar por eso. No sería porque Anna no se hubiera mostrado cauta respecto al insigne caballero durante los últimos dos días, precisamente. Pero Arthur había subestimado su resolución, y también el encanto de sir Hugh. Cuando se acercó para susurrarle al oído tuvo que apretar los puños. No fue hasta que bajó la vista y se percató de la palidez de sus nudillos que se dio cuenta de lo fuerte que tenía aferrada la copa. Fue toda una suerte que fuera de madera; de otro modo, la habría destrozado.

Maldijo, consciente de que debía hacer algo. Tenía que pensar en su misión. Sir Hugh no perdía el tiempo, y no es que pudiera culparlo. Si Arthur no hacía nada para impedir aquella alianza, sería demasiado tarde. Se bebió el contenido de la copa. El *uisge-beatha* de color ambarino hizo que le ardiera la garganta, pero no calmó en absoluto la intranquilidad que bullía en su interior.

—¿Qué diablos os pasa, Campbell? Parece que queráis matar a alguien —dijo Alan MacDougall mirando de soslayo al estrado. Sabía perfectamente a quién quería matar Arthur. Se acercó para hablarle—. Tened cuidado. Creo que nuestro anfitrión ha advertido vuestro interés por mi hermana.

Arthur se ahorró la vergüenza de negarlo. Alan MacDougall podía ser hijo de un déspota despiadado, pero no era ningún idiota.

—¿Y habéis venido para ordenar que me retire de la pugna?

El guerrero mayor, demasiado experimentado para delatarse por la expresión de su rostro, lo miró con impasibilidad.

—¿Queréis que lo haga?

Arthur contrajo la mandíbula y apretó los dientes.

—Deberíais —dijo en un raro momento de franqueza.

No haría más que arruinar su vida. Si él fuera su hermano, ordenaría que lo mandaran al infierno directamente y luego se iría él mismo detrás. Pero si Alan pensó que había algo extraño en su respuesta desde luego no lo exteriorizó. En lugar de ello, sonrió con ironía.

—Me parece que es demasiado tarde para eso.

Arthur apartó la vista de sir Hugh y de Anna el tiempo suficiente para mirar a Alan aviesamente. No tenía idea de lo que Alan creía saber, pero se equivocaba. ¿O no?

Diantres, ya no lo sabía. Su misión. Celos. Su intensa atracción por la muchacha. Todo ello se mezclaba creando un caos absoluto. Volvió a beber de un trago el contenido de la copa.

Alan observó cómo lo hacía con una expresión divertida.

—Creía que no bebías whisky.

—No bebo —dijo Arthur, e hizo señas a la sirvienta para que le llenara la copa.

Alan había estado observándolo con más atención de la que pensaba. Aquello le habría preocupado de no ser porque algo le hizo volver su atención hacia el estrado. Todos sus músculos se pusieron rígidos cuando vio que Anna deslizaba su mano sobre la de Ross. La ira recorría todo su cuerpo al tiempo que aquel hombre se inclinaba para hablar brevemente con su padre momentos antes de acompañarla al exterior del salón. Justo antes de que Hugh pasara por la puerta miró hacia Arthur. El tono socarrón de su mirada hizo que se le helara la sangre. Una sensación extrañamente cercana al pánico ascendía por su pecho, algo ridículo por completo. Era un guerrero de élite. Distante. Controlado. Puede que su corazón latiera muy deprisa y que no pensara con claridad, pero era incuestionable que aquello no podía ser pánico.

Pero ¿dónde demonios creía que iba? Ross, ese hijo de puta lascivo, estaba obviamente ansioso por el compromiso. ¿Quién sabía de qué sería capaz para asegurarlo? ¿Acaso Anna no se percataba de lo que pasaría en cuanto estuvieran a solas? La mente de Arthur volvió a los barracones al instante.

«Por todos los diablos.»

Consiguió resistirse durante unos treinta segundos hasta que ya no pudo aguantarlo más. Se levantó para marcharse, pero Alan lo detuvo moviendo su pierna por el borde de la mesa y cerrándole el paso. No era ningún accidente. Al principio Arthur creía que quería detenerlo, pero para sorpresa suya el guerrero mayor retiró la pierna lentamente y le dejó pasar, no sin antes hacerle una advertencia.

—Si le hacéis daño a mi hermana, Campbell, tendré que mataros.

A pesar de que hablara con tanta calma como si informara del tiempo, Arthur era consciente de que lo decía muy en serio. Qué diablos, si Alan no fuera su enemigo y el hijo de un déspota, puede que incluso le cayera bien. Arthur lo miró a los ojos y asintió, con la sospecha de que Alan MacDougall no sería capaz de mantener su promesa. Poner fin al compromiso y detener la alianza, haciéndole daño a Anna en el proceso, se había convertido en algo inevitable.

Anna esperaba que sir Hugh la llevara afuera para pasear por el *barmkin,* pero en lugar de eso la hizo entrar por el pasillo hasta la torre del homenaje. El castillo real de Auldearn había sido construido unos cien años antes por encargo de Guillermo el León. Su torre del homenaje y el gran salón contiguo se erguían en lo alto de un enorme castro circular rodeado por un vallado de madera. El muro de piedra que rodeaba el patio de armas que había debajo proporcionaba un nivel más de defensa. El pasillo iluminado por las antorchas parecía silencioso en comparación con el bullicio del gran salón. Anna se inquietó al ser consciente de que no había nadie más alrededor. Aunque los últimos rayos de sol todavía reverberaban sobre el horizonte, la torre de piedra estaba ya a oscuras. Tampoco la luz centelleante de las antorchas alineadas en los muros le daba más tranquilidad.

—¿A-adónde vamos? —preguntó, avergonzada por el temblor de su voz.

Sir Hugh le dirigió una enigmática sonrisa que hizo que Anna se preguntara si sabría la impresión que causaba en ella.

—Ya casi hemos llegado.

Se detuvo frente a la puerta de la cámara privada del conde. Una vez abierta, a Anna le alivió comprobar que la estancia estaba bien iluminada por el candelero de hierro circular que pendía del techo. Desafortunadamente, Hugh la llevó hasta otra puerta que había cruzando la sala, con lo que Anna se percató de que aquel no era su destino final. La segunda habitación estaba a oscuras. Anna se quedó en la cámara hasta que sir Hugh encendió unas velas. Entonces quedó sobrecogida.

Anna se olvidó de su nerviosismo. Se apresuró a entrar en la minúscula habitación, no mucho mayor que una alacena, y miró con sorpresa a su alrededor. El centro de la sala estaba presidido por una mesa y un banco, pero lo que colmaba su asombro era lo que había sobre las paredes. Estantes y más estantes llenos de gruesos pliegos de cuero, algunos de ellos recubiertos de oro y otros con joyas incrustadas. Un tesoro oculto. Más libros de los que había visto en su vida en un solo espacio.

Sir Hugh observó en qué modo la maravilla y la incredulidad transformaban su rostro.

—Pensé que esto podría interesaros.

Anna dio una palmada de puro placer; sus dedos estaban impacientes por explorar los títulos. ¡Por Dios bendito, si parecían cuatro volúmenes de Chrétien de Troyes!

—Es magnífico —dijo volviéndose hacia él—. ¿Cómo lo sabíais?

Hugh Ross encogió de hombros.

—En cierta ocasión mencionasteis que disfrutabais de la lectura.

Anna inclinó la cabeza y lo miró. Una vez más sentía como si lo hubiera juzgado mal.

—¿Y os acordabais?

Sir Hugh no respondió, pero la miró de tal forma que un hormigueo de inquietud le recorrió la espalda. La deseaba. De repente aquella minúscula habitación le pareció una trampa a Anna. Miró hacia la puerta, pero ya fuera intencionadamente o no, él se había colocado frente a ella cortándole el paso.

—¿Por qué me habéis traído aquí? —preguntó.

Sir Hugh dio un paso adelante y sus ojos brillaron de manera peligrosa entre las penumbras. La tomó de la barbilla y la obligó a mirar en su dirección. El pulso se le aceleró del pánico. Tal vez fuera unos cinco centímetros más bajo que sir Arthur, pero en cierto modo su tamaño le parecía amenazador. Anna tuvo que reunir todo el valor con el que contaba para no salir corriendo.

—Quería mostraros lo que tendréis cuando seáis mi esposa. Esta sala estará a vuestra disposición. Seréis una de las damas más importantes del reino. Para eso habéis venido, lady Anna. ¿No es así? Para reanudar las conversaciones sobre nuestro compromiso.

—Sí —susurró ella, intentando controlar el temblor de su voz.

Hugh clavó la mirada en sus ojos, desafiándola.

—¿Es eso lo que queréis realmente?

El corazón le latía con furia. Tuvo que obligarse a asentir.

—Sí.

—Entonces probadlo —pidió. Ella parpadeó de manera inquisitiva—. Besadme.

Anna abrió los ojos de par en par por la sorpresa.

Luchaba por saber qué decir. Pero, por el amor de Dios, no podía. Y él lo sabía. Endureció la mirada.

—¿Estáis jugando conmigo, lady Anna? Os aseguro que no tengo ningún deseo de ser el cornudo de otro hombre. Recordad que sois vos quien acudís a mí en esta ocasión. —Sir Hugh le puso un dedo en el labio inferior y Anna contuvo el aliento, paralizada por el miedo—. Decidid lo que queréis antes de hacer algo que no pueda ser deshecho. Una vez estemos comprometidos, os aseguro que no toleraré tales tonterías.

Las mejillas de Anna se arrebolaron, avergonzada por lo ciertas que eran sus acusaciones. Se sacudió el miedo intentando recordar por qué había ido hasta allí, intentando recordar lo importante que era conseguir esa alianza para ella. No podían dejar escapar esa oportunidad. ¿Por qué se comportaba como una estúpida? Solo se trataba de un beso.

—Milord, lo sien…

Al ver que él le soltaba la barbilla, Anna suspiró mostrando mayor alivio del debido.

—Hemos de regresar al salón —dijo Ross fría y secamente—. Vuestro hermano se estará preguntando adónde os he llevado.

Anna asintió, sintiendo su impotencia, consciente de lo que debía hacer, pero incapaz de pronunciar las palabras. ¡Que el diablo se llevara a Arthur Campbell por lo que estaba haciendo con ella! Por confundirla. Ella estaba preparada para llevarlo a cabo antes de que él volviera a aparecer.

—Si no os importa, mi señor, estoy cansada y preferiría retirarme a mis aposentos.

Sir Hugh asintió.

—No hay prisa. ¿Queréis tomar un libro prestado, tal vez? —Lo miró a los ojos, consciente de que intentaba tentarla—. Podemos hablar sobre eso mañana.

Hugh Ross dio media vuelta para marcharse, pero algo lo hizo cambiar de idea. Antes de que ella pudiera percatarse de lo que se disponía a hacer, ya la había atraído hacia sí y la estaba besando. Anna se quedó paralizada, demasiado sorprendida para resistirse.

Sus labios eran fríos y duros, en consonancia con su persona. Acertó a distinguir un leve aroma a vino, pero antes de que pudiera descubrir algo más ya había acabado todo. Sir Hugh bajó la vista y sonrió al ver la cara de sorpresa que Anna había puesto.

—Tenéis toda la noche para decidir. Pero si queréis que el compromiso siga adelante, espero que me deis una respuesta mañana. Una que sea algo más entusiasta que esta.

Ross no se hacía una idea de lo cerca que estaba de la muerte. Arthur apretaba la daga en su mano, intentando controlar la sed de sangre que recorría sus arterias con cada uno de los músculos. Todo cuanto tenía que hacer era dar un par de pasos, salir de su escondrijo tras las sombras del hueco de la puerta y hundir su hoja en lo más profundo de las entrañas de aquel hijo de perra.

La había besado. La había tomado entre sus brazos y había pegado su boca a la de ella. Algo se rompió en su interior. Todos sus instintos le decían que tenía que salir de allí y matar al hombre que se atrevía a tocar aquello que le pertenecía. Pero algo detuvo su mano en el último momento. Matar a Ross pondría fin a su misión. Se vería obligado a huir, acabando así con su oportunidad de destruir a Lorn. Tuvo que aferrarse al mínimo de control que le quedaba para no moverse, pero dejó que Ross saliera de la habitación. Le dejó vivir. Por esa vez.

Sin embargo, Anna no escaparía a su ira tan fácilmente. Se aseguraría de que no hubiera más que una respuesta a la mañana siguiente. El compromiso que ella había planeado estaba a punto de llegar a un final irrevocable.

Anna siguió los pasos de Ross apenas se hubieron desvanecido sus pisadas. En cuanto llegó a la puerta, Arthur salió de entre las sombras y le cerró el avance.

Ella se quedó sin aliento. Todo el miedo que pudiera sentir pronto desapareció para dar paso al destello de ira que incendiaba su mirada.

—¿Cómo os atrevéis a espiarme? —exclamó. Intentó apartarlo de su camino, pero él inmovilizó sus muñecas con una mano—. Dejadme marchar. No tenéis ningún derecho.

Volvió a meterla en la habitación y cerró la puerta tras él.

—Tengo todo el derecho —dijo Arthur con furia—. No os casaréis con él.

Advirtió el rubor de sus mejillas a la luz de las velas. Su busto, esos increíbles pechos, tan grandes que no podía dejar de soñar con ellos, se henchían con una indignación justificada. Anna alzó el dulce rostro con su adorable y testaruda barbilla hacia él.

—Sí lo haré.

No le gustaba ese tono en absoluto. Ni una pizca. Entornó los ojos.

—Ni tan siquiera podíais besarle —dijo acercándose más a ella y aspirando la sensual calidez de su furia—. ¿Cómo pensáis que será entonces acostarse con él?

La indignación de Anna se tradujo en un áspero gemido. A Arthur no le cabía la menor duda de que le habría clavado una daga entre las costillas de haber contado con una. Pero su lengua era igual de efectiva destripándolo.

—Supongo que llegaré a acostumbrarme. Es posible que incluso disfrute. Sir Hugh es un hombre muy apuesto. Y parece bastante decidido, ¿no creéis? —dijo provocándole con la mirada, desafiándolo, volviéndolo loco—. Si se parece en algo a ese beso imagino que llegaré a disfrutar de ello bastante.

La agarró por el brazo.

—Parad —dijo agitándola ante sí—. Parad.

Le parecía estar a punto de explotar. Sus provocadoras palabras exaltaban al máximo aquellos sentimientos contenidos durante tanto tiempo. Unos sentimientos que Arthur no quería reconocer. Unos sentimientos que no podía permitir que aflorasen. La cabeza le daba vueltas. Le quemaba el pecho. Dios, dolía. Tenía que hacerla parar.

—¿Por qué? —preguntó Anna acercándose más a él. Arthur sintió sus pezones rozándole el pecho y tuvo que sacudirse realmente, pues todo el control con el que contaba su cuerpo pendía de un hilo. El calor tiraba de él hacia un vórtice de lujuria y deseo. Quería aplastarla contra sí. Besarla. Poseerla hasta dejarla sin sentido. Hacerla gritar su nombre y ninguno más que el suyo—. ¿Por qué habría de parar? Es la verdad. Sir Hugh se me antoja como un hombre que ve lo que quiere y no se detiene ante nada hasta que lo consigue.

Era consciente de que no hacía más que provocarlo, pero no le importaba. Arthur sabía perfectamente lo que quería, maldita fuera. A ella. Renegó, consciente de que la batalla estaba perdida. La tomó entre sus brazos y pegó su boca a la de ella, cediendo a esos poderosos impulsos que libraban una guerra en su interior. La besó como jamás antes había besado a mujer alguna. La besó con toda la pasión que acumulaba desde que la viera por primera vez. La besó para que no siguiera hablando. La besó para borrar las odiosas imágenes con las que había llenado su cabeza. La besó de modo tal que no pudiera volver a pensar en otro hombre en su vida.

No obstante, una vez que Anna se fundió ante él en una rendición silenciosa y abrió su dulce y pequeña boca para recibirlo con un suspiro y un gemido, Arthur no pensó más en misiones, alianzas, clanes enemigos o venganza. No. Todo en cuanto pensaba era en hacerla suya.

15

Anna sabía que se precipitaba y que estaba provocándolo, pero no le importaba. La ira no le dejaba ver más que su necesidad de arremeter contra él. Lo odiaba por entrometerse, por hacerla dudar, por interferir en sus planes. No quería otra cosa que proteger a su familia y mantener a salvo a las personas que amaba. Y cuando tenía la oportunidad de conseguirlo, Arthur Campbell se interponía en su camino.

La confundía. La desorientaba. Hacía que le tomara cariño y luego la apartaba de su lado. En un momento la salvaba y la protegía y al siguiente la ignoraba. Era un descastado, un hombre que se mantenía al margen y daba la impresión de no necesitar a nadie. Pero también era un hombre que estaba solo, alguien apartado por sus propios dones, obligado a vivir un tanto alejado de los demás.

¿La quería? ¿La necesitaba?

En cualquiera de los casos tendría que decidirse. El tiempo se agotaba para ambos. Era consciente de que estaba celoso, consciente de que había visto el beso que le dio sir Hugh, consciente de que luchaba por mantener el control. Así que lo provocó.

Lo deseaba con tantas ganas... A esa distancia de él lo único en que podía pensar era en su dulce olor. Y en que el aspecto desaliñado que le daba la oscura sombra de su barba lo hacía más apuesto si cabe. En lo alto que era. La envergadura de su pecho. Lo suave que se veían sus labios aunque estuvieran blancos de la ira. En que lo daría todo por que la tomara entre sus brazos y no la abandonara nunca. El dolor laceraba su pecho como un cuchillo. ¿Por qué no la quería? ¿Por qué se reprimía?

Eso fue lo que la llevó a provocarlo de manera temeraria, a la desesperada, con intención de herirle tanto como él la hería a ella. ¿Y qué si era mentira? ¿Y qué si se le helaba la sangre con solo imaginarse en la cama con otro hombre? ¿Disfrutar? Apenas podía dejar de temblar de miedo en presencia de sir Hugh.

Entonces él se desmoronó y Anna obtuvo su recompensa. Se encontró en sus brazos, con la boca de Arthur pegada a la suya, besándola con toda esa pasión y emoción con las que ella había soñado. Él la devoraba con la boca y la lengua, en tanto que ella gemía y se entregaba más y más a su beso, muriéndose por sentir cada pliegue de su piel. Deslizaba sus enormes manos sobre ella de modo posesivo. Las pasó por su espalda y después sobre las caderas, hasta que descendieron para agarrar su trasero. Entonces rugió de placer sobre su boca y la besó con más fuerza al tiempo que la acoplaba firmemente contra su cuerpo.

Las sensaciones se desataban en su interior en una acometida de calor resplandeciente.

Oh, Dios, aquello era perfecto. Su pecho contra el de él, las caderas ensambladas y la dura confirmación del deseo masculino introduciéndose entre sus piernas de una manera íntima. Era consciente de que el tamaño y el tacto tendrían que asombrarla, pero lo único que sentía era la excitación, una excitación que hacía que se le acelerara el corazón, su piel se ruborizara y sintiera cosquilleos por todo el cuerpo.

Estaban cubiertos el uno con el otro, pero aquello no bastaba. A cada delicioso roce de su lengua, a cada posesiva caricia de sus manos, crecía la inquietud en el interior de Anna. Contestó a su atrevimiento con más atrevimiento. Agarraba con firmeza los duros músculos de sus brazos, sus hombros y su espalda. Quería sentir cada centímetro de su cuerpo bajo los dedos, modelar sus músculos con las palmas de sus manos. Contener toda su fuerza bajo ellas.

Aquello la hacía sentir… embriagada de deseo. Era la primera vez en la vida que tenía una experiencia de tal calibre. Su cuerpo parecía resucitar. Reaccionaba a los estímulos de manera natural, como si supiera lo que estaba haciendo. Todo ocurría demasiado rápido para pensar. El deseo la había hecho su presa y no parecía dispuesto a soltarla.

La arrimaba a su cuerpo cada vez con más urgencia, restregando su virilidad contra la más femenina de sus partes. La hacía sentir extraña, con cosquilleos, caliente, anhelante. Pero no era suficiente. Ávida de fricción, sedienta por encontrar una conexión más profunda, describía círculos con sus caderas y se frotaba con esa gruesa columna de carne con más fuerza.

Arthur recorrió su cuello con la boca y la devoró con sus besos. Su barba de dos días hacía surcos en su piel en llamas. La habitación echaba humo y ardía de pasión. La agarró por la cintura y deslizó las manos hasta sus pechos. Anna jadeó y se pegó cuanto pudo a su miembro viril al tiempo que arqueaba la espalda buscando sus manos. Arthur murmuró algo parecido a una imprecación y rozó sus turgentes y anhelantes pezones con los pulgares mientras su boca se regalaba con la tierna piel que asomaba por encima del corpiño.

Estaba muy caliente. Se sentía débil. Lánguida y pesada. Parecía que sus piernas no contaran con fuerzas para sostenerla. Se desplomó sobre Arthur, quien la tiró de nuevo sobre la mesa para calmarla, y tal vez también para calmarse a sí mismo. Aquel caballero, que mostraba un control tan férreo sobre sí, parecía sufrir unos apuros igual de salvajes y frenéticos que los de ella.

Los oscuros y sedosos cabellos de Arthur se derramaron sobre su pecho. Anna, incapaz de resistirse, pasó los dedos entre esas suaves ondas y lo apretó contra sí con fuerza y ternura. La humedad de su boca traspasaba la tela del vestido para llegar hasta su pezón al tiempo que acariciaba sus pechos y los rodeaba con sus manos.

Pero no era suficiente.

Entonces su lengua pareció percibir esa frustración y se adentró bajo el corpiño. Un gritó escapó de los labios de

Anna ante tamaña perversión, ante el exquisito placer que sentía. Aquella boca estaba muy caliente. Le pasó la lengua de un lado a otro, hasta que pensó que ya no podría resistirlo más. Se retorció contra él suplicando para que desatara la vorágine que se formaba en su interior.

Por fin él le dio un tirón del vestido hasta casi romper la tela y lo abrió para liberar sus pechos. El frío aire sopló sobre su piel y provocó hormigueos allí donde la había besado.

—Jesús —exclamó Arthur, como si aquello doliera—. Sois increíblemente bella.

Probablemente oír su voz habría quebrado su estado de trance, pero Arthur cubrió su anhelante pezón con la boca y empezó a chuparlo antes de que Anna pudiera acogerse a ese momento de iluminación. Esa dulce y punzante sensación la hizo gritar. Era un placer tan agudo que se acercaba mucho al dolor. La atenazaba con los dientes, le daba lengüetazos y succionaba su cálida boca cada vez con más intensidad. El calor se extendió entre sus piernas en un torrente de humedad. Sentía cosquilleos en sus suaves carnes inflamadas.

La tenía aprisionada contra la mesa con las piernas abiertas. Montó una de ellas sobre su cadera al tiempo que se inclinaba para besarle el pecho. Los feroces latidos del corazón de Arthur atronaban contra su pecho, sus músculos se tensaban de la excitación y la cubrían con todo el peso de su cuerpo. Y Anna estaba caliente. Tan caliente que quemaba. Excitada hasta el punto de no retorno.

Arthur deslizó la mano bajo el vestido hasta hacer contacto con la piel. Suavizó el impacto acariciando el pezón pausadamente entre sus dientes. Entonces volvió a cubrir su boca con besos, y sus manos… ¡Cielo santo, estaba metiendo las manos entre sus muslos! Avergonzada, intentó cerrar las piernas. Pero él no se lo permitiría. Su boca la distraía con los largos y pausados movimientos de su lengua, al tiempo que él se adentraba en su humedad con los dedos. El cuerpo de Anna tembló al sentir el contacto. Sus protestas se disolvieron en una ola de alivio estremecedor. Aquello daba mucho gusto. Un placer sorprendente.

—Jesús, eres tan dulce...

Dejó de besarla y Anna se preguntó si habría hecho algo indebido, hasta que se percató de que era él quien estaba pasándolo mal, intentando contenerse, como si luchara por controlarse. Como si tocarla lo hubiera despojado de sus últimas reservas de contención. Como si muy pronto no pudiera controlarse. Se quedó mirándola a los ojos al tiempo que introducía su dedo en ella con un pequeño y firme empujoncito. Aquel era el momento erótico más perverso de su vida. Tomó aliento en un intento de estabilizar las sensaciones, pero estas se precipitaban sobre ella en rápidas oleadas que no daban tregua alguna. La acarició. Primero con círculos pequeños y suaves, después con más fuerza, más rápido, con impulsos profundos y frenéticos que parecían calcos de los besos que acababa de darle.

La sensación que se formaba en su interior era demasiado intensa. Demasiado poderosa para ser contenida. Se tensaba y replegaba en un endiablado remolino de necesidad. Su cara era una máscara de dolor. El sudor se acumulaba sobre sus cejas. Arthur la miraba a los ojos de modo oscuro y penetrante, agarrándola de tal forma que el corazón le estallaba de felicidad. Anna por fin veía la verdad en sus ojos, lo que intuía desde el principio. Esa conexión que había entre ellos era especial. Y también él la sentía.

No sabía lo que le estaba sucediendo, pero era perfecto. Cada una de sus caricias la llevaba hasta unos límites que era incapaz de comprender. Se retorcía de la frustración. Su cuerpo entero clamaba por...

—Relajaos, amor —susurró Arthur—. Quiero haceros volar.

El sonido aterciopelado de su voz se abrió paso a través de los últimos vestigios de su represión de doncella. Se quedó sin respiración hasta que le pareció que su cuerpo se haría pedazos del intenso placer que procuraban los agudos espasmos y tuvo que liberar todo el aire en un grito estremecedor. Era el momento más maravilloso de su vida, pero a medida que miraba el oscuro interior de esos ojos con motas doradas, supo que no era suficiente. Había satisfecho su pasión, pero su corazón todavía palpitaba por la necesidad de realizarse.

Quería una conexión más profunda. Quería sentirlo en su interior. Quería tenerlo todo de él. Para siempre.

«Le quiero.» Por supuesto. Estaba tan claro, era tan cierto, que se preguntaba cómo podría haber sido de otra manera. Guerrero. Caballero. Eso poco importaba. Porque en su corazón, Anna sabía que había encontrado al hombre con quien estaba destinada a compartir su vida.

Arthur ya no podía esperar más. La presión se acumulaba en la base de su columna como un puño caliente y conectaba con la vibrante punta de una verga que pedía alivio, que la tocara, que atendiera a sus agudos gritos y jadeos de placer y sintiera cómo su cuerpo se derretía y se estremecía al rodearla con la mano. Apretó los dientes intentando refrenarse, consciente de que estaba a punto de correrse como no lo había hecho antes en la vida.

Jesús, qué belleza más embriagadora: cabellos dorados como la miel que se dispersaban tras su cabeza y resplandecían ante la luz de las velas; ojos aturdidos e inflamados por la pasión; un pecho de formas perfectas, grande y suave, que salía de su corpiño mostrando un pequeño y erizado pezón enrojecido por sus mordiscos.

Tenía el aspecto de una golfa que clamaba al cielo para que se la metieran. «Y esta golfa es mía. Toda mía.».

«Jesús», repitió para sí a medio camino entre la plegaria y la imprecación. Jamás antes se había sentido de tal modo. El deseo lo consumía.

—Arthur —gimoteó ella—. Os lo ruego.

La brutal desesperación de su voz fue el último hilo del que necesitaba tirar. No podía esperar más para introducirse en ella. Prácticamente rompió la hebilla y las ligaduras de sus calzas y calzones para liberar su hinchada verga. Pero sacarla de su confinamiento para que le diera el aire no servía de gran alivio. La única cosa que le serviría para aplacar el dolor en ese momento era estar dentro de ella. Levantó una de sus flexibles y sedosas piernas de formas perfectas, la pasó por detrás de su cadera y se colocó ante aquella abertura cálida y deliciosamente húmeda. La próxima vez se tomaría su tiempo en saborearla, meterle la lengua y hacer que se corriera sobre su boca.

No dejó de mirarla en ningún momento. No se atrevía a apartar la vista de ella por miedo a que se perdiera la poderosa conexión que se había producido entre ambos. Tendría que haber sentido al menos la sombra de una duda, tener la sensación de que aquello que hacía estaba mal. El honor era importante para él, a pesar de que el código de caballería no lo fuera. Pero no sentía nada de eso. Lo único en que pensaba era que no podía perderla, que tenía que hacerla suya, que si era capaz de hacer eso, todo lo demás saldría bien. Cuando la sensible cabeza de su verga se encontró con el húmedo calor de su oquedad, Arthur exhaló un profundo sonido gutural de puro placer. Se restregó contra su suave humedad y se detuvo allí, consciente de que una vez dentro sería demasiado tarde. Tenía el cuerpo en llamas y todos los músculos en tensión, preparados para hacer entrada. Se notaba el pulso en las venas. En las orejas. Hasta en los huesos. Le parecía tener la piel tensa y ardiendo.

«Empujar.» Dios, qué ganas tenía de empujar. Jamás tuvo tantas ganas de metérsela a ninguna mujer. Sabía que sería algo increíble. Su cuerpo se ajustaría a él como un guante cálido y lo exprimiría con tirones largos y duros hasta hacerle caer profundamente en la más absoluta de las inconsciencias. Quería ver cómo se movía bajo su cuerpo impulsada por el poder de sus embates, cómo levantaba las caderas para acompañar cada una de sus profundas embestidas. Quería ver cómo su verga entraba y salía de ella.

Apretó los dientes, sintiendo una necesidad de hundirse en ella prácticamente irrefrenable. Pero no podía hacerle daño. Así que se obligó a ir despacio. La estimuló con su gruesa masa para que se acostumbrara al tamaño y la fuerza de su verga y frotó la punta con su humedad para facilitar la entrada. Y sentaba de maravilla. La presión se acumulaba en la base de su columna y tiraba cada vez con más fuerza.

No pudo aguantarlo más. Empezó a empujar. Ella gritó, sorprendida.

«Jesús.» Apretó los dientes. El sudor se acumulaba sobre sus cejas. La sangre palpitaba en sus venas. Prieto. Tan increíblemente prieto... Tenía que tomárselo con calma y con cautela. Dios, estaba loco por correrse. Le quedaba muy poco…

Un leve sonido penetró aquella bruma.

Arthur sintió un premonitorio escalofrío en la nuca y se quedó paralizado. El aire había cambiado. Se separó de ella maldiciendo mientras todo su ser estallaba en protestas.

—Tapaos —dijo, y le dio un tirón del vestido al tiempo que intentaba atarse los calzones torpemente.

Pero era demasiado tarde, o demasiado pronto, si atendía a la frustración que ardía en sus testículos en ese preciso instante. La puerta se abrió de repente. Sir Hugh Ross estaba tras ella, con su acerada mirada atenta a cada detalle de lo que sucedía en el interior.

A pesar de que se afanaron en vestirse rápidamente, nada podía disimular lo que estaban haciendo. Anna seguía recostada sobre la mesa con las mejillas encendidas y los ojos aturdidos, Arthur seguía entre sus piernas y la salita se hallaba impregnada con el cálido y pesado ambiente que corresponde a la almizclada fragancia del apareamiento, o en su caso del apareamiento frustrado.

Anna se quedó sin respiración. El horror borró las marcas de placer que ruborizaban su rostro. Arthur se colocó frente a ella instintivamente, intentando apartarla de su vista, como si el escudo de su cuerpo pudiera protegerla del veneno que destilaba el otro hombre. El silencio sepulcral, solo salpicado por el crepitar de las llamas, se extendió más allá de lo incómodo. Sir Hugh permanecía allí petrificado, con una quietud exagerada, como si estuviera aguardando para abalanzarse sobre ellos. Arthur lo observaba como un halcón, esperando a la primera señal de movimiento. Diablos, cómo le habría gustado que lo hiciera.

—Oí un grito y me pregunté si os habíais hecho daño —dijo al fin sir Hugh con el gesto torcido por el asco y unas palabras que transpiraban contención—. Pero supongo que no necesitabais rescate.

La exclamación angustiada de Anna le partió el corazón. Arthur, consciente de que tenía que protegerla de la ira de sir Hugh, se dio la vuelta y la tomó por los hombros.

—Marchaos a vuestros aposentos —dijo bruscamente. Anna quiso discutirlo, pero él la detuvo—. Hablaremos más tarde de ello. Ahora mismo necesito hablar con sir Hugh. Permitid que me encargue de esto.

La miró a los ojos. Se la veía confundida, horrorizada y atemorizada a un tiempo, dispuesta a romper a llorar de un momento a otro. A Arthur le costaba respirar. Era como si le retorcieran el corazón con un cuchillo. Él había provocado eso. Era culpa suya. La zarandeó con cuidado, intentando hacer que se centrara.

—¿Lo habéis entendido, Anna? —Entonces ella lo miró con una cara de estar tan perdida que le entraron ganas de volver a acogerla en sus brazos—. Todo irá bien —prometió, consciente de que aquello no era cierto.

¿Cómo podría ir bien aquello? No solo estaba mintiéndole, sino que además acababa de destruir toda posibilidad de alianza con Ross y sabía cuánto significaba eso para ella. Anna amaba a su familia. Fallarles sería algo que… la haría pedazos.

Anna asintió y la confianza ciega que emanaba su mirada le hizo sentir todo el peso de la vergüenza en su interior. Era un completo hijo de puta. Un hijo de puta desalmado. Jamás podría perdonarse por lo que estaba haciéndole. Anna no se lo merecía. Lo que merecía era estar a salvo y protegida, tener un hogar feliz, un marido que la amara y seis o siete niños tirando de sus faldas. Él nunca podría darle eso. Abandonarla y romperle el corazón, eso era lo único que haría. Puede que no la hubiera despojado de su virginidad, pero su inocencia desaparecería igualmente cuando descubriera la verdad sobre él.

Allá donde hacía un momento reinaba el deseo no quedaba más que pena y dolor. Sir Hugh no se había movido de su posición a la entrada, pero en cuanto Arthur acompañó a Anna a la salida, Hugh Ross se hizo a un lado para dejarla pasar. Arthur, sintiéndose arrinconado en la salita, la siguió hasta la habitación principal. No era mucho más grande, pero al menos allí tendría espacio para maniobrar si fuera necesario. Sir Hugh parecía dispuesto a pelear y él tenía tantas ganas o más de darle guerra. Justo antes de salir Anna, lo miró con incertidumbre.

—Marchaos —dijo con dulzura, intentando calmar sus temores.

Entonces su mirada reparó en sir Hugh y su rostro se contrajo. El caballero no se dignaría a mirarla, pero cada uno de los nobles y orgullosos pliegues de su piel irradiaban animadversión. Arthur frunció los labios, con unas ganas tremendas de matar a aquel hombre por herir sus sentimientos. Anna no tenía culpa de nada. Todo era cosa suya. «Jesús.» Percatarse de ello fue como un mazazo. ¿Lo había hecho a propósito? ¿Había sido esa su intención desde el principio? Lo que quería era acabar con cualquier opción de alianza. No, pero no de ese modo. Nunca quiso llevarlo a tal extremo. Aunque sí que había sobreestimado su capacidad de control y menoscabado la intensidad de sus deseos por ella. Era el único culpable de meterse en ese fregado. Había sido él quien había traspasado los límites, algo que no reportaría más que dolor para ambos.

—Debería mataros —dijo Ross en cuanto se cerró la puerta.

El caballero intentaba amilanarlo, pero Arthur aceptó el desafío.

—¿Y por qué no lo hacéis?

La mirada de Ross se endureció.

—Porque entonces tendría que explicar los motivos.

La certeza de su voz hizo que Arthur sonriera. Tenían más o menos la misma edad y estaban bastante parejos en cuanto a altura y músculos. Pero no en cuanto a destreza. Arthur no sería quien muriera. Sir Hugh, no obstante, no tenía ni idea de eso. Entonces ¿por qué…? La razón acudió a él de repente.

—Y no queréis que nadie sepa que la muchacha os ha humillado por segunda vez. Primero al rechazar vuestra oferta y luego al cogerla con otro hombre ante vuestras mismas narices.

La verdad de la acusación causó su efecto en el rostro de

Ross, que enrojeció de ira, creando un marcado contraste con los surcos blancos de sus labios fruncidos.

—¿La habéis desflorado?

Arthur apretó la mandíbula. Aquello no era asunto suyo en absoluto. Le entraron ganas de mentirle, de reclamarla para sí, pero dijo la verdad, ya que quería salvar lo que pudiera de la reputación de Anna.

—No.

Los ojos de Sir Hugh se mostraban fríos.

—Pero lo habríais hecho de no haberos interrumpido.

Arthur se encogió de hombros, como si aquello no fuera de su incumbencia. Ross dio un paso hacia él con la mano en la espada.

—¡Maldito hijo de perra! Sois un caballero. ¿Es que no tenéis honor? Era una mujer comprometida.

Arthur se movió con rapidez. Puso en práctica una maniobra que había aprendido de Boyd y dejó el brazo de Ross fuera de combate, obligándolo a soltar la espada. Después le retorció ese mismo brazo por la espalda y lo inmovilizó haciendo contrapeso con su propio cuerpo.

—No. No estaba comprometida.

Ross intentó zafarse por acto reflejo, pero sus movimientos solo servían para que Arthur le retorciera más el brazo y le infligiera más sufrimiento.

—Estaba a punto de comprometerse —dijo entre dientes con una voz llena de dolor—. ¡Os mataré por esto! ¡Soltadme!

—No hasta que lleguemos a un entendimiento acerca de lo ocurrido aquí. No quiero que esto afecte a la muchacha. No es culpa suya.

Ross tuvo la inteligencia de optar por discutirlo, pero Arthur percibía la rabia en sus ojos. Le retorció el brazo con más fuerza, provocando que el furioso guerrero gritara.

—¿Por qué volvisteis? —preguntó Arthur.

—Oí un grito…

—Y una mierda —cortó Arthur.

A no ser que poseyera unos sentidos tan finos como los suyos, era imposible que hubiera oído nada. Ross le dirigió una mirada asesina. De su ceja caían gotas de sudor dolorido.

—Vi cómo la observabais y que ella intentaba no miraros por todos los medios. Sabía que nos seguiríais.

Arthur maldijo.

—¿Qué era esto entonces, una prueba de fuego?

—No pensaba permitir que me tomaran el pelo. No me casaré con una mujer enamorada de otro hombre. Por muchas ganas que tenga de fo…

Le retorció más el brazo.

—No —dijo—. No lo digáis.

Arthur, consciente de lo cerca que estaba de partirle el brazo, optó por apartarlo de su lado de un fuerte empujón. Ross tenía razón respecto a algo: cuanto menos tuvieran que explicar, mejor. Sir Hugh soltó aire y se masajeó la parte superior del brazo y el hombro. Pero había algo en su mirada que a Arthur le hacía preguntarse si lo había puesto a prueba de nuevo. Si ese grosero comentario de Ross tendría la intención de provocar una reacción. Si era así, había funcionado.

—Os importa —dijo Arthur, percatándose de la verdad—. Esto era algo más que una alianza política para vos.

Ross no respondió con palabras ni por medio de la expresión de su rostro, pero Arthur sabía que había acertado. Diantres, casi le daba lástima aquel pobre hijo de perra.

—Pero ¿sabéis que es lo que la ha traído hasta aquí?

Una vez recuperadas las sensaciones en su brazo, Ross volvió a mirarlo con desconfianza.

—Sí. Para conseguir apoyo en la lucha contra Bruce. Esperaba conseguir su mano sin tener que recurrir a eso.

Arthur se quedó mirándolo y lo comprendió todo al fin.

—Vuestro padre no tenía intención de enviar hombres con o sin compromiso, ¿no es cierto? —No era preciso que Ross contestara. «Por todos los demonios.» Arthur tenía ganas de matarlo allí mismo—. ¿Y la dejasteis pensar que…?

Ross se encogió de hombros.

Maldito bribón. Demonios, de no ser Anna a quien manipulaba, Arthur habría admirado su determinación.

—Partiremos en cuanto lo tengamos todo preparado. Después de que informéis a Anna y a sir Alan de lo que acabáis de contarme.

El otro hombre se mofó.

—¿Y por qué diablos iba yo a hacer tal cosa?

Arthur dio un paso hacia él con actitud amenazante. En honor de Ross hay que decir que no se movió. Pero Arthur advirtió la inquietud en sus ojos.

—Porque no quiero verla más afectada de lo que ya está. Y a pesar de lo que haya pasado aquí, no creo que vos queráis eso tampoco.

Se quedaron mirando durante un momento hasta que Ross asintió. Arthur se dispuso a marcharse.

—Campbell. —Arthur se dio la vuelta y vio que Ross seguía agarrándose el hombro lastimado—. ¿Dónde aprendiste a hacer eso?

Arthur torció la boca con socarronería.

—Haced lo que hemos dicho y tal vez os lo cuente algún día.

Anna se limpió las manos en sus faldas y procuró calmar la náusea que amenazaba con subir por su estómago al tiempo que observaba la cantidad de hombres que se congregaba en el salón para tomar el desayuno. Se encontró inconscientemente buscando a Arthur, como si ver su rostro pudiera darle ese coraje que tanto necesitaba. Al no encontrarlo sentado junto a los hombres de su hermano, se dijo que no había por qué preocuparse. Todavía era temprano. La noche anterior Arthur había enviado a una sirvienta para decirle que ya estaba todo arreglado y que no tenía que preocuparse.

«No tengo que preocuparme.» Como si tal cosa fuera posible tras lo que había sucedido. Puede que su considerado mensaje no sirviera para aliviar su noche sin descanso, pero lo apreció igualmente. Al menos se ahorraba el temor de que uno de los dos estuviera muerto o en alguna mazmorra desconocida.

Respiró profundamente, se obligó a sacar pecho y alzar la barbilla y entró en el salón. Las piernas apenas podían sostenerla de lo que temblaban y su corazón batía contra la caja torácica como las alas de un pájaro. Todos sus instintos clamaban por que huyera, pero obligó a sus pies a seguir adelante.

Sangre de reyes corría por sus venas. Era una MacDougall, no una cobarde. A pesar de que no quisiera más que ocultarse en su cámara, hacer un ovillo con su cuerpo y pretender que nada de eso había ocurrido, lo cierto era que sí había ocurrido. Como mínimo le debía una disculpa a sir Hugh. Cuando pensaba en lo que había hecho…

Se le revolvía el estómago. La vergüenza la inundaba. No por sucumbir a los encantos de Arthur, ya que no se avergonzaba de la pasión que existía entre ellos, sino por fallarle a su familia y aprovecharse horriblemente de sir Hugh en el proceso. Él no se merecía aquello. El orgulloso caballero no había hecho más que tratarla con cariño. No era culpa suya que ella estuviera enamorada de otro hombre.

«Enamorada.» Incluso sopesando la enorme gravedad de lo que había hecho, un pequeño rayo de felicidad asomaba por detrás de las nubes de desesperanza. Lo amaba. Y también ella significaba algo para él. Había de ser así.

Pero ese pequeño atisbo de alegría en su corazón solo servía para hacerla sentir más culpable. Al encontrar el amor había fallado a su familia. ¿Cómo podría llegar a perdonarse? Lo había arruinado todo. Su padre y su clan al completo quedaban solos ante Robert Bruce. Después de lo que sir Hugh había presenciado la noche anterior no habría alianza.

Se le encendieron las mejillas al recordarlo, al considerar lo que debía de pensar aquel hombre de ella. «Furcia. Ramera.»

Casi esperaba oír abucheos al atravesar el salón para llegar hasta el asiento del estrado junto al hombre al que había ofendido. Pero su entrada no causó ningún comentario fuera de lo habitual. El conde y la condesa la recibieron con las gentilezas usuales, al igual que hizo su hijo cuando tomó asiento junto a él.

Aunque cada bocado que daba empeorara el mareo que le ponía el estómago del revés, tenía que obligarse a comer. A medida que avanzaba la comida, su ansiedad no hacía más que aumentar. El breve intervalo de buen humor que entrevió en sir Hugh el día anterior había desaparecido, algo no demasiado sorprendente. Estaba sentado junto a ella completamente rígido, demasiado orgulloso e imbuido del código de caballería para ignorarla completamente, pero muy cerca de hacerlo. Agradeció la presencia de la hermana de Hugh al otro lado de la mesa y del edecán de Ross a su lado, que rompían los incómodos momentos de silencio.

Anna era consciente de que tenía que decir algo, pero no sabía cómo sacar el tema en un entorno tan público. Seguía esperando a que llegara el momento oportuno cuando sir Hugh se levantó de la mesa y se excusó para ausentarse.

—¡Esperad! —exclamó Anna, advirtiendo que varios ojos se volvían en su dirección y que tal vez había hablado demasiado alto.

Sir Hugh bajó la vista para mirarla y le dedicó toda su atención por primera vez. Anna procuraba no morirse de vergüenza mientras él esperaba a que se pronunciara.

—Yo... —dijo lo primero que se le vino a la cabeza, deseando haberlo hecho antes, cuando los demás no atendían a lo que decía de manera tan obvia—. Hace una mañana estupenda. Si no estáis demasiado ocupado, pensé que podríais enseñarme los alrededores del castillo, como prometisteis.

Él no le había hecho tal promesa y si lo hiciera saber, dejando clara su pretensión de quedarse a solas con él, habría recibido lo que merecía. Sir Hugh la miró a los ojos y Anna por un momento pensó que se negaría a hacerlo, pero al parecer pudieron más sus sensibilidades caballerescas. Hizo una reverencia y le tendió la mano.

—Será todo un placer, milady.

Tal y como había hecho pocas, pero significativas horas antes, permitió que la acompañara a salir del salón. Si se hacía cargo de las murmuraciones de curiosidad que les siguieron no lo mostró en ningún momento. En esa ocasión, al llegar al final del pasillo, la condujo al exterior, al patio de armas. Había un montón de gente de aquí para allá: soldados practicando y protegiendo las entradas, sirvientes atendiendo a sus obligaciones y un flujo continuo de hombres pasando a través de las puertas del castillo, pero nadie les prestaba demasiada atención.

—¿Hay algo en particular que deseéis ver? —preguntó él.

Al oír la sequedad de su voz lo miró de reojo bajo el velo de sus pestañas. Él sabía que se trataba de una excusa, y de las malas. Anna negó con la cabeza.

—Lo siento. Tenía que hablar con vos —dijo deteniéndose para mirarlo bien a los ojos—. Debo disculparme por lo ocurrido la pasada noche. —Al ver que fruncía más el gesto le fallaron los nervios. Pero tenía que hacerlo. Se hacía daño en la mano de apretar tanto los puños. No era capaz de hablar de ello con calma, de manera que explotó y lo soltó—. No puedo ofrecer más excusa que decir cuánto lo siento.

Sir Hugh se quedó mirándola a los ojos durante un momento y luego asintió. Anna pensó que se daría la vuelta y la dejaría allí, pero sorprendentemente la llevó hasta un sitio apartado de la fortificación desde donde se podían ver extramuros y la ciudad de Nairn al fondo. Hacía viento y tuvo que acomodarse tras la oreja un mechón de pelo rebelde. Pero después de esa noche de oscuridad el resplandor del sol sobre su cara era rejuvenecedor.

—¿Le amáis?

Anna se quedó de piedra. No sabía lo que esperaba que dijera, pero desde luego eso no. Sir Hugh no parecía un hombre que otorgara mucho valor ni diera demasiado crédito al amor romántico. Parecía demasiado práctico y frío para todo eso. Pero merecía saber la verdad.

—Sí —dijo en voz baja.

—Pero ¿os habríais casado conmigo para conseguir más hombres para vuestro padre?

Tal y como lo dijo, de repente parecía que aquello estuviera mal. Aunque el matrimonio y la obligación iban de la mano, era el amor lo que importaba menos.

—Sí —dijo Anna, sintiendo que la desesperación de su situación cabalgaba sobre su pecho. Apeló a sus sentimientos para que la comprendiera—. ¿No lo entendéis? La única manera de luchar contra los rebeldes es unir fuerzas. Si nuestros clanes se unen podremos derrotar al usurpador. Solos nos arriesgamos a la derrota.

Por su reacción no pareció que sus palabras tuvieran influencia alguna en él. La expresión de su rostro permanecía severa e implacable. Era extraño. Ahora que ya no había esperanza de un compromiso entre ambos, todo el miedo y el nerviosismo de Anna parecían desaparecer.

—No podéis absolveros de toda culpa, lady Anna. —Ella lo miró inquisitivamente, protegiéndose los ojos del sol para verle mejor. Su boca se torció en una extraña mueca—. Mi padre no tenía intención alguna de enviar hombres a Lorn.

Se quedó sin respiración de la sorpresa.

—Pero el compromiso... Permitisteis que creyera que... —Hugh Ross se encogió de hombros como si no le importara nada. Un arrebato de cólera se coló a través del sentimiento de culpa de Anna—. ¿Y cuándo pensabais contármelo?

—Os habríais enterado con tiempo suficiente.

—¿Después de que anunciáramos nuestro compromiso? Él se enfrentó a la acusación de sus ojos sin inmutarse.

—Tal vez.

—Pero ¿por qué?

Pareció malinterpretar su pregunta a propósito.

—No tenemos hombres de sobra. Bruce vendrá también a por nosotros y cuando lo haga... —dijo con palabras que se llevaba el viento—. El rey Robert se ha hecho demasiado poderoso. Nuestros aliados nos han abandonado. Los Comyn, los MacDowell, los ingleses. Mi padre tiene demasiado que perder.

Sir Hugh se quedó con la mirada perdida más allá de los muros, hacia el pequeño reino que se extendía a sus pies. Se trataba de un movimiento revelador y tuvo que contener el aliento ante lo que significaba. Demasiado que perder. Su padre no pensaba arriesgarlo.

—No —dijo Anna dando un paso atrás—. ¡No podéis! Vuestro padre no puede rendirse. Bruce lo asesinará por lo que le hizo a su esposa y a su hija.

Hablaba sin pensar, y estaba claro que lo que hizo su padre cuando violó el santuario y entregó a las mujeres de Bruce a los ingleses no era algo que sir Hugh quisiera que le recordaran. Por primera vez, Anna advirtió algo parecido a la vergüenza en sus orgullosas facciones.

—Bruce ha prometido perdonar a todos los nobles que estaban contra él si se rinden.

—¿Y creéis en la palabra de un traidor? ¿De verdad confiáis en que el rey Capucha perdonará a vuestro padre y a los sediciosos de Ross y Moray? Apenas se han consumido los fuegos del acoso a Buchan.

No discutió con ella. Pero apretaba fuertemente la mandíbula cuando dijo:

`—¿Qué otra opción nos queda? Las tornas han cambiado a favor de Bruce. El pueblo piensa que es un héroe, un guerrero que derrotó a los ingleses. Rendirse puede ser la única manera de sobrevivir. Mi padre está dispuesto a morir si eso significa la continuidad del clan.

La cabeza de Anna daba vueltas. Jamás, ni en sus más oscuras ensoñaciones, habría imaginado que Ross se rendiría. ¿Qué significaría eso para su clan? ¿Haría su padre lo mismo? No, su padre jamás se rendiría. Y por primera vez Anna se percataba de lo caro que podría costarles.

Preocupada por lo que sir Hugh acababa de confiarle, Anna no encontraba demasiado consuelo en saber que su conducta no era reprobable.

—Gracias por contármelo —dijo.

Él la miró con detenimiento.

—¿Qué haréis?

—Luchar —respondió.

Aunque fuera solos. ¿Qué más podían hacer?

—¿Os casaréis con Campbell?

Anna se sonrojó. Después de lo que había pasado la noche anterior era algo natural asumir que… Pero no habían tenido oportunidad de discutir su futuro. Él pareció comprender su silencio.

—¿Lo conocéis muy bien?

El deje de advertencia de su voz despertó aquella vocecilla de su conciencia que se había afanado en acallar.

—Sir Arthur llegó a Dunstaffnage hace un mes junto a su hermano en respuesta a la llamada que hizo mi padre a los caballeros y gentilhombres.

Aquello pareció confirmarle algo.

—Hay algo extraño en él. Algo que no cuadra. No es quien parece ser.

Anna saltó en su defensa de inmediato, pensando que sir Hugh se había fijado en las inusuales habilidades de Arthur.

—Lo que pasa es que es reservado —dijo—. Le cuesta comunicarse.

Sir Hugh la miró inquisitivamente, como si quisiera añadir algo, pero en lugar de eso simplemente asintió. Fue un alivio que dijera que se encargaría de explicárselo todo a sus padres y sus hermanos sin hacer mención alguna a la situación comprometida en que la había encontrado, acordando decir que no estaban hechos el uno para el otro.

Para cuando la acompañó de nuevo hasta la torre Anna se sentía mucho más relajada. Una vez mitigada parte de la culpa, se permitió vivir un poco de la felicidad que suponía descubrir que el hombre al que amaba tenía sentimientos por ella. No podía esperar para verle y hablar con él. Sorprendentemente, dadas las intimidades que habían compartido, no estaba avergonzada. Incluso en ese momento, después de todo lo sucedido, parecía lo correcto.

Estaba a punto de subir el primero de los escalones que iban del patio a la torre cuando miró a la izquierda y vio que sir Arthur salía de los barracones. El corazón le dio un vuelco. Sonrió y dio un paso hacia él de manera instintiva, pero luego se detuvo de golpe. Llevaba la armadura y estaba claro que se preparaba para practicar, pero podía entrever su cara lo suficiente bajo la visera del yelmo.

No era que esperara que corriera por el patio a su encuentro, al menos no con sir Hugh todavía a su lado. Pero una mirada de cariño habría estado bien. Cualquier cosa en comparación con esa cara de arrepentimiento, sí, incluso de vergüenza, que ensombrecía sus apuestos rasgos. La alegría que hizo saltar su corazón se consumió y lo devolvió al suelo de golpe desde las alturas. Advirtió cómo sir Hugh se ponía en guardia al percatarse de lo que ella había visto.

Arthur desvió la mirada hacia el otro caballero. Podía sentir la animosidad encendida entre ambos hombres. Fue Arthur quien se retiró primero. Los saludó con una inclinación de la cabeza y se dirigió a reunirse con el resto de los guerreros. Anna se decía que no debía estar decepcionada, que no tenía que exagerar su reacción. Ya hablarían más tarde. En privado. Probablemente lo que adivinaba en sus ojos no eran más que imaginaciones suyas.

Pero las siguientes palabras de sir Hugh le dijeron lo contrario.

—Si la cosa no va como esperáis, lady Anna, yo estaré aquí.

Un hombre con quien se podía contar.

Rezaba por que Arthur también lo fuera.

16

Tardaron más de lo que Arthur pensaba en salir del castillo de Auldearn. Alan MacDougall se encerró en su cámara con el conde, su consejero y sir Hugh durante tres días más, en lo que Arthur asumió como un intento de persuadir a Ross para unir fuerzas, a pesar de la ausencia de compromiso. Afortunadamente, los esfuerzos de Alan fueron fútiles. Dado que no se le habían confiado los detalles, Arthur no pudo estar seguro de las razones del conde, pero el rechazo era un buen augurio para el rey Robert. Les pasaría la información en cuanto tuviera oportunidad de hacerlo. No creía que ellos hubieran transmitido ningún mensaje, pero revisaría las pertenencias de Alan y de Anna para asegurarse de ello en cuanto tuviera ocasión.

Salieron de Auldearn al amanecer, haciendo el mismo trayecto de la semana anterior en sentido contrario y forzando el ritmo el primer día para llegar a salvo más allá del castillo. Los hombres, contagiados del humor de su señor y su dama, parecían percibir que las cosas no habían ido como esperaban y la nube del fracaso se cernía sobre las cabezas de los viajeros. Portaban una predisposición algo sombría, por no decir decididamente malhumorada.

Arthur sabía que tendría que sentirse aliviado y satisfecho de haber cumplido su misión. Ross y Lorn no unirían fuerzas. El fracaso de los MacDougall serviría como acicate para acercar a Bruce un pasito más hacia la victoria y a Arthur un pasito más hacia la destrucción de su enemigo. Asegurarse de que John de Lorn pagaba por lo que le había hecho a su padre era lo que más ansiaba en el mundo. ¿No era cierto? Así debía ser, maldita fuera. Pero temía que aquello le costaría mucho más de lo que pensó en un primer momento.

Cubierto tras su yelmo podía ceder a la tentación de mirarla. De nuevo esa sensación, molesta y penetrante. No era solo la conciencia lo que le remordía, sino algo más. El dolor que aguijoneaba su pecho cuando la miraba era prácticamente insoportable. Pero no hacerlo resultaba más doloroso aún.

Anna cabalgaba por delante de él, junto a su hermano y la doncella, con lo que solo ofrecía su perfil al volverse. Arthur no necesitaba mirarla para saber que el silencio acerca de lo ocurrido entre ambos le dolía. Y mucho. Dios Santo, ¿qué había hecho? Y lo que era más importante, ¿qué demonios haría al respecto? Ahora que estaban lejos del castillo ya no podía eludir el tema ni evitarla por mucho más tiempo. Sabía lo que debía hacer. No hacía falta ser un caballero para percatarse de que después de lo cerca que había estado de arrebatarle la virginidad, a escasos centímetros literalmente, debería pedirle matrimonio. No había duda de que era lo que ella esperaba. Y lo que cabía esperar, pardiez. Eso haría un hombre con honor. Mas esos escasos centímetros le servían de suficiente excusa para no hacerlo. La batalla que se libraba en su interior era cada vez más cruenta. Todos sus instintos exigían que se acercara a ella, que cediera a los sentimientos y, por qué no decirlo, maldición, a las emociones que se peleaban en su interior. Pero la otra parte de su ser, la racional, tiraba de él para evitar mayores males.

Aunque él mismo quisiera olvidarse de ello en ocasiones, lo cierto era que la engañaba. Y estaba claro como el agua que no podía decirle la verdad. Su deber y su lealtad pertenecían a Bruce. Ninguno de los sentimientos que albergara podría cambiar aquello. Estaban en bandos opuestos de una riña a punto de desatarse. Al final ella descubriría su filiación verdadera y se enteraría de que la única razón que la había llevado a Dunstaffnage había sido espiarla y propiciar la destrucción de su familia. Sabía que pedirla en matrimonio solo serviría para que la traición final tuviera consecuencias mucho peores.

Era una situación imposible y tenía conciencia de haberla creado él mismo. Tendría que haberse apartado de ella, pero sus buenas intenciones quedaron desbordadas por su sonrisa, vitalidad, dulzura y amabilidad. Cuando miraba el interior de esos grandes ojos azules empezaba a añorar algo que ni tan siquiera sabía que quisiera. ¡Le gustaba estar solo, maldita fuera! Resultaba más fácil y muchísimo menos engorroso. Sin embargo Anna le hacía ansiar algo que él no podría permitirse ofrecer, a la vista de lo que estaba por llegar. Y hacerla sufrir de ese modo, no ser capaz de hacer algo por cambiarlo, le partía el alma. Cada vez le costaba más concentrarse en sus tareas.

Aunque no se volviera para mirarlo, Arthur sabía que ella era tan consciente de su presencia como él mismo. Advirtió la manera en que sus hombros se ponían en tensión cuando situó su caballo tras ellos. Richard y Alex marchaban en cabeza explorando el terreno, de modo que Arthur se puso a la cola para asegurarse de que nadie los seguía. Se acercaba el final de la primera jornada del viaje y tenían que proceder con especial cautela ahora que se aproximaban al castillo de Urquhart, lugar en el que habían aparecido los hombres de Bruce cuando iban hacia el castillo de Ross. Nuevamente, tendrían que hacer un buen rodeo hacia el oeste del camino para evitar las patrullas de la fortaleza «enemiga».

—Tened, milady —oyó que decía su doncella—. Lady Euphemia le ha pedido al cocinero que las prepare especialmente para vos en vista de lo que os gustan.

La anciana mujer intentó engatusarla con los dulces, pero Anna negó con la cabeza en un pobre intento de sonrisa que le clavó otra astillita en el corazón.

—No, gracias, no tengo hambre.

La sirvienta se enfurruñó, frunció los labios y masticó la delicia de almendras sin entusiasmo alguno. Apenas hubo acabado de masticar cuando volvió a la carga y sacó de su bolsa lo que parecía un pequeño pastel de carne.

—¿Qué me decís de un pastelillo de cebada con cordero? —dijo, oliéndolo teatralmente—. Huele divinamente. Y todavía está caliente.

Anna volvió a negar con la cabeza.

—Comed vos, si queréis. Yo comeré cuando nos detengamos.

La doncella murmuró para sí.

—Tenéis que comer algo, milady —urgió entre murmullos, al tiempo que fulminaba a Arthur con la mirada.

Este apretó la mandíbula, adivinando a quién culpaba la doncella por la falta de apetito de su señora.

—Comeré —dijo Anna para apaciguarla. Llamó a su hermano, que cabalgaba un poco más adelante—. ¿Cuándo pararemos a hacer noche, hermano?

—Pronto, espero —respondió Alan mirando a su alrededor y haciendo señas a Arthur al ver que había regresado. Este se armó de valor e hizo como le pidió, levantando el visor de su yelmo al pasar entre el puñado de jinetes que les separaban—. ¿Habéis visto algo sospechoso?

Arthur negó con la cabeza.

—Por lo pronto no. Estaremos seguros cuando vuelvan Richard y Alex, pero si no hay nada extraordinario, podremos detenernos al anochecer como teníamos previsto.

—¿No volveremos al lago en que acampamos la vez anterior?

Era ella quien le hablaba. Arthur volvió la vista lentamente, incapaz de evitarla por más tiempo. Pero no estaba preparado para el calor abrasador que le atravesaría al encontrarse con su mirada. Él, que apenas se movía cuando una flecha se hundía en lo más profundo de su hombro, cuando una espada le abría las entrañas ni en las numerosas ocasiones en que no había atrapado la daga de su hermano con suficiente presteza, se sobresaltó al ver la tristeza y la pregunta sin formular de sus ojos.

Parecía fatigada, de una fragilidad insufrible. Unas pequeñas líneas surcaban las comisuras de sus ojos y su piel se le antojaba más pálida de lo normal. Apretó los dientes, luchando contra la desesperada necesidad que sentía de darle lo que ella quería.

«Pídele matrimonio.»

Maldición, no podía hacerlo. No haría sino empeorar las cosas.

—No, milady —respondió sin alterar la voz—. Será más seguro que no volvamos sobre nuestros pasos. Acamparemos en lugares diferentes cada noche. Hay una cascada en el bosque de los pagos de Dhivach, al sudeste del castillo, donde comienza la cañada. Haremos noche allí.

Anna asintió con cara de querer añadir algo, pero consciente de que no estaban solos.

—¿Falta mucho?

—Cinco o seis kilómetros. Deberíamos llegar antes del anochecer.

—Yo… —Anna dejó la frase a medias. No obstante, el modo en que lo miraba era descorazonador—. Gracias.

Cuando Arthur se decidió a apartar la vista le sorprendió comprobar que uno de los hombres de Alan se situaba tras él. Se quedó circunspecto, pero estaba demasiado inmerso en su propia confusión para atender a la advertencia.

Al parecer uno de los arcones de Anna no estaba bien sujeto y cayó del carro. Arthur agradeció la interrupción cuando vio que Anna y su doncella iban a la cola para asegurarse de no perder nada. Pero era consciente de que no podría posponer la inevitable discusión por mucho más tiempo. Ello quedó asegurado desde luego por las palabras de Alan antes de partir a la cabeza de la cabalgata para ver a Richard y Alex.

—No sé qué diablos pasaría en Auldearn, Campbell, pero mi hermana está triste. —El caballero clavó la mirada en Arthur con unos gélidos ojos azules que no mostraban compasión alguna. Después de todo, era hijo de su padre—. Arregladlo o me encargaré yo de hacerlo.

Arthur torció el gesto hasta adoptar una expresión sombría. No se molestó en pretender que no sabía a lo que se refería. La amenaza no le inquietaba. Lo que le inquietaba era que no podía hacer lo que el hermano de Anna le pedía. Nada podría arreglarlo.

—¿Por qué me estáis evitando?

Arthur, asombrado, se puso en pie de repente, haciendo saltar el cepo que estaba preparando. Lo había sorprendido.

Algo que Anna apostaba a que no ocurría muy a menudo. Tal vez esa confusión que ella percibió en sus ojos no fuera imaginada. La miraba con una añoranza apenas reprimida, pero algo le hacía contenerse.

El desengaño que sintió la primera mañana no hacía más que empeorar a cada día que pasaba. Todavía no había ido a su encuentro, por no hablar de hacerle oferta de matrimonio alguna. Anna quería convencerse de que simplemente esperaba para hablar con su padre, pero eso no explicaba por qué huía de ella.

—¿Estáis siguiéndome otra vez, Anna?

Si intentaba distraerla poniéndose a la defensiva, no le funcionaría.

—No sé cómo podría decir que os sigo cuando el campamento está a pocos pasos de aquí —dijo señalando los aparejos y cordeles—. Vi que sacabais el cepo de la bolsa y supuse que no iríais muy lejos.

Inspeccionó sus facciones, medio ocultas entre las sombras. Al menos quedaba una hora de luz solar, pero bajo el espeso manto de los árboles del bosque parecía casi noche cerrada. Anna dio un paso hacia él y estrechó el hueco que los separaba. Arthur frunció el gesto y todo su cuerpo se puso rígido. Anna se percató de que se le movían las aletas de la nariz, como si le molestara tenerla tan cerca. Las lágrimas acudieron a sus ojos. ¿Por qué se comportaba de ese modo? ¿Acaso era tan desagradable?

—¿Vais a contestarme? —dijo con una voz rota por la emoción y la incertidumbre de los últimos días. Quería ponerle la mano sobre el pecho para tranquilizarse, pero temía que él retrocediera y eso la hiciera pedazos—. ¿Acaso no merezco una explicación?

Arthur suspiró y se apartó de ella con el pretexto de pasarse los dedos entre los cabellos. Aunque aún llevaba puesta la armadura, se había quitado el yelmo y su pelo castaño oscuro caía en suaves ondas sobre el borde de la cota de malla.

—Sí, muchacha. Merecéis una explicación. Tenía intención de hablar con vos una vez que hubiéramos comido.

No sabía si creerlo, pero lo dejó continuar. Ella ya había dicho suficiente. Era a él a quien correspondía hablar.

—Lo que ocurrió fue —¿Hermoso? ¿Increíble? ¿Perfecto?, pensó Anna—... desafortunado. —A Anna se le paró el corazón. No era la palabra que esperaba—. Me avergüenzo de mi comportamiento —dijo Arthur con palabras que parecían propias del caballero más estirado de la corte—. Jamás debí permitir que llegara tan lejos.

Anna lo detuvo en seco, incapaz de resistir por más tiempo el tono distante y el arrepentimiento de su voz.

—¿Por qué habláis así? ¿Por qué actuáis como si no significara nada? —Arthur tensó la mandíbula más si cabe. La palpitación de sus latidos en el cuello no presagiaba nada bueno. Intentó apartarse de Anna, pero ella lo agarró del brazo. El pecho le ardía—. ¿Significó algo, Arthur? —Este la miró a los ojos con una intensidad que quemaba. Anna aspiró profunda y entrecortadamente a través de su oprimida garganta—. Para mí sí.

—Anna... —Parecía estar librando algún tipo de guerra interior. Anna notaba la rigidez de sus músculos bajo sus propios dedos. Su poderoso cuerpo parecía irradiar tensión—. ¿Por qué ponéis las cosas tan difícil?

—¿Yo? Sois vos quien pone las cosas difíciles. Es una pregunta muy simple. O significó algo para vos o no significó nada.

Le mantuvo la mirada, negándose a permitirle marchar sin que contestara algo. Arthur tenía la cara desencajada, como si lo estuviera torturando.

—No lo entendéis.

—Tenéis razón. No lo entiendo. Podríais explicármelo.

—No puedo. —La miró con dureza—. ¿Es que no veis que jamás funcionaría?

«¡Dios mío!» Le pareció atragantarse con su propio corazón cuando se percató de lo que pasaba. «No piensa proponerme matrimonio.» ¿Cómo era posible que hubiera interpretado tan mal la situación? ¡No! No lo había hecho. Había algo más que se le escapaba.

—¿Por qué no?

—Somos completamente inadecuados el uno para el otro.

La familia es todo para vos. ¿Y para mí? Mis padres murieron cuando era un crío. Mis hermanos llevan años luchando en bandos distintos. No sé nada acerca de la familia.

—Yo puedo enseñaros…

—No quiero que me lo enseñéis —repuso Arthur, cortándola con rabia—. Me gusta estar solo. Y vos… —dijo con un gesto de la mano—. Apuesto a que no habéis estado sola ni un día en vuestra vida. Os merecéis estar rodeada de familia y amigos, con un marido que os adore y un montón de niños tirándoos de las faldas. No me digáis que no queréis eso, porque sé que es eso lo que queréis.

Era cierto que quería eso, pero con él.

—¿No queréis tener niños?

Su boca palideció como si la pregunta, pensar en ello tan siquiera, fuera doloroso.

—No entendéis la situación.

—¿Yo? ¿Os habéis parado a pensar que tal vez no se trate de que os gusta estar solo, sino de que nunca estuvisteis con las personas adecuadas? —dijo haciendo una pausa para que lo considerara. Comprendía las razones que le llevaban a la soledad, pero sospechaba que sería diferente en caso de tener una familia que le quisiera, que le aceptara—. Si sentís algo por mí, el resto no tiene importancia. —El rostro de Arthur se mostraba duro como el granito, pero ella siguió presionando—. ¿Sentís algo por mí, Arthur?

Le mantuvo la mirada, desafiándolo a que mintiera. Y Arthur parecía querer hacerlo, pero al final lo admitió.

—Sí. Pero eso no importa.

Sentía algo por ella. No se había equivocado. Negó con la cabeza.

—Eso es todo lo que importa.

—No insistáis, Anna. Creedme cuando digo que no funcionaría. Jamás podría daros lo que necesitáis. Nunca podría haceros feliz.

La frustración y la rabia bulleron en su interior.

—¿Cómo os atrevéis a presumir que conocéis mi mente mejor que yo? Yo sé exactamente lo que quiero. Después de lo que ha pasado, ¿cómo no podéis comprender que sois el único hombre que puede hacerme feliz? ¿No os dais cuenta de que os quiero?

Su declaración de amor fue tan inesperada para ella como parecía serlo para él. Cerró la boca de pronto, pero era demasiado tarde. Sus palabras seguían resonando en el repentino silencio. Arthur se quedó completamente quieto, con una expresión no muy distinta de quien hubiera recibido un flechazo en el pecho. No se podía decir que fuera la reacción que ella esperaba. No esperaba que respondiera a su declaración de amor. En realidad no. No en ese momento, al menos. Pero tampoco esperaba encontrarse con el silencio. Un silencio que le rompía el corazón lenta y cruelmente.

«Os quiero.» Las palabras zumbaban en sus oídos. Como un pálpito. Una llamada. Le tentaban, rediez, le tentaban. Arthur permaneció quieto como una piedra, sin permitirse el lujo de creerla. No podía hacerlo. Porque si lo hacía, era posible que encontrara la felicidad. Una felicidad mayor de la que había disfrutado en la vida.

No lo decía en serio. Estaba confundida. Anna MacDougall le entregaba su corazón a todos. Eso era parte de lo que la hacía tan irresistible. Negó con la cabeza, como si intentara convencerse a sí mismo.

—No sabéis lo que decís. No podéis amarme. Ni tan siquiera me conocéis.

—¿Cómo podéis decir eso? Pues claro que os conozco.

—Hay cosas sobre mí que si las supierais…

No podía decir nada más. Ya había dicho demasiado. Sus habilidades perceptivas eran excepcionales. Anna frunció los labios y él reconoció el brillo terco de su mirada.

—Creía que ya habíamos pasado por eso. Vuestras facultades son un don, y se han demostrado extraordinariamente útiles en más de una ocasión. —Él no hablaba de sus habilidades, sino del hecho de ser un espía al servicio de Bruce. El hecho de que no había persona en el mundo a quien odiara más que al padre de Anna y que había esperado catorce años para destruirlo. Pero difícilmente podría contarle a ella la verdad—. Sé todo aquello que importa sobre vos —continuó—. Sé que preferís observar y escuchar a hablar. Que no os gusta llamar la atención y preferís estar en un segundo plano. Sé que contáis con una habilidades valiosas que preferís ocultar porque creéis que os hacen diferente. Sé que estáis convencido de que sois distinto y por eso no necesitáis a nadie, de modo que procuráis espantar a los demás antes de que se acerquen a vos. Sé que habéis pasado la mayor parte de vuestra vida en el campo de batalla, pero que podéis manejar la pluma de manera tan efectiva como una espada. —Se detuvo el tiempo preciso para tomar aliento. Él tendría que haberla cortado, pero estaba demasiado indispuesto para hablar—. Sé que sois inteligente y que tenéis un carácter tan fuerte como vuestro cuerpo. Sé que cuando estoy con vos me siento segura. Que hacéis ver que nada os importa, pero que me defenderíais con vuestra propia vida. Sé que un hombre que sostiene en sus brazos a un bebé y que muestra paciencia con un cachorro que no ha hecho más que darle problemas tiene un corazón bondadoso. —Anna bajó la voz hasta dejarla casi en un susurro, disipada ya toda su ira—. Sé que desde la primera vez que me besasteis sentí que jamás habría otro hombre para mí. Que cuando alzo la vista para miraros, veo el rostro que quiero ver durante el resto de mi vida. —Sus ojos, que brillaban con lágrimas no derramadas, se encontraron con los de él—. Sé que sois leal y honrado y que os importo, pero que hay algo que os hace conteneros.

«Jesús.» Era como si le dieran un mazazo. Nadie antes le había dicho nada parecido. Le hacía sentirse humilde. Le conmovía. Le daba un miedo de muerte.

Había visto demasiado de su persona. No significaba solo un peligro para su misión, sino también para él en formas que jamás había imaginado. Endureció la mandíbula y el corazón.

—Veis lo que queréis ver, Anna, no la realidad. —La guerra. Su padre. Él. Estaba ciega ante las faltas de aquellos a los que profesaba amor—. Pero las niñitas que creen en los cuentos de hadas acaban desengañadas.

—No hagáis eso —susurró Anna—. No intentéis espantarme.

Eso era lo que hacía. Lo que siempre hacía. Y aunque por primera vez no deseara hacerlo, era lo que tenía que hacer. Por el propio bien de Anna. La agarró del brazo con intención de zarandearla y hacerla entrar en razón, pero fue un error. Tocarla no hizo más que avivar el fuego de sus emociones hasta casi hacerle perder el control.

—Entonces no actuéis en base a supuestos infantiles. Estamos en medio de una maldita guerra. Bruce está a punto de caer con todo su ejército sobre vuestra cabeza y aun así queréis planear vuestro futuro. No hay futuro, Anna. Solo existe el día de hoy. Diablos, quién sabe si tendréis un hogar de aquí a un mes.

Se sobresaltó como si la hubiera golpeado.

—¿Qué creéis, que no soy consciente de eso? —Anna acalló un sollozo en la garganta. Sus preciosos ojos azules se nublaron con lágrimas, atizando el fuego que consumía su pecho—. ¿Por qué pensáis que acudí a Ross? Sé perfectamente lo que está en juego. Pero no pude hacerlo. No podía hacerlo a causa de vos.

—Vuestro padre jamás debió pediros eso —repuso.

La expresión de asombro de Anna hizo que Arthur deseara poder retirar lo dicho. Tenía la perspectiva de una niña hacia su padre, la del caballero perfecto que no podía hacer nada mal. Otra de esas ilusiones que él ayudaría a destruir.

—No me lo pidió. Fue idea mía. Habláis de guerra y de incertidumbre, pero puedo deciros una cosa cierta. Si no arriesgáis, si seguís espantando a la gente de vuestro lado, aseguraréis vuestra soledad. ¿Es eso lo que queréis?

Apretaba la mandíbula con tanta fuerza que le dolían los dientes.

—Sí.

«Maldita fuera.»

—Muy bien. Porque eso es exactamente lo que conseguiréis —dijo ella; las lágrimas rodaban por sus mejillas—. No sé por qué hacéis esto, Arthur Campbell, pero sois un cobarde.

Un acceso de rabia ascendió por su cuerpo. No era un cobarde. Solo intentaba hacer lo correcto. Pero ella no le dejaba hacerlo. No hacía más que presionarlo y tirar de él para volverlo loco con unos sentimientos que no le pertenecían. No podía pensar bien. No quería más que tomarla entre sus brazos y besarla hasta que cesara el martilleo que sentía en la cabeza, en el mismo corazón.

Posiblemente eso hubiera hecho de haber podido, pero no tuvo la oportunidad.

—¿Qué diablos está pasando aquí?

Arthur se volvió con la cabeza todavía dándole vueltas, al tiempo que Alan aparecía en el claro. Maldijo. Estaba tan absorto en Anna que no oyó el más mínimo ruido. ¿Qué demonios le ocurría? Estaba fuera de control. Tenía que tomar las riendas de sus emociones. Sus sentidos estaban abotargados y confundidos. Se distraía demasiado. Estaba tan confundido... Solo una vez antes se había sentido de tal modo: el día en que murió su padre. Estaba perdiendo los papeles.

Tanto que no se preparó para lo que venía después.

—Dejadla en paz —vociferó Alan, arrancándola de sus brazos al tiempo que lanzaba el primer puñetazo directo a su mandíbula.

La cabeza de Arthur se propulsó hacia atrás al recibir el golpe de lleno. Una explosión de dolor se apoderó de ella. Quedó cegado por un resplandor blanco.

Anna gritó, aterrada.

—¡Alan, por favor! ¡No es lo que crees!

Pero su hermano no la escuchaba. Como prueba de su eficiencia con ambos puños, alcanzó a Arthur desde el otro lado con otro golpe. Después en el vientre. Luego en el costado.

—Os dije que lo arreglaseis, maldita sea. No que la hicierais llorar. ¿Qué demonios le habéis hecho?

Arthur no intentaba defenderse. No porque no pudiera. Era evidente que MacDougall tenía un brazo como el martillo de un herrero, pero Arthur había aprendido suficientes trucos del mejor luchador cuerpo a cuerpo de las Highlands y era capaz de tumbarlo en pocos segundos. No se defendía porque merecía el castigo. Diantres, merecía mucho más por lo que estaba a punto de hacer.

—¡Para! ¡Para! —gimoteó Anna con una voz al borde de la histeria—. Le estás haciendo daño.

Alan lo arrastró por el cuello y lo empujó con fuerza contra un árbol.

—¿Qué le habéis hecho? —preguntó fulminando a su hermana con la mirada—. Será mejor que uno de los dos me diga qué demonios pasa aquí. —Ninguno de ellos respondió. Alan miraba alternadamente a uno y otro con la cara encendida por la rabia—. ¡No me toméis por un maldito idiota! ¡No penséis que me creí ni por un momento que Ross decidió echarse atrás de repente! —dijo mirando a Anna mientras seguía apretando fuertemente el cuello de Arthur con la mano—. ¿Qué pasó en Auldearn? ¿Es que este hijo de perra te tocó, Anna? —preguntó apretándole el cuello—. ¿Te tocó? —insistió empujando con más fuerza—. ¿Lo hizo?

Arthur sentía que el nudo se tensaba en torno a su garganta y no era por la mano de MacDougall. No. Sabía que tendría que responder por lo que pasó o estuvo a punto de pasar en Auldearn.

—¡Suéltale! —Alan advirtió el pánico en la voz de Anna. Ella intentaba tirarle del brazo, pero sin obtener resultado—. Sí, pero no es lo que piensas.

De hecho, debía de ser exactamente como lo pensaba.

—¡Maldito bellaco del demonio! —dijo MacDougall estampando la cabeza de Arthur de nuevo contra el árbol—. Os mataré por esto.

Arthur no dudaba de sus intenciones. Ni tampoco de su capacidad para hacerlo. Pero no podía permitirlo. Estaba a punto de liberarse cuando oyó un pequeño zumbido seguido por un suave siseo.

«Flecha.»

Sus sentidos se abrieron en una explosión de clarividencia. Miró por encima del hombro de MacDougall y vio la punta de hierro surcando el aire, apenas a un segundo de impactar en el cogote de MacDougall. Arthur no pensó. Simplemente reaccionó. Golpeó hacia arriba el brazo de MacDougall con el antebrazo en un perfecto movimiento para liberar su cuello de las garras de él y tras esto enroscó su pierna alrededor del tobillo para desequilibrarlo. MacDougall cayó al suelo justo antes de que la flecha impactara en el árbol con un sonido seco al que pronto siguieron los desgarradores gritos de ataque.

Oyó la exclamación de terror de Anna, pero no podía volverse para calmarla. El primero de los hombres acababa de emerger de entre los árboles con la espada en alto. De nuevo la reacción de Arthur fue instantánea. Echó mano a la empuñadura de su daga, la extrajo de su funda y la lanzó. El atacante emitió un gemido cuando la hoja dio con los pocos centímetros desprotegidos de la piel de su cuello. Se tambaleó y cayó al suelo.

Para cuando el siguiente de los hombres saltó sobre ellos MacDougall ya había tenido tiempo para entender lo que sucedía y se había puesto en pie. Desenvainó la espada, giró sobre sí mismo y la alzó justo a tiempo para repeler un mandoble que le habría arrancado la cabeza.

«Anna.» Arthur desvió la vista del asalto que estaba por llegar justo el tiempo suficiente para asegurarse de que ella estaba bien. La encontró resguardada tras el árbol, con los ojos llenos de terror. El corazón se le aceleró al percatarse de lo vulnerable que era y luego se le paralizó cuando se dio cuenta de lo vulnerable que eso le hacía a él mismo. No podía permitir que le sucediera nada. Tenía que protegerla. Los mataría a todos si fuera preciso. Sus miradas se encontraron solo por un segundo. Pero la forma en que se miraron fue de una intensidad innegable y brutal.

—Permaneced cuerpo a tierra —dijo con voz pausada, a pesar del flujo de sangre que corría por sus venas.

Arthur se situó frente a Anna, codo con codo con MacDougall, quien seguía luchando con su oponente, y recibió con su espada la avalancha de atacantes que salían de entre los árboles. Una veintena de hombres. Tal vez más.

No tuvo que esperar mucho para encontrarse con el primero de ellos. Por primera vez en casi dos años, desde que se viera obligado a abandonar la Guardia de los Highlanders para infiltrarse en campo enemigo, Arthur se dejó ir y luchó con toda la destreza y el frenesí que tan cuidadosamente mantenía ocultos. Tumbó al primero de los hombres con un virulento movimiento de espada, se giró y aprovechó la inercia para derrumbar al siguiente.

Fueron a por él con más virulencia. Pero no importaba. Era como una máquina de guerra que arrasaba con todo lo que salía a su paso. Tres. Cuatro. El ruido del metal sobre el metal atravesaba el umbrío aire nocturno, mezclándose con los quejidos y los gritos de la batalla. Esos sonidos habían alertado a los hombres del campamento, que afortunadamente estaba a pocos metros de allí, con lo que los soldados de MacDougall comenzaron a aparecer en el pequeño claro, ya envuelto en una oscuridad absoluta. Pero los atacantes esperaban la llegada de los refuerzos. En realidad lo habían planeado y aguardaban el momento. Saltaban desde los árboles a medida que ellos se abrían paso por debajo y caían sobre los desprevenidos hombres del clan MacDougall.

—¡Arriba! —dijo Arthur intentando advertirles—. Dispersaos.

Si no se dispersaban los harían pedazos con la facilidad que se cortan los arenques de un barril. Pero esa fue toda la advertencia que pudo hacer antes de que los siguientes adversarios distrajeran su atención. Tenía a dos hombres sobre él. Dos hombres con nasales, mantos oscurecidos y las características manchas de ceniza negra en los rostros.

El pavor se instaló en su estómago con el peso de una piedra.

Los atacantes eran hombres de Bruce. Pues claro que lo eran. Vio los cuerpos esparcidos en el suelo ante él, hombres que él había matado, y le vino un acceso de bilis a la garganta. Jesús, ¿en qué estaba pensando? Ni tan siquiera pensaba. El instinto de protección hacia Anna sobrepasaba todo lo demás. Pero era peor de lo que imaginaba. Mientras intentaba incapacitar a los dos hombres que le atacaban sin llegar a matarlos, un tercer hombre se unió a la refriega. Un hombre que blandía dos espadas. Se movía como un rayo y fue a por Arthur con una fiereza sin igual incluso entre sus compañeros de élite de la Guardia de los Highlanders.

Arthur se encontró cara a cara en la oscuridad con Lachlan MacRuairi y maldijo para sí.

17

Ocurrió todo muy deprisa. En un momento intentaba evitar que su hermano asesinara al hombre que amaba y al siguiente estaban siendo atacados. Decir que la situación era peligrosa se quedaba corto. Desde su puesto oculta entre los árboles, Anna se obligaba a respirar superficialmente entre el estrepitoso latir de su corazón y observaba con horror cómo aquellos hombres caían sobre ellos como una plaga de langostas. Parecía que fueran cientos de enemigos contra solo dos.

Arthur le paró los pies al primero con tal superioridad que le pareció algo aberrante. Pero entonces llegó el siguiente. Y otro más. Se quedó mirando llena de asombro cómo despachaba sin esfuerzo alguno a todos cuantos salían a su encuentro. Su destreza era tan extraordinaria, mostraba tal superioridad, que le parecía estar viendo a otro hombre. Le había espiado suficientes veces mientras practicaba para reconocer la diferencia. Hacía que su hermano, conocido como uno de los caballeros más diestros de las Highlands, pareciera un escudero. Arthur era más rápido. Más ágil en cuanto a técnica y movimientos. Y lo que era más significativo, más fuerte. Podía sentir cómo reverberaba la tierra con la fuerza de sus golpes. Cuando uno de sus oponentes conseguía acertar con un mandoble, el brazo de Arthur apenas se movía al bloquearlo y absorbía la fuerza del impacto como si nada. Su brazo... Los ojos se le pusieron como platos. Era el brazo derecho.

No lo entendía. Arthur era zurdo. Al menos se suponía que

lo era, pero en ese momento, con solo observarlo, sabía que había estado fingiendo. ¿Por qué ocultaría algo así? ¿Y por qué no le había visto nunca antes luchar de ese modo? Podía comprender los motivos para ocultar sus inusuales aguzados sentidos, pero no había nada inapropiado en tener destreza en el manejo de la espada. Dios, podría ser uno de los caballeros más venerados del reino si quisiera. Entonces ¿por qué no quería serlo?

Pero esas preguntas se esfumaron de su cabeza en cuanto vio la nueva horda de atacantes que se les venía encima desde los árboles. No cabía duda de que al ver los cuerpos caídos de sus compatriotas habían identificado la amenaza y se reunían en torno a Arthur.

Anna reprimió el grito de advertencia, consciente de que no haría más que distraerle. Pero tenía el corazón en un puño. Dos hombres. Y un tercero no muy lejos de ellos.

De repente algo pareció cambiar en Arthur. En lugar de fríos y despiadados golpes mortales blandía la espada con menos intención. Era casi como si su objetivo hubiera cambiado y no deseara matarlos sino simplemente repeler el ataque. Pero no tenía ningún sentido. Se quitó ese pensamiento de la cabeza. Lo que pasaba era que aquellos guerreros estaban mejor entrenados.

Y era cierto. Resultaba difícil ver algo en la penumbra. Llevaban ropajes oscuros y parecían haberse tiznado la piel con algo…

Se le heló la sangre al recordar el ataque del año anterior. Aquellos hombres también llevaban la piel tiznada. ¿Sería posible que se tratara de los espectros del ejército fantasma de bellacos formado por Bruce, el hombre que había instaurado el horror tanto en los corazones de Escocia como de Inglaterra?

Sus peores temores se vieron confirmados cuando un tercer hombre descendió sobre Arthur como un perro del infierno. En lugar del largo espadón de dos manos que usaban los highlanders, este blandía dos espadas más pequeñas. Una en cada mano.

Pero eran sus vestiduras las que la hicieron temblar con un terror que ascendía por todos sus huesos. Al igual que el resto de los atacantes, llevaba un nasal oscurecido y había tiznado su piel con barro o cenizas, pero lo que la hizo estremecer ante el recuerdo era el resto de su indumentaria. Vestido de negro de la cabeza a los pies, en lugar de cota de malla llevaba un peto de guerra de cuero tachonado con piezas de metal, polainas de cuero y una manta envuelta de manera extraña. Justo como el hombre que la había atacado el año anterior, aquel rebelde de belleza absurda.

Ese hombre era uno de ellos. Anna lo sabía. El miedo se transformó en pánico. Se los conocía por sus extraordinarias habilidades, por combatir como demonios poseídos. «¡Oh, Dios mío, Arthur!» Su respiración se quedó detenida en la parte alta de su pecho al ver que el atacante volaba hasta él con las espadas en alto a cada lado de su cabeza. El tiempo pareció ralentizarse. Arthur, todavía ocupándose de uno de los otros dos adversarios, no podría defenderse. Se le heló el pecho. La sangre. Arthur iba a morir.

Anna abrió la boca para gritar, pero en el último momento Arthur golpeó a uno de los hombres que le atacaban con la empuñadura de su espada y pudo alzarla a tiempo para bloquear las dos hojas antes de que le cruzaran el cuello. El asaltante demoníaco y él se encontraron cara a cara con las espadas engarzadas sobre sus cabezas. El agresor tenía el impulso de ventaja ya que caía desde las alturas, pero consiguió repelerlo haciendo uso de ambas manos. Si bien Arthur le daba la espalda, consiguió distinguir la cara de su oponente gracias a la luz ofrecida por un rayo de luna. Tenía los ojos más espeluznantes que Anna jamás hubiera visto. Se estremeció. Parecían brillar en la oscuridad. Con esas oscuras facciones retorcidas por la rabia parecía un diablo recién salido del infierno, Lucifer en persona. Un difuso recuerdo acudió a su memoria. ¡Dios santo! ¿Era posible que…? Anna abrió los ojos sin creérselo del todo. Se parecía a Lachlan MacRuairi, el marido de su difunta tía Juliana. Hacía años que no lo veía, pero según había oído estaba con los rebeldes. Su tía Juliana, de la cual su hermana había recibido el nombre, era mucho más joven que su padre, casi veinte años. MacRuairi probablemente tenía la misma edad que su hermano Alan. Al acercarse a Arthur la expresión de su rostro cambió. No se habría percatado si no hubiera observado con tanta atención. ¿Sorpresa? ¿Reconocimiento? El hombre que parecía su tío dio un paso atrás. ¿O eran imaginaciones suyas? Estaba oscuro y no era fácil estar segura. Ambos siguieron intercambiando golpes, pero la intensidad y la ferocidad habían desaparecido. Comparado con lo anterior, parecía más un entrenamiento que una batalla en la que se emplearan a fondo. Anna miraba a través de la oscuridad intentado comprender lo que ocurría. Entonces, vio por el rabillo del ojo que su hermano tropezaba hacia atrás, con la espada en el suelo y ambas manos sobre la cabeza, tambaleándose...

Anna lanzó un grito, incapaz de dominarse por más tiempo. Habría corrido en su ayuda, pero Arthur se retrasó hasta su posición para impedirle el paso.

—¡Quedaos atrás, maldita sea! ¡Quedaos atrás!

Observó con impotencia cómo el agresor con el que luchaba su hermano alzaba la espada para acabar con él. Su espeluznante grito atravesó la noche como una daga.

Arthur pareció vacilar, pero solo por un instante. De alguna forma se las arregló para contrarrestar un golpe del hombre que se parecía a su tío y dar media vuelta a tiempo para bloquear la estocada dirigida contra su hermano. El brazo del atacante, al no estar preparado para esa defensa, se vino abajo y con él su cuerpo, que fue a caer justo sobre la espada de Arthur. El hombre, sorprendido, abrió los ojos antes de cerrarlos para siempre jamás.

Incluso en medio de esa horrible pesadilla la truculenta imagen fue demasiado para ella. Volvió la vista entre sollozos. Momentos después, un agudo silbido cercenaba el aire de la noche. Miró hacia el tumulto y se sorprendió al ver que los atacantes se retiraban. Al parecer MacRuairi, o un hombre que se parecía mucho a él, había dado la orden de retirada. El claro estaba invadido por los hombres de su hermano. Corrió al encuentro de Alan antes incluso de que el último de los rebeldes saliera del bosque. Había conseguido ponerse en pie, pero todavía parecía tambalearse.

—¡Oh, Dios, Alan! ¿Estás bien?

Incluso en la oscuridad advirtió que le costaba mucho enfocar la vista por la manera en que la miraba. Sacudió la cabeza como si pudiera así disipar la nebulosa.

—Un golpe en la coronilla —dijo—. Me pondré bien. No hay por qué llorar. —La tomó por la barbilla y le dirigió una sonrisa cariñosa.

Anna asintió y se limpió las lágrimas con el dorso de la mano, sin darse cuenta siquiera de que estaba llorando. Se volvió de manera instintiva y lo buscó. Arthur estaba a pocos metros de ella, observándola. Anna tenía ganas de correr a su encuentro, de echarse en sus brazos, enterrar la cabeza en su pecho y romper a llorar. Él se encargaría de acallar el horror. Pero su hermano estaba allí mismo. Y el rostro de Arthur se veía demasiado sombrío.

—¿Estáis ilesa? —preguntó.

Anna asintió mientras lo examinaba, deteniéndose en la mandíbula y las mejillas, amoratadas por los golpes de su hermano.

—¿Y vos?

Arthur asintió también como respuesta.

Alan permanecía junto a su hermana completamente rígido. Después caminó en dirección a Arthur, y Anna se quedó paralizada temiendo lo que estaba a punto de hacer. Se detuvo a pocos pasos de él. Ambos hombres se quedaron mirándose en el silencio de la oscuridad hasta que al final Alan dijo:

—Parece ser que estoy en deuda con vos, no una, sino dos veces. —Arthur se quedó impasible y luego se encogió de hombros levemente—. No me gusta ver a mi hermana enfadada —añadió Alan.

Anna asumió que aquello era una disculpa.

—A mí tampoco —dijo Arthur.

Alan lo examinó por un momento y después asintió, como si hubiera llegado a algún tipo de decisión.

—Habéis luchado bien —dijo cambiando el tema, pero no la intensidad de su escrutinio.

Al parecer no era ella la única que había advertido la mejora de sus habilidades.

—El fervor de la batalla —explicó Arthur.

Estuvo a punto de mencionar lo de su cambio de mano, pero algo la detuvo. Si su hermano también se había percatado de ello, no lo desveló. Pero seguía observándolo con detenimiento.

—Sí, hay algunos hombres para los que funciona así. —Anna no pudo saber por el tono de su voz si Alan creía realmente la explicación de Arthur. Al ver que este no respondía, añadió—: Los rebeldes están mejor entrenados de lo que pensaba.

—No eran unos rebeldes cualquiera, hermano —dijo Anna.

Ambos la miraron, pero fue Alan quien hizo la pregunta.

—¿A qué te refieres?

—Creo que uno de ellos era parte de la guardia fantasma de Bruce, pero puede que no fuera el único.

Anna explicó la similitud de vestimenta con el hombre que dirigía el ataque del año anterior a la iglesia. Alan se mesó la barba.

—Tiene sentido. Creo que podrías estar en lo cierto.

—Hay más. No puedo estar segura, pero creo que he reconocido a uno de ellos. El de las dos espadas.

—¿Qué? —Ambos hombres reaccionaron. Su hermano con entusiasmo y Arthur con… algo diferente a eso.

—Nuestro tío, el que era nuestro tío.

Alan maldijo.

—¿MacRuairi?

Anna asintió. El rostro de Alan adoptó un gesto severo.

—A nuestro padre no le gustará nada. —Anna no sabía de dónde provenía la enemistad de su padre con el que fuera su tío político, pero sí que el odio corría furiosamente por ambas partes. Alan soltó una carcajada—. Aunque tal vez debería. Que Bruce se quede en su bando a ese hijo de perra oportunista y traicionero. Lachlan MacRuairi solo profesa lealtad a sí mismo. Si es ese el tipo de hombre que ha reclutado para su banda de fantasmas, no tenemos nada de lo que preocuparnos.

Arthur permanecía en un extraño silencio. Anna tenía ganas de preguntarle acerca de lo ocurrido entre el que creía su tío y él, pero, del mismo modo que anteriormente, algo la hizo contenerse. En lugar de eso preguntó:

—¿Qué es lo que les hizo huir?

Su hermano se quedó circunspecto.

—No estoy seguro. Tenía la cabeza tocada. No he visto prácticamente nada.

—Vuestros hombres hicieron aparición —explicó Arthur—. Estaban en minoría numérica. —A ella no le había parecido así, pero estaba demasiado pendiente de su hermano para prestar atención al resto de la batalla—. Deberíais volver al campamento —dijo.

—Sí —concedió Alan—. Uno de mis hombres te llevará, Anna. Nosotros hemos de encargarnos de...

«Los muertos», completó ella misma.

El horror del ataque, el horror de aquello a lo que habían escapado por poco, la golpeó entonces con toda su fuerza. Las compuertas se abrieron y emergieron todas las emociones que había estado conteniendo tras ellas, amenazando con desbordar en un mar de lágrimas. Se volvió, advirtiendo que Arthur se había puesto a su lado. Este, ajeno a la presencia de Alan, estiró el brazo para ponerle tras la oreja un mechón de pelo rebelde. Sus dedos pasaron rozándole la mejilla y se detuvieron allí. La ternura que había en ese gesto hizo que a Anna se le saltaran las lágrimas. Alzó la vista para mirarlo. Advirtió la cara de preocupación tras su expresión adusta. Su sólida presencia, su fuerza la desarmaban completamente. Si la tomara entre sus brazos se rompería en pedazos. Arthur, que adivinaba que eso podría ocurrir, no lo hizo.

—Todo saldrá bien —dijo con delicadeza—. Haced lo que dice vuestro hermano.

—Pero...

Cortó sus protestas con una negación de la cabeza y expresión firme. Debió de adivinar que ella tenía preguntas que hacerle.

—Ahora no —dijo mirando en dirección a los caídos—. Después.

Anna mantuvo los ojos en el rostro de Arthur, procurando no seguir la dirección de su mirada. Ya había visto suficiente sangre para el resto de sus días. Los recuerdos de esa noche la perseguirían. Era una reacción comprensible. Anna era una mujer y no alguien acostumbrado a la sangre y la carnaza del campo de batalla. Arthur, sin embargo, sí lo estaba. O al menos debería estarlo. Pero había algo en su expresión, en la tirantez de su mandíbula, la blancura de la boca, la crudeza de sus ojos, que indicaba que aquello le afectaba profundamente. Anna seguía los pasos de los dos hombres de su hermano que la precedían con la sospecha de que ella no sería la única a la que perseguirían los recuerdos de aquella noche. La cuestión era por qué.

Arthur no pudo conciliar el sueño. Casi esperaba que Mac-Ruairi se deslizara en la oscuridad y le rajara la garganta o le clavara un puñal en la espalda por lo que había sucedido. No sería la primera vez. No se había ganado el sobrenombre de Víbora únicamente por su venenosa personalidad, sino también por su ataque silencioso y mortífero. Sin embargo, Arthur no podía culparlo.

Tal y como había hecho casi toda la noche, miraba el montón de cuerpos que habían dejado apiñados a un lado del claro, puestos allí para que los «atacantes» los recogieran. Nueve hombres de Bruce asesinados. Más de la mitad por la punta de su espada. Se había equivocado. Mucho. En demasiados aspectos para poder contarlos. Suficiente malo era que sus sentidos le hubieran fallado, que no hubiera advertido las señales del ataque, pero, además, parecía haber olvidado de qué parte estaba. Llevaba tanto tiempo atrincherado en campo enemigo que comenzaba a creer sus propias mentiras.

«Cristo.» Cerró los ojos en un intento de aplacar sus pensamientos. Se había visto obligado a matar a sus propios hombres antes, pero nunca de ese modo. Aquello no era simplemente defenderse. Se había vuelto loco haciéndolo. Estaba tan concentrado en proteger a Anna y matar a cualquiera que supusiera una amenaza para ella que no había reparado en nada más que eso. Ni tan siquiera se detuvo cuando se percató de lo que ocurría. Había salvado la vida de MacDougall a expensas de la de uno de sus compatriotas. No podía quitarse de la cabeza la cara que había puesto MacRuairi cuando Arthur atravesó al hombre que estaba a punto de acabar con MacDougall. Poco importaba que su intención no fuera matarlo. No tendría que haber intervenido. El llanto desgarrador de Anna no era excusa, al menos no una excusa que importara para los de su hermandad.

Se levantó de su solitario puesto junto al árbol cuando empezaron a vislumbrarse los primeros rayos del amanecer a través de la floresta. No acudirían. Ni MacRuairi, ni tampoco Gordon, MacGregor y MacKay, a menos que hubiera errado al identificar a los otros tres miembros de la Guardia de los Highlanders cuando se batían en retirada. Tampoco esperaba que lo hicieran, aunque le habría gustado tener la oportunidad de explicarse ante ellos. No se arriesgarían de nuevo a revelar la identidad de Arthur. Para eso se bastaba a sí mismo.

Era consciente de lo cerca que había estado de arruinar su tapadera y de poner toda su misión en peligro. Anna, tal y como probaban sus preguntas, era demasiado observadora, incluso siendo presa del pánico. Y no era la única. También Alan sospechaba de la súbita mejora de sus habilidades como combatiente y de lo rápido que habían huido los atacantes. Por el momento los había contentado, pero sabía que ella tenía más preguntas y no se atrevía tan siquiera a pensar qué más habría advertido.

Reconocer a MacRuairi ya era malo de por sí, pero relacionarlo con la Guardia de los Highlanders era un completo desastre. Mantener sus identidades en secreto no era solo un añadido a la mística y al miedo que rodeaban a aquella guardia «fantasma», sino que también ayudaba a mantenerlos a salvo. Si sus enemigos tenían conocimiento de sus identidades, además de poner precio a sus cabezas, peligraría la seguridad de sus familias. Esa era la razón por la que habían decidido usar nombres de guerra cuando estaban en una misión.

Cuando Bruce se enterara de que habían desenmascarado a MacRuairi, habría graves consecuencias. No tendría que haber ocurrido, maldita fuera. La rabia y la culpa invadían su interior sin piedad. Arthur habría presentido el ataque de no haberse involucrado tanto con Anna y dejarse dominar por la emoción. Aquellos hombres no estarían muertos y tampoco la habría puesto a ella en peligro. Dios, podrían haberla matado. Y todo por no ser capaz de controlar sus emociones e implicarse demasiado.

Volvió al campamento justo en el momento en que empezaban a desperezarse los hombres que no estaban de guardia. Miró hacia la tienda de Anna y vio que las portezuelas forradas de lino permanecían cerradas. «Bien. Que duerma.» Se lo merecía. Había ido a verla con frecuencia en el transcurso de la noche para asegurarse de que estaba bien. Sabía lo mucho que la había afectado el ataque, pero combatía con sus propios demonios, de modo que por más que fuera él quien debía hacerlo, no estaba en condiciones de consolarla. No obstante, una vez que hubo regresado de encargarse de los caballos, vio la portezuela abierta. Al inspeccionar el campamento y no encontrarla se quedó circunspecto. Pero poco después tuvo oportunidad de espiarla mientras hablaba con su hermano, que estaba ocupado con algunos de sus hombres. La exasperación que reflejaba su semblante era tan corriente que suspiró aliviado, aun sin querer reconocer cuánto se había preocupado.

Cuando su mirada reparó en él, Anna titubeó, pero enseguida comenzó a avanzar por el terreno sembrado de musgo y hojas en su dirección. Arthur se percató de que llevaba un hatillo de ropa en las manos. Se detuvo frente a él, inclinando su pálido rostro para mirarlo. Arthur sintió una congoja en el pecho. Al parecer, el sueño también le había sido esquivo.

—Ya que la regla la habéis puesto vos y mi hermano está ocupado, tendréis que acompañarme.

Arthur la miró de modo inquisitivo.

—¿No me hicisteis prometer que no abandonaría el campo sin vuestra compañía o la de mi hermano?

Se le torció el gesto hasta convertirse en la primera sonrisa en lo que habían parecido años.

—Sí.

—Necesito ir al arroyo a lavarme.

El arroyo quedaba perfectamente a la vista desde el campamento, pero Arthur no discutió al percatarse de cuánto la habría afectado el ataque. Hizo una reverencia burlona con un gesto exagerado de la mano.

—Después de vos.

Anna no parecía tener muchas ganas de hablar, algo que a él le venía al pelo. Esperó junto a un árbol, haciendo como que no miraba, en tanto que ella se encargaba de sus abluciones matinales. Tras arreglarse el pelo con un peine húmedo y lavarse los dientes con polvos de un frasco que refregó sobre un pequeño trocito de tela blanca, sumergió otro trapo blanco en el agua. Había llevado con ella una pastilla de jabón, la cual frotó sobre la tela para después proceder a lavarse la cara, el pecho, las manos y los brazos. Era una de las imágenes más sensuales que jamás hubiera presenciado.

Cuando se metió el trapo entre los pechos ya no pudo más. Se volvió, furioso por que algo tan mundano pudiera excitarle. Pero con ese sol cayendo entre los árboles, que se reflejaba en sus cabellos dorados y los arroyuelos de agua que se derramaban en cascada por su cara y su pecho se la veía hermosa, dulce y verdaderamente cautivadora. Un rayo de luz en la oscuridad. Y todo en cuanto Arthur podía pensar era lo cerca que había estado del cielo y las ganas insensatas que tenía de tocarla de nuevo. Dios, ¿es que no había aprendido nada de lo ocurrido la noche anterior? Se concentró en lo que les rodeaba con una intensidad casi exagerada, aguzando sus sentidos hacia cualquier cosa que se saliera de lo ordinario. Sin embargo volvió la vista atrás. Anna había terminado y caminaba hacia él con el sol a contraluz por la espalda. Arthur tuvo que contener la respiración. Pero eso no evitó que le atrapara el subyugador olor de su dulce y femenina fragancia: piel recién lavada con un toque a pétalos de rosa.

—¿Qué sucede? —preguntó Anna.

—Nada —dijo con tirantez.

—Parece como si os doliera algo —dijo mirándolo a los ojos—. ¿Os duele la cara? —preguntó tomándole la amoratada barbilla en la mano. Cada uno de los músculos de Arthur se puso en guardia ante el contacto—. ¿Os ha roto algo el idiota de mi hermano? —Jesús, qué manos más suaves. Sus dedos aterciopelados acariciaban el duro contorno de la tensa mandíbula de Arthur—. Mirad cuántos cardenales. Eso debe de doler —añadió, llevando el dedo hasta su boca—. Tenéis el labio partido.

Sí, dolía. Aquel gesto de sensualidad inocente hacía correr la sangre hasta la entrepierna de Arthur y la incendiaba de calor. Tuvo que obligarse a no chuparle el dedo. No tenía ni idea de lo que le estaba haciendo. Ni de lo que a él le estaba costando resistirse a tocarla.

Anna lo miró con una preocupación que se reflejaba en sus ojos.

—¿Duele mucho?

—La cara no. —Arthur le dirigió una mirada lasciva que le decía exactamente dónde estaba el origen de su dolor. Parecía que le fuera a estallar.

Las mejillas de Anna se ruborizaron levemente. Por si aquello no fuera suficiente, empezó a mordisquearse ese suave labio inferior que tenía.

—Oh, no me daba cuenta de que…

—Deberíamos volver. Vuestro hermano quería salir temprano.

Anna asintió y Arthur tuvo la impresión de que le daba un escalofrío.

—No me entristecerá marcharme de aquí.

Arthur no pudo contenerse. La tomó por la barbilla y clavó la mirada en sus grandes ojos azules.

—¿Estáis bien?

Anna intentó sonreír, pero le tembló la boca.

—No, pero me las arreglaré.

Arthur le soltó la barbilla y su boca adoptó un gesto severo.

—Lo que ocurrió la pasada noche no volverá a repetirse.

Los delicados arcos de las cejas de Anna se fruncieron.

—¿Cómo podéis estar tan seguro?

—Porque no lo permitiré.

Anna lo examinó con la mirada y abrió los ojos de repente al comprenderlo.

—Por Dios bendito, por eso estáis enfadado. Os culpáis de lo ocurrido. Pero eso es ridículo. Jamás podríais haber sabido que…

—Sí, sí debería haberlo sabido. Si no hubiera estado tan distraído, no habría ocurrido.

—Entonces ¿la culpa es mía?

—Por supuesto que no.

—No sois perfecto, Arthur. Sois humano. Cometéis errores. —Él no respondió. Tenía la mandíbula tan apretada que le dolían los dientes—. ¿Eso es lo que pensáis? —preguntó Anna con ternura—. ¿No os han fallado vuestros sentidos nunca antes?

«Una vez», pensó Arthur, apartando el recuerdo de su memoria.

—Tenemos que regresar.

Empezó a alejarse de ella, pero Anna lo agarró del brazo para detenerlo.

—¿No me lo vais a contar?

—No hay nada que contar.

—¿Tiene algo que ver con vuestro padre? —Se quedó mirándola, anonadado. ¿Cómo demonios había llegado a sospecharlo? Anna advirtió su sorpresa—. Cuando hablasteis de su muerte, me dio la sensación de que no lo contabais todo.

No había contado ni la mitad de lo que pasó. Como por ejemplo la participación del padre de Anna en la tergiversación de los hechos. Anna esperaba una respuesta. Él no era muy dado a hablar sobre su pasado, pero la expresión del rostro de ella le dijo que aquello le parecía algo muy importante.

—No hay mucho que contar. Se trataba de mi primera batalla. Mi padre me llevó con ellos para ponerme a prueba. Estaba tan preocupado por impresionarle que no detecté las señales del ataque. —Pero eso no era la peor parte, pensó Arthur—. Vi cómo moría.

El rostro de Anna se llenó de conmiseración.

—Dios, lo siento mucho. Debió de ser horrible. Pero no erais más que un chiquillo. No podíais hacer nada por ayudarle.

—Tendría que haberle avisado. —De no haber estado tan afectado, tan asustado, habría visto las señales, reflexionó Arthur. Entonces, al igual que la anterior noche, la emoción se había interpuesto en su camino—. Estaba distraído.

Apenas tuvo tiempo de fruncir el entrecejo antes de que los ojos de Anna se iluminaran repentinamente de comprensión.

—Le queríais.

Arthur se encogió de hombros, incomodado con el tema.

—Eso no le sirvió de mucho.

—Incluso Aquiles tenía un punto débil, Arthur. —Él la miró con cara de estar extrañado. ¿De qué estaba hablando?—. Es difícil mantenerse alejado y a la expectativa con las personas a las que uno quiere —dijo Anna ofreciéndole una sonrisa de simpatía—. No podéis culparos por querer a las personas.

—Pero lo hacía. ¿De qué servían sus tan pregonadas habilidades si no podía proteger a aquellos que quería?—. Gracias por contármelo.

¿Por qué volvía a sentir que la había dejado ver demasiado de sí?

—No deseaba que os preocuparais pensando en otro ataque sorpresa.

—No me preocupo —dijo Anna—. Confío en vos.

Arthur sintió unos ardores en el pecho que lo consumían por dentro. Quería advertirle que no lo hiciera, decirle que no se lo merecía, que lo único que haría sería hacerle daño, que ella daba su corazón con demasiada facilidad, con los ojos cerrados. Pero en lugar de eso asintió y pusieron rumbo hacia el campamento. Arthur subió la cuesta con ella, y cuando estuvieron en las inmediaciones, Anna lo miró de soslayo.

—Pareció como si mi tío os reconociera.

La observación lo cogió con la guardia completamente baja. Algo para lo cual parecía tener un talento especial. Arthur dio un paso un tanto vacilante. No mucho, pero temía que se hubiera dado cuenta.

—¿Estáis segura de que era vuestro tío? No se veía bien. Yo estaba mucho más cerca y no pude reconocer aquella cara oculta tras el nasal.

Anna arrugó la nariz, un movimiento adorable que chocaba profundamente con la amenaza que representaba para él.

—Hace unos cuantos años que no le veo, pero estoy bastante segura de que era él. Sus ojos son inolvidables —dijo con un escalofrío. Si intentaba distraerla de su pregunta, no le iba a funcionar—. Pero pareció reconoceros.

—¿Ah, sí? —dijo Arthur encogiéndose de hombros—. Puede que nos hayamos cruzado alguna vez.

Ella se quedó un momento sin decir palabra, pero desafortunadamente no pensaba dejar el asunto correr.

—Entonces ¿no lo conocéis?

Arthur luchó contra la activación instintiva de sus alarmas.

—Personalmente no.

—Parecía disgustado de veros.

El rápido latir del pulso de Arthur contradecía su calma exterior. Era peligrosamente perceptiva y andaba demasiado cerca de la verdad.

—¿Disgustado? Por lo que sé, Lachlan MacRuairi es un hijo de…—dijo, deteniéndose al recordar a quién tenía por audiencia—. Es un hombre perverso con un carácter de perros. Probablemente estaba furioso por que matara a tantos de sus hombres.

Anna pareció aceptar la explicación. Pero la siguiente pregunta le dejó claro que todavía no estaba satisfecha.

—¿Por qué se retiraron?

Arthur maldijo para sí. Las voces de alarma se encendían con más fuerza.

—Como ya os dije, los hombres de vuestro hermano llegaron hasta nosotros. Estaban en minoría.

Se quedó circunspecta.

—A mí no me lo pareció. Parecía que estaban ganando ellos.

Arthur se obligó a forzar una sonrisa irónica.

—Vuestro hermano estaba en peligro —le recordó—. Yo diría que estabais distraída.

Anna alzó la vista para mirarlo y le dedicó una media sonrisa.

—Puede que tengáis razón. Estaba concentrada en mi hermano. Todavía tengo que agradeceros lo que hicisteis. —Una sombra surcó su rostro—. Si no hubierais detenido a ese hombre…

—No penséis más en ello, Anna. Ya pasó.

Asintió y volvió a mirarlo de reojo.

—De todos modos, os lo agradezco. Y también Alan lo hace, a pesar de que tenga una extraña forma de demostrarlo.

MacDougall no ocultaba su interés por ellos. Arthur sintió el peso de su mirada durante todo el tiempo. Al encontrarse con sus ojos, supo que la discusión acerca de lo ocurrido el día anterior todavía no había acabado.

—Tiene derecho a estar furioso, Anna. Lo que hice estuvo mal. Todo cuanto puedo hacer es prometer que jamás volverá a suceder.

La manera en que su respiración quedó sobrecogida fue como una puñalada en el pecho. Parecía conmocionada. Desconcertada. Como si esperara algo diferente.

—Pero…

—Nos aguardan —dijo Arthur, y señaló al mozo que preparaba sus caballos para que no siguiera hablando. No podría soportar otra conversación como la del día anterior—. Es hora de partir.

Esas palabras iban dirigidas tanto a ella como a sí mismo. Punto ciego. Punto débil. No importa como lo hubiera llamado. Sus sentimientos en lo que respectaba a Anna se habían convertido en un lastre. Había permitido que ella se acercara demasiado, y su misión y su tapadera pendían de un hilo. La cuenta atrás había comenzado.

18

Dos días sin acontecimientos reseñables después, Anna atravesaba las puertas del castillo de Dunstaffnage a lomos de su caballo. Uno de los guardianes se había adelantado, de modo que les esperaban. Por el semblante de ira apenas contenida de su padre advirtió que estaba al tanto del fracaso de su viaje. Anna soñaba con disfrutar de una noche de sueño reparador antes de afrontar las preguntas de su señor, pero su tardía llegada no sirvió para retrasar el informe. Alan y ella casi no tuvieron tiempo de lavarse las manos y hacer una frugal refacción antes de que los presentaran en las dependencias del señor del castillo.

John de Lorn permanecía de pie en medio de la sala, con las manos a la espalda y los miembros importantes de su *meinie* detrás de él a ambos lados. La expresión de duelo que todos compartían sin excepción hizo pensar a Anna que entraba en un túmulo funerario. Dado que ninguno de ellos tomó asiento, ella y Alan tuvieron que soportar la incomodidad de estar de pie. Sus sensaciones no distaban mucho de las del niño al que llaman para que responda de una travesura atroz con resultados nefastos.

Apenas se hubo cerrado la puerta cuando su padre comenzó a hablar. A atacar, en realidad.

—Ross rechazó la oferta.

No se trataba de una pregunta. Al notar el tono de acusación de su voz, Anna tuvo ganas de explicarse, pero no le tocaba a ella hacerlo.

Alan respondió por ambos.

—Sí. La respuesta de Ross a una alianza fue la misma que en la ocasión anterior. Dijo que Bruce marcharía también contra él y que no podía prescindir de ninguno de sus hombres.

—Pero ¿que pasó con el compromiso? ¿No le hizo eso cambiar de idea?

Anna sintió el peso de las miradas de todos los hombres sobre ella y sus mejillas se sonrojaron. Mantenía la vista baja para que su padre no viera lo avergonzada que estaba. Independientemente de que supusiera algún cambio o no, había fracasado en la tarea que se le había encomendado.

—No hay compromiso —explicó Alan—. Estuvieron de acuerdo en que no encajan el uno con el otro.

Anna deseaba que nadie más detectara cómo Alan acababa de medir sus palabras.

—¿Quieres decir que no te perdonó por rechazarlo la primera vez? —preguntó el padre a Anna directamente.

Ella se aventuró a mirarlo y a contemplar su cara de rabia. El corazón se le encogió. No era bueno para él que se enfadara tanto. Quiso decirle algo a ese respecto, pero sabía que si le trataba como a un inválido ante sus hombres, se pondría más furioso aún. No sabía qué decir. No quería mentirle, pero tampoco podía contarle toda la verdad.

—Yo… —dijo, tropezando con sus propias palabras.

—Bien —repuso su padre con impaciencia—, creía que ibas a persuadirle.

Las mejillas le ardían de la vergüenza.

—Lo intenté, pero me temo que él… percibió que mis sentimientos estaban comprometidos con otra causa.

—¿Qué quiere decir eso de «comprometidos con otra causa»? —Su padre entornó los ojos, que la atravesaban como flechas. Sabía que había algo que no le estaba contando—. Campbell —dijo impasible en respuesta a su propia pregunta. Maldijo para sí con una mirada implacable—. ¿Y cómo podría percibir eso? ¿Qué hiciste?

Jamás había visto a su padre tan furioso con ella. Era la primera vez que su rabia la atemorizaba. Que lo mereciera no era algo que aplacara sus devastadores efectos. ¿Qué podría haber dicho? Afortunadamente, Alan se apiadó de ella.

—El compromiso no habría cambiado nada. Ross ya tenía sus planes hechos. Me temo que aún no habéis oído la peor parte. —Anna se temía lo peor respecto a la reacción de su padre. Tenía miedo de que aquello lo llevara a un nuevo ataque de apoplejía. Al parecer, Alan decidió que era mejor no dosificar la verdad, sino soltarla de una sola y desagradable vez—. Ross está pensando en rendirse.

Su padre no dijo una palabra. Pero Anna contemplaba cómo su furia crecía como una cresta de espuma en el horizonte que se dirigiera hacia la costa a toda velocidad hasta convertirse en un temible ola que amenazaba con romper. John de Lorn apretaba los puños con fuerza, su cara estaba roja como un tomate, las venas le palpitaban en las cejas y sus ojos ardían como si fueran las puertas del infierno. Anna dio un paso en su dirección, pero Alan la detuvo con una mano y negó con la cabeza en señal de advertencia.

Cuando su padre acabó por pronunciarse fue para proferir una retahíla de insultos que habrían puesto a su madre de rodillas durante semanas enteras en penitencia por su alma blasfema. Deambuló, iracundo, por la pequeña cámara como un león enjaulado. Incluso sus hombres le dejaron espacio suficiente para que diera rienda suelta a su enojo.

—¡Ross es un majadero del demonio! —explotó con furia—. Bruce jamás le perdonará lo que hizo a las mujeres. ¡Por el amor de Dios! Colgó en jaulas a su hermana y a la condesa. Si se rinde, estará firmando su propia orden de ejecución. —Detuvo sus palabras lo justo para dar un puñetazo sobre la mesa—. ¿Cómo puede pensar en postrarse ante ese asesino traicionero? Cortó a mi pariente en pedazos delante de un altar.

Anna no se atrevió a señalar que la santidad de la iglesia no era algo que pareciera importarle mucho a Ross. Después de todo, él mismo violó el santuario para capturar a las mujeres de Bruce.

—El pueblo está con Bruce —dijo Alan para calmar a su padre—. Ha despertado un fervor patriótico en el campo que no se veía desde Wallace. Creen que es un salvador, el segundo advenimiento del rey Arturo, que los ha liberado del yugo de la tiranía inglesa. Ross piensa en su gente y en el futuro de su clan. Piensa en lo que es mejor para Escocia.

Anna intentó ocultar su sorpresa. Afortunadamente su padre estaba demasiado furioso para oír lo que Alan había dicho realmente. Pero aunque su padre no lo hubiera hecho, ella sí había oído el tono de reprimenda en la voz de su hermano. ¿Pensaría Alan igual que Ross? ¿Creía también él que Bruce era la mejor opción para Escocia? Por Dios bendito, ¿qué pasaría si su padre se equivocaba?

Anna no podía creer que fuera ella quien albergara ese pensamiento desleal. Pero los MacDougall, en su día fervientes patriotas, habían dado su apoyo a los ingleses por no ver a Bruce sentarse en el trono. ¿Era eso lo mejor para Escocia?

—Moriré antes de ver a ese asesino en el trono —dijo su padre, consumida ya la rabia de sus ojos, fríos como el hielo.

Anna sintió cierto alivio al oír los murmullos unánimes de sus hombres que concordaban vigorosamente con esa idea. Su padre sabía lo que hacía. Era uno de los hombres más grandes de Escocia. Tenía sus fallos, claro está, ¿qué gran hombre no los tenía? Pero él haría que superaran aquello.

Una vez informado sobre la parte más importante del viaje, Alan procedió a contarle a su padre el resto, dando cuenta brevemente del problema acontecido por el camino. Su padre escuchaba, cada vez más preocupado, palideciendo visiblemente al oír cómo su heredero escapaba por poco a la muerte, dos veces. Entornó los ojos aviesamente cuando Alan lo informó de las sospechas de Anna acerca de la implicación de MacRuairi y después rebosó de emoción al percatarse de la conexión que tenía con la guardia fantasma de Bruce.

—Buen trabajo —dijo a Anna, quien sonrió radiantemente por el halago.

Alan dio la versión de Arthur de su retirada, pero su padre también pareció tener problemas en comprenderlo.

Al final, se adelantó y la cogió de la mano.

—¿No has sufrido ningún daño, hija?

Anna negó con la cabeza y él la acogió entre sus grandes y robustos brazos, olvidando aparentemente su ira. Por un momento, Anna volvió a sentirse como una niña y la necesidad de llorar todas sus penas sobre su túnica de finos bordados se apoderó de ella. Arthur seguía enemistado con ella. El ataque no había cambiado nada. Si acaso lo había empeorado. Tenía la esperanza de que después de su charla él hubiera cambiado de parecer. Arthur sentía algo por ella, pero había un motivo que lo hacía contenerse. Esos dos días de camino no le habían dado nuevas perspectivas. Anna no podía despejarse de la sensación de que había algo extraño en el ataque. Y tampoco podía quitarse de la cabeza la inquietud que le provocaba sospechar que él ocultaba algo.

Su padre se echó hacia atrás para mirarla.

—Estás cansada. Ya oiré el resto de la historia por la mañana.

Asintió, aliviada de que lo peor ya hubiera pasado. Al menos eso es lo que pensaba.

—Y, Alan —dijo John de Lorn a su hijo—, haz que Campbell y su hermano se reúnan con nosotros. Parece que sir Arthur ha de responder por muchas cosas —añadió dirigiéndole una mirada a Anna que la hizo estremecer de la cabeza a los pies.

Arthur estaba preparado para la citación cuando esta llegó. No esperaba, sin embargo, que se incluyera en ella a su hermano.

—¿Qué diablos has hecho? —preguntó Dugald con suspicacia a medida que atravesaban el *barmkin* en dirección a la torre del homenaje—. ¿Por qué tiene Lorn tantas ganas de verte?

Arthur y su hermano subieron la escalera acompasando su marcha con el tintineo de sus petos y sus armas.

—Supongo que tiene preguntas que hacer respecto a los hombres que nos atacaron.

—¿Y qué sabes tú de ellos?

—Nada —dijo Arthur al tiempo que abría la enorme puerta de madera que daba entrada a la torre.

—¿Qué tengo yo que ver en todo esto?

Arthur miró a Dugald. La expresión de su hermano era un reflejo de la acritud que ambos sentían. A Dugald le gustaba tan poco como a él que lo llamaran en presencia de Lorn. A pesar de que su hermano y él lucharan en diferentes bandos de la guerra, todavía podían coincidir en su odio hacia John de Lorn.

—Que me aspen si lo sé —dijo Arthur incomodado por esa incertidumbre. Un guardia llamó a la puerta para anunciar su llegada. Cuando les hicieron pasar, se volvió y añadió—: Pero estamos a punto de averiguarlo.

Examinó con rapidez a los ocupantes de la sala: Lorn, sentado como un rey en un sillón que más bien parecía un trono con una expresión imposible de discernir; Alan MacDougall de pie junto al muro, con cara de no saber muy bien lo que ocurría; y Anna sentada en un banco frente al fuego con aspecto de estar extremadamente inquieta. A excepción del único guarda que los había admitido para dejarlos después a las órdenes de Lorn, no había ningún otro miembro presente de su *meinie*.

Se tratara de lo que se tratase, era un asunto personal. La punzada de inquietud que Arthur sentía se convirtió en una puñalada en toda regla. Lorn, imperioso hijo de perra, no los invitó a sentarse, de modo que permanecieron de pie frente a él. El odio ciego que atenazaba el alma de Arthur cada vez que se encontraba cara a cara con el hombre que había asesinado a su padre no disminuía. Contrajo sus facciones de modo que no revelaran emoción alguna, pero el fuego que quemaba su pecho y la necesidad de hundir una daga en el negro corazón de Lorn eran algo más difícil de reprimir.

—Deseaba vernos, milord —dijo Dugald con un tono que no mostraba deferencia alguna.

Lorn se tomó su tiempo en dejar la pluma a un lado y luego se recostó en el sillón para mirarlos. Tamborileó con los dedos sobre la mesa. Cuando contestó, no fue a Dugald, sino a Arthur:

—He oído que tuvisteis un viaje lleno de peripecias.

Algo en el tono de su voz hizo que sonaran las campanas de alarma en lo más profundo de la cabeza de Arthur. Tuvo que controlarse para no mirar a Anna. ¿Qué le habría contado?

—Sí —dijo—. Tuvimos la suerte de escapar a la primera

banda de bellacos, pero no a la segunda. Les hicimos huir justo a tiempo.

Lorn lo escrutó con tal detenimiento que se le pusieron todos los nervios de punta.

—Eso he oído. Mi hijo no ha tenido más que alabanzas para vuestras habilidades en la batalla. Según afirma, jamás vio nada igual. —Dugald se volvió bruscamente hacia Arthur con la cara circunspecta—. He de admitir que me sorprendió oír la descripción del enfrentamiento —añadió Lorn con una sonrisa. Pero su mirada no tenía nada de divertida. Era fría y calculadora—. Me pregunto por qué jamás antes habíamos visto eso en vos.

Lorn desvió su mirada hacia Dugald, evaluando su reacción. Desafortunadamente, la expresión del hermano de Arthur no hizo sino extrañarse más.

—Sir Alan es más que generoso con sus halagos, mi señor.

Alan dio un paso al frente, en claro desacuerdo con la forma de preguntar de su padre.

—Sir Arthur fue clave a la hora de derrotar a los rebeldes, padre, y al salvar mi vida. Tenemos una deuda de gratitud con él.

—Sí, por supuesto —dijo Lorn—. Estoy muy agradecido. Pero me pregunto… —Hizo una pausa y tamborileó con un dedo sobre la mesa—, me pregunto si podríais arrojar algo de luz sobre el resto del ataque.

—Por supuesto —dijo Arthur. Pero no le gustaban en absoluto los derroteros que tomaba aquel asunto. Lorn era un hijo de perra enrevesado. Le gustaba tener a cuantos le rodeaban en un puño. ¿Acaso sospechaba algo? Quién podía saberlo.

—Mi hija cree haber identificado al que fuera mi hermano político, Lachlan MacRuairi, como uno de esos rufianes, y también piensa que puede ser uno de los guerreros secretos de los que tanto hemos oído hablar.

—Me he cruzado con ese hombre una o dos veces, pero no lo conozco tan bien para afirmar ni una cosa ni la otra. Si lady Anna tiene dudas, me temo que yo no puedo ayudar a resolverlas.

Arthur caminaba por la cuerda floja. Una negación rotunda podría llamar a sospecha, pero quería mantener la semilla de la duda plantada en la mente de Lorn, cuyos rasgos se endurecieron, haciendo patente el odio que profesaba por el que fuera su cuñado.

—MacRuairi es una serpiente traicionera, un asesino despiadado que vendería a su madre por una pieza de plata, pero hay una cosa que jamás haría, y es darse por vencido. Jamás le he visto retirarse en una batalla.

Bàs roimh Gèill. «Morir antes que rendirse» formaba parte del credo de la Guardia de los Highlanders, pero resultaba funesto que esa frase le diera a Lorn algo en lo que hincar el diente. La cuerda floja por la que Arthur caminaba se hacía más inestable por momentos.

Se cruzó de hombros sin comprometerse.

—Entonces ¿es posible que no fuera él?

Lorn volvió a dirigir la vista a su hija, quien lo miró a los ojos antes de contestar:

—No puedo estar segura, padre. Estaba muy oscuro. Solo percibí su cara con claridad por un instante… y hacía años que no lo veía.

Arthur sintió una opresión en el pecho. Intentaba protegerlo. ¿Se habría percatado Lorn también de ello?

—¿Había algo que quisierais de mí, mi señor? —preguntó Dugald cada vez más impaciente.

En otras palabras: ¿qué demonios hacía él allí? Una pregunta que también le interesaba a Arthur.

—Estoy llegando a ese punto.

Lorn volvió a tamborilear sobre la mesa, y Arthur empezó a imaginarse que cogía su maza de guerra y ponía fin a ese incordio de una vez por todas.

—No estoy seguro de que estuvierais al tanto del propósito que tenía el viaje al norte para ver a Ross —dijo a Dugald—. Se trataba de retomar las conversaciones para el compromiso de matrimonio entre mi hija y sir Hugh Ross, con la esperanza de que una alianza entre nosotros animaría al conde a enviar tropas de apoyo en la guerra contra Bruce. Desafortunadamente, las cosas no han ido como teníamos planeado.

Dugald fulminó de reojo a Arthur con la mirada.

—¿Ah, no?

—No. —La mirada de Lorn volvió a recaer sobre él—. Al parecer, sir Hugh advirtió que los afectos de mi hija estaban comprometidos con otra causa. ¿Sabéis vos algo de ello, sir Arthur?

Arthur vio por el rabillo del ojo cómo Anna palidecía y apretaba las manos con fuerza sobre su regazo. ¿Qué diablos le había dicho? Los dientes le rechinaban. Se sentía arrinconado en la estancia y sin espacio para moverse.

—Sí.

—Pensé que tal vez fuera así —dijo Lorn. El destello de rabia de su mirada le dijo a Arthur que probablemente adivinaba parte de lo sucedido. Esperó en tensión, preparándose para lo peor. El nudo cada vez se apretaba más. Lorn se volvió hacia Dugald. Las razones por las que su hermano estaba allí habían quedado claras—. Dados los recientes acontecimientos, me gustaría proponer una alianza diferente. Una que haría más sólidos los lazos entre nuestras familias y mostraría mi gratitud hacia sir Arthur por el servicio que le ha hecho a mi hijo, así como también aseguraría la felicidad de mi hija. —Cada uno de los músculos del cuerpo de Arthur se pusieron en tensión en tanto que esperaba lo que estaba por llegar. Se preguntaba si ella tendría algo ver con eso, pero los ojos de Anna no mostraban más que sorpresa cuando su padre dijo—: Me gustaría proponer un compromiso de boda entre sir Arthur y mi hija.

Dugald soltó una carcajada.

—¿Un compromiso?

La boca de Lorn adoptó un gesto severo.

—Creo que eso es lo que he dicho. Podemos hablar sobre los detalles más tarde, pero tened por seguro que la dote de mi hija es más que generosa. Incluye cierto castillo que creo puede ser de interés para vos.

Tanto Arthur como su hermano se quedaron de piedra.

Fue Dugald quien acabó por preguntar:

—¿Innis Chonnel?

Una sonrisa retorcida se dibujó en la boca de Lorn.

—Sí.

Arthur no podía creerlo. La fortaleza de los Campbell del lago Awe que habían arrebatado a su clan hacía años, devuelta por casarse con la mujer que quería más que a nada en el mundo. Un auténtico pacto con el diablo. Por un momento, se quedó dudando, mucho más tentado de lo que le habría gustado admitir. Cambiar de bando era algo habitual en aquella guerra. Pero él no podía hacerlo. Incluso en el caso de que condescendiera a aliarse con el hombre que había asesinado a su padre, había demasiada gente que contaba con él: Neil, el rey Robert, MacLeod y el resto de los miembros de la Guardia de los Highlanders. Y tampoco podía ignorar su propia conciencia. Creía en lo que estaban haciendo.

La devolución del castillo de los Campbell, aunque fuera al hermano menor, bastó para convencer a Dugald, que se volvió hacia Arthur.

—Yo no tengo objeción. ¿Arthur?

Todos los ojos se volvieron hacia él, pero solo era consciente de dos pares: los de Anna, que le observaban con el corazón en ellos, y los de Lorn, que lo contemplaban con la sospecha reflejada.

Aun en el caso de que no tuviera intención de llevarlo a cabo, Arthur sabía que debía aceptarlo para disipar todo recelo. Aquel compromiso era una prueba de lealtad. Se trataba tanto de asegurar la felicidad de Anna como de probar su alianza. Su conciencia libraba una batalla con su noción del deber, pero no duró mucho. No tenía otra opción. Las espadas estaban en alto. No podía pensar en cuánto lo odiaría Anna cuando averiguara la verdad.

—Será un honor tomar a lady Anna como esposa.

Tal vez lo peor fuera que, en realidad, lo decía en serio.

19

Anna tenía todo lo que quería. ¿Por qué se sentía entonces tan miserable? Había pasado una semana desde el día en que su padre anunciara por sorpresa el compromiso en su cámara. Una vez repuesta de la conmoción, casarse con el hombre que amaba… era algo que la dejaba en un estado de euforia. Nada podría hacerla más feliz. Excepto, tal vez, la noticia de que Bruce decidiera que la corona no le pertenecía y desapareciera en las islas Occidentales como había hecho anteriormente. Pero faltaba mucho todavía para que se cumpliera ese sueño.

En tanto que ella estaba más que entusiasmada, Arthur daba la impresión de tener que soportar una pesada carga. Desde aquel día se comportaba con una corrección intachable, cortés durante las comidas y también en las pocas ocasiones en que se cruzaban los caminos de ambos. Incluso permitía que Escudero le siguiera por doquier sin quejarse. A simple vista era el perfecto prometido, pero ese era el problema, que solo lo era a simple vista. Su formalidad, ese distanciamiento progresivo, reducía su felicidad al mínimo. Cada vez que decía: «¿Habéis tenido buen día hoy, lady Anna?» u: «¿Os apetecería otra copa de vino, lady Anna?», provocaba una herida diminuta en su corazón. No podía entenderlo. Según él mismo admitía, ella le importaba. Entonces ¿por qué no se daba cuenta de que aquello sería perfecto para ambos?

A medida que pasaban los días le costaba más convencerse de que eso era lo que él quería. Se alejaba de ella por momentos.

Algo le pesaba. Estaban una semana más cerca del final de la tregua, ya que los idus de marzo se acercaban con presteza, pero su creciente ansiedad se dejaba ver en todo momento y no le parecía que fuera a causa de la batalla en ciernes. Le habría gustado que confiara en ella, pero rechazaba cualquier intento de diálogo, aunque tampoco contaban con demasiadas oportunidades. Aparte de los breves intercambios de las comidas, la única vez que había buscado su compañía había sido pocos días atrás, cuando insistió en acompañarla al priorato de Ardchattan. No esperaba ninguna misiva, así que no tenía nada que ocultarle. Tal vez su padre no pusiera ya objeción alguna a que ella le contara a Arthur cuál era su papel en la transmisión de los mensajes. El compromiso parecía eliminar todas las sospechas que quedaran respecto a los Campbell. A medida que se acercaba la guerra y que se intensificaban las preparaciones para la batalla, los Campbell pasaban más tiempo junto a John de Lorn y de Alan, algo que Anna quería identificar como una señal del deshielo de ese glaciar que significaban las viejas rencillas.

Suspiró y paseó la vista alrededor de la habitación, en tanto que su doncella terminaba de arreglarle el pelo. Era el sexto día de agosto, un día más cerca del fin de la tregua. Al mirar por la ventana de su cámara en la torre vio un *birlinn* acostando la bahía, el mayor fondeadero del castillo. Era un acontecimiento habitual, algo que no habría llamado su atención de no ser por la rapidez a la que se desplazaba. El reluciente barco de madera apenas había llegado a la orilla cuando sus ocupantes saltaron por la borda y corrieron hacia las puertas de la fortaleza. El corazón le dio un vuelco, consciente de que algo estaba pasando. Sin molestarse en ponerse el velo, bajó la escalera de la torre corriendo y se presentó en el patio de armas al tiempo que su padre recibía al contingente de hombres del *birlinn*: los MacNab.

—¿Qué nuevas traéis? —preguntó su padre.

El rostro del capitán de los MacNab era desolador.

—El rey Capucha, milord. Está en camino.

Anna se quedó sin aliento, su sangre congelada por el miedo. Llegaba el momento, el día que tanto había temido y anhelado al mismo tiempo. La batalla que podría significar el fin de la guerra.

El castillo era un tumulto. Los guerreros, agrupados, parecían conmovidos por la excitación, ansiosos por la oportunidad de destruir al enemigo. No obstante, las pocas mujeres que merodeaban por allí tenían unas reacciones muy diferentes: preocupación y miedo, exactamente lo mismo que sentía Anna. Su mirada buscó a Arthur de manera instintiva. También a él le afectaban las noticias. La observaba con una intensidad ardiente que no veía en él desde el ataque del bosque. Se quedaron mirando unos instantes hasta que Arthur volvió la vista hacia los MacNab.

El padre de Anna hizo pasar a los recién llegados al gran salón. Anna los siguió, ansiosa por saber tanto como pudiera. Desafortunadamente, los MacNab no tenían mucha más información. Uno de sus rastreadores les alertó de que Bruce había salido del castillo del conde de Garioch en Inverurie con unas tropas de al menos tres mil hombres y se dirigía hacia el oeste. ¡Tres mil hombres contra los ochocientos de su padre! No obstante, no sabían si tenían intención de dirigirse primero a Ross o a Lorn.

Bruce no perdía el tiempo. Estaría listo para atacar en cuanto expirara la tregua. Por Dios bendito, aquellos bárbaros estarían llamando a sus puertas para la semana próxima.

Su madre y sus hermanas se apresuraron a bajar al salón al oír la conmoción. Al encontrarse con ella tras la muchedumbre, se preguntaron por lo que sucedía. Anna las puso al día rápidamente y vio su propio miedo reflejado en la inquietud de sus rostros. Era un día que todos esperaban, pero era entonces cuando empezaban a doblar las campanas.

—¿Tan pronto? —dijo su madre, presa del miedo—. Pero si apenas se acaba de recuperar.

—No le pasará nada, madre —repuso Anna, intentando convencerse también a sí misma.

Pero no era su padre el único que preocupaba a Anna. ¿Qué pasaría si...? No, no podía pensar en eso. Arthur retornaría. Todos estarían pronto de regreso. No obstante, la incertidumbre no se desvanecía. La arbitrariedad de la guerra, eso era precisamente lo que Anna siempre había deseado evitar. ¿Por qué tenía que enamorarse de un caballero?

La reunión duró un rato más. Al entrar al salón le perdió la pista a Arthur y a sus hermanos, pero en cuanto la charla derivó hacia una misión de reconocimiento, lo vio adelantarse hacia la mesa de caballete del estrado en el que su padre estaba sentado junto a algunos de sus hombres y el capitán MacNab. Cuando Anna adivinó lo que estaba a punto de hacer se le heló el corazón. Quiso llamarlo, decirle que no lo hiciera, pero era consciente de que eso era imposible, y Arthur hizo justamente lo que ella pensaba.

—Yo iré, milord —dijo.

John de Lorn miró hacia él y asintió, obviamente agradecido de que se presentara voluntario. Alan también se ofreció a ir, pero su padre se negó, alegando que lo necesitarían en el castillo. Al final, se decidió que su hermano Ewen lideraría el grupito de reconocimiento, que también incluía a los hermanos de Arthur.

No perdieron el tiempo. En poco menos de una hora ya estaban reunidos en el *barmkin* para partir. Anna se quedó allí de pie junto a su madre, sintiéndose como si estuviera dando vueltas en un remolino sin nada a lo que agarrarse. Observaba con el corazón en un puño cómo Arthur se preparaba para la marcha. Este acabó de asegurar sus pertenencias al caballo, tomó las riendas y se situó al pie del animal, dispuesto a montar. A Anna le dio un vuelco el corazón. ¿Acaso pretendía marcharse sin decirle adiós?

Si esa era su intención, debió de cambiar de idea. Le dio las riendas a uno de los mozos de cuadras y se volvió para dirigirse hacia ella. Tenía la mandíbula tan tensa como los hombros, como si temiera enfrentarse con algo desagradable. «Yo», pensó Anna, sintiendo una punzada en el pecho.

—Lady Anna —dijo Arthur con una leve inclinación de la cabeza.

La madre y las hermanas de esta se habían dado la vuelta sin demasiada sutilidad, protegiéndolos cuanto podían del resto del gentío para darles algo de privacidad. Pero Anna seguía siendo plenamente consciente de que no estaban solos.

—¿Habéis de partir?

Se odió a sí misma por preguntar, pero no pudo evitarlo. Sabía que ese era su trabajo, pero no quería que se marchara. ¿Siempre sería así?

—Sí.

Hubo una pausa tan larga que pareció definitiva.

—¿Cuánto tiempo estaréis fuera?

Sus ojos brillaron de un modo extraño, pero el brillo desapareció antes de que Anna pudiera reconocer su origen.

—Depende de lo rápido que se aproxime el ejército. Un par de días, tal vez más.

Ella se quedó mirando su apuesto rostro, intentando memorizar las duras líneas de sus rasgos, las cicatrices, el extraño dorado ambarino de sus ojos.

—¿Tendréis cuidado?

Era una pregunta estúpida, pero tenía que hacerla de todas formas. Un simulacro de sonrisa apareció en las comisuras de la boca de Arthur.

—Sí.

Le mantuvo la mirada durante un instante más, como si también él intentara retenerla en la memoria. Ella nunca había visto tal expresión de desconsuelo en su rostro. Un escalofrío de pavor recorrió su nuca. «Es la guerra —se dijo—. Está centrado en la batalla que tiene ante sí.»

Arthur tomó su mano y se la llevó a los labios haciendo que la impronta cálida de sus labios irradiara por toda su piel.

—Adiós, lady Anna.

Algo en el tono de su voz le desgarró el corazón. Cuando él se volvió para partir, a Anna le entraron unas ganas desesperadas de volver a llamarlo. «El tipo de hombre que está siempre mirando hacia la puerta...» No. Se convenció a sí misma de que se comportaba como una tonta. No la estaba abandonando. Simplemente estaría fuera unos días. Pero ¿por qué le parecía que aquella despedida era para siempre?

Entonces, como si no pudiera contenerse, Arthur dio media

vuelta, la cogió de la barbilla y bajó la cabeza para besarla. Sus labios acariciaron los de Anna en un suave y tierno beso que hizo vibrar su corazón. Aquel beso sabía a nostalgia. A dolor. Y a arrepentimiento. Pero sobre todas las cosas, sabía a despedida. Anna quería prolongarlo, quería que durara más, pero antes de que le diera tiempo a reaccionar, el beso había acabado. Arthur le soltó la barbilla, le mantuvo la mirada por un agonizante segundo y se marchó. No volvió la vista atrás. Ni una sola vez. Ella se quedó mirando su partida, anonadada, sin saber muy bien lo que había ocurrido. Permaneció tocándose los labios en un intento de aprehender el calor y su sabor por tanto tiempo como fuera posible. Pero antes de que el último de los hombres saliera por las puertas del castillo ese calor ya era historia.

Arthur buscaba una salida y al fin la había encontrado. El viaje de exploración hacia el este le daba la oportunidad de hacer algo que meses atrás parecía imposible: retirarse de la misión. Tenía que hacer algo. No podía quedarse allí y dejar que la situación empeorase. Los días siguientes a su compromiso habían sido insoportables. Fingir acabaría con él. Anna estaba tan feliz, tan encantada de casarse con el hombre que la traicionaría… Cada sonrisa indecisa, cada mirada en busca de un consuelo que él no podía ofrecerle, era como una gota de ácido que reconcomiera su conciencia. No era capaz de hacerle eso. Aunque significara sacrificar su misión. Lo irónico era que no podía haber elegido manera más efectiva de infiltrarse en los MacDougall que un compromiso con la hija del señor de las tierras. El compromiso, unido al hecho de salvar la vida de Alan, le dio acceso al centro neurálgico del poder: el consejo de nobles. Se decía a sí mismo que no sacrificaba su misión. Había hecho suficiente identificando a las mujeres como las transmisoras de mensajes, pasando información sobre la preparación y efectivos de MacDougall y entregando un mapa del terreno, así como evitando una alianza con Ross, aunque eso no ocurriera exactamente de la manera en que lo había planeado. Estaban en las vísperas de la batalla. El rey Robert lo entendería.

Habían pasado tres días de su desastrosa partida y caía la madrugada. Nunca creyó que le costaría tanto despedirse de ella. Pero marcharse de su lado, sabiendo que posiblemente no la vería de nuevo, le hizo perder toda determinación. No debería haberla besado, pero al mirar a sus ojos y ver esa cara de miedo y preocupación, no pudo resistirse. Era consciente de que jamás volvería a tener esa sensación de conexión absoluta y necesitaba disfrutar de ella una vez más.

Arthur miró la retaguardia para asegurarse de que nadie lo había seguido y ató el caballo a un árbol. Se encontraba a menos de dos kilómetros del lugar donde los hombres de Bruce habían acampado la noche anterior. Haría el resto del trayecto a pie. Era probable que a esa hora de la madrugada los centinelas dispararan contra cualquier cosa que se aproximara al campamento sin hacer preguntas y el caballo lo delataría. Sus sentidos se aguzaban a medida que se acercaba al campamento del rey, anticipándose a cualquier señal que delatara la presencia de la guardia que lo circundaba. Se arriesgaba demasiado llegando sin previo aviso, pero no había alternativa. No había tenido tiempo de concertar un encuentro o enviar un mensaje a la guardia, y la partida de reconocimiento de los MacDougall se preparaba para regresar al castillo de Dunstaffnage al día siguiente con el informe. Se ofreció voluntario para hacer patrulla de noche, consciente de que esa sería su única oportunidad. Sabía que Jefe tendría a uno de los miembros de la Guardia de los Highlanders haciendo turno de vigilancia, como cada noche, así que intentaría contactar primero con alguno de sus compañeros.

De repente sintió un cosquilleo en la nuca. Se detuvo al notar el extraño cambio de aire que percibía cada vez que alguien se acercaba. Se ocultó entre la oscuridad de la noche y esperó, sabedor de que antes de ver a quién se aproximara lo oiría llegar. Pero pasados unos minutos se percató de que algo no funcionaba. O el hombre se había desplazado o sus habilidades volvían a fallarle a Arthur.

De nuevo.

Pero cuando logró ver la figura que emergía tras un árbol a

poco más de cinco metros de distancia se percató de que había una tercera respuesta: el sigilo de aquel hombre igualaba sus capacidades perceptivas. «Maldición.» No era eso lo que necesitaba. Emitió el ululato que habría de identificarlo como presencia amistosa. No obstante, sospechaba que el hombre que se aproximaba podía tener una opinión diferente al respecto.

MacRuairi se quedó inmóvil y a pesar de la contraseña apuntó con su arco en la dirección de la que provenía su voz.

—¿Quién vive?

—Guardián —respondió Arthur levantando el visor de acero de su yelmo y saliendo por detrás del árbol que lo resguardaba.

Incluso en la oscuridad, apreció el brillo diabólico en los ojos entornados de MacRuairi, que desplazó el brazo hacia la izquierda para apuntarle entre ceja y ceja. MacRuairi poseía una habilidad extraordinaria para ver en la oscuridad, algo fatal de lo que acordarse justo en ese momento.

—¿Vais a hacer uso del arma? —dijo Arthur.

—Todavía no lo he decidido. Una muerte no me parece mucho comparada con nueve. Podría alegar que pensé que era un traidor, lo cual no estaría muy lejos de la verdad.

Arthur se tragó la grosera réplica que acudió a sus labios. Saber que merecía el menosprecio de aquel hombre no facilitaba el hecho de oírlo. Ignoró la flecha que le apuntaba y siguió adelante.

—¿Creéis que no me arrepiento de lo que sucedió?

—¿Os arrepentís? Pues os aseguro que no sabría qué deciros. Parecíais disfrutar de lo lindo luchando junto a Alan Mac-Dougall, por no mencionar que salvasteis su puta vida.

Apenas los separaban unos metros, pero MacRuairi no habría errado el tiro ni a cientos de metros de distancia.

—Responderé ante el rey y no ante vos, Víbora. He de hablar con él.

—Está durmiendo.

Arthur apretó los dientes y los puños. Pelearse con MacRuairi no solucionaría nada, pero no tenía tiempo para tonterías.

—Pues entonces tendrás que despertarlo. Y también a mi hermano.

Al final, MacRuairi optó por bajar el arco.

—Espero por vuestro bien que traigáis buenas noticias —dijo, fulminándolo con la mirada—. Y será mejor que aquello mereciera la pena.

¿Había merecido la pena? Arthur no tuvo tiempo de pensar en esos términos en aquel momento. No tuvo tiempo de hacer ese tipo de análisis. Estaba demasiado ocupado en defenderse y proteger a Anna.

Menos de quince minutos después le hicieron pasar a la tienda del rey. Si Bruce estaba durmiendo, no había nada en su rostro que indicara que acababa de despertarse. Llevaba sus oscuros cabellos peinados, tenía los ojos tan despejados y avispados como siempre, además de ir vestido con las polainas y un sobreveste negro de finos bordados.

Estaba sentado sobre un arcón. La ausencia de mobiliario concordaba con la ligereza y la rapidez con las que se desplazaba el ejército. Al rey Eduardo ni tan siquiera se le habría pasado por la cabeza hacer campaña sin cargar en sus carros con sus enseres domésticos y su vajilla. Pero tras vivir como un forajido durante un año acuartelado entre la maleza, Robert Bruce se había acostumbró a contentarse con mucho menos.

A su izquierda tenía a Neil, al cual se le veía un tanto más desaliñado, y a la derecha a Tor MacLeod, líder de la Guardia de los Highlanders. Tanto la expresión de este como la del propio rey eran desalentadoras. La pregunta que Arthur adivinó en la mirada de su hermano cortaba como un cuchillo. ¿Sería posible que cuestionara su lealtad?

—¿Qué diablos ha ocurrido, Guardián? —preguntó el rey.

Arthur narró de la manera más sucinta posible los eventos que llevaron a su inesperado viaje al norte, el compromiso de boda previsto entre la hija de Lorn y sir Hugh Ross, las esperanzas de unir fuerzas de Lorn y la intención de Arthur de evitar que la alianza se llevara a cabo.

—¿Lo conseguisteis? —preguntó Bruce.

Arthur mantuvo una expresión neutral.

—Sí, majestad.

El rey asintió, complacido. Ninguno de los presentes pareció preguntarse acerca de cómo lo había conseguido. Arthur continuó explicando cómo había logrado que la patrulla se desviara del grupo de los MacDougall en su camino al norte y afirmó que se vio obligado a defenderse para proteger su identidad.

—¿Así que eras tú? —dijo MacLeod—. Nuestros hombres del castillo de Urquhart estaban muy enfadados porque un solo hombre consiguiera zafarse de ellos.

—No del todo. Ojalá hubiera podido, pero me acorralaron en un acantilado. No podía contarles quién era.

Nadie dijo una palabra. Todos sabían tan bien como él que esas situaciones eran inevitables para preservar su identidad, pero a ninguno de ellos le gustaba.

Después Arthur pasó a explicar la forma en que MacRuairi y sus hombres lo habían sorprendido cuando volvían a Dunstaffnage.

Neil enarcó las cejas.

—¿No los oíste llegar?

Arthur negó con la cabeza sin dar más explicaciones. Refirió cómo al principio simplemente reaccionó al ataque y que después, al darse cuenta de quiénes eran, pasó a maniobras defensivas. Cuando llegó a la parte en la que salvó la vida de Alan MacDougall no ofreció más excusa que la verdad. Solo intentaba detener el golpe, matar al guerrero había sido un accidente.

Neil hizo la pregunta que sin duda rondaba las cabezas de todos ellos.

—Pero ¿por qué tendrías que salvarle la vida? Proteger al heredero de Lorn no era parte de tu misión. Asesinarle a él sería casi tan bueno como asesinar al propio Lorn.

Arthur miró a su hermano a los ojos sin rehuir la verdad.

—No intentaba protegerlo.

—Es por la muchacha —dijo MacLeod, juntando todas las piezas—. Sentís algo por ella.

Arthur se volvió hacia su capitán. No lo negó.

—Sí.

—¡La hija de Lorn! —exclamó Neil sin poder ocultar su indignación—. Rediós, hermano. ¿En qué estabas pensando?

Arthur no tenía una respuesta para eso. No la había.

—¿Qué estáis diciendo, Guardián? —dijo el rey con unos ojos negros tan duros como el ébano—. ¿Una muchacha os ha hecho olvidar en qué bando estáis?

—Mi lealtad está con vos, mi señor —dijo Arthur con firmeza.

Pero el dardo envenenado del rey escocía.

Neil se quedó mirándolo fijamente.

—¿Has cambiado de idea respecto a Lorn? ¿Te olvidas de lo que le hizo a nuestro padre?

Arthur endureció la expresión de su rostro.

—Por supuesto que no. Pero mis ganas de ver la destrucción de John de Lorn no se hacen extensivas a su hija. Por eso estoy aquí. Necesito salir del castillo de Dunstaffnage.

La sala quedó en un silencio sepulcral. Arthur notaba que la mirada fija de su hermano quemaba, pero no se atrevía a mirar en su dirección. Le había fallado. Había fallado al hombre que era como un padre para él. No quería ver la decepción en su rostro.

—¿Estáis en una situación comprometida? —preguntó el rey—. ¿Hay peligro de que os descubran?

Arthur negó con la cabeza.

—La muchacha sabe que oculto algo, pero no creo que sospeche nada.

—Entonces ¿es la muchacha la causa de que deseéis abandonar la misión antes de cumplirla?

—La cosa se ha complicado.

Consciente de lo insuficiente que parecía eso, incluso para sí mismo, explicó que Lorn le había interrogado acerca del ataque y añadió que al creer que el anciano sospechaba algo, se había visto obligado a aceptar el compromiso.

—Pero eso son noticias fantásticas —dijo el rey, contento por primera vez desde que Arthur entrara en la tienda—. Habéis llegado más cerca de Lorn de lo que jamás creí posible. Siento mucho que la muchacha esté implicada, pero no sufrirá verdadero daño. El corazón de una joven sana con facilidad.

A decir verdad, el rey, conocido por su éxito con las muchachas, tenía mucha más experiencia que él, pero en ese caso Arthur no creía que acertara. Anna amaba con demasiada bravura. Estaba demasiado cegada por el amor.

—No puedo permitir que abandonéis —finalizó el rey—. Todavía no. No, teniendo la batalla tan cerca. Os necesito dentro para que me digáis qué es lo que se proponen. La información que nos transmitís es demasiado valiosa. La victoria está demasiado cerca para dejarla escapar en el último momento. John de Lorn es un demonio con el corazón podrido, pero no por eso subestimo sus tácticas de guerra ni su capacidad para la sorpresa.

Arthur sabía que el rey no atendería a razones. Robert Bruce estaba deseando desquitarse. Lorn le había vencido antes y esa vez no permitiría que nada se interpusiera en su camino. El corazón de una mujer era un pequeño precio a pagar.

—Atacaremos el castillo en la madrugada del dieciséis —dijo MacLeod, dando la impresión de advertir su frustración—. Solo serán unos días más.

Pero él no conocía a Anna MacDougall. Arthur habría preferido enfrentarse a las endiabladas máquinas de guerra del primer rey Eduardo que intentar resistir ante Anna durante «solo unos días más».

20

—¡Han vuelto!

Anna corrió hasta la ventana de sus aposentos al percibir la excitación en la voz de Mary. Examinó con fruición las figuras con armadura que atravesaban las puertas del castillo y cuando por fin reconoció la familiar envergadura de sus hombros exhaló profundamente, como si hubiera pasado cuatro días conteniendo la respiración. Había vuelto. No la había abandonado. Se decía a sí misma que era una locura pensar que él fuera capaz de tal cosa. Sin embargo, no quería admitir cuánto había llegado a preocuparse.

Anna apartó su labor de bordado y salió corriendo de la habitación siguiendo los pasos de su hermana, que parecía tan emocionada como ella por el regreso de la partida de reconocimiento. Frunció el ceño. ¿Acaso a su hermana Mary le importaba más el hermano de Arthur de lo que admitía? Llegaron al salón justo en el momento en que hacían pasar el grupo a la cámara de su padre para dar parte de su avanzadilla. Hacía ya rato que habían terminado la refacción, pero Mary y ella pidieron que les preparasen algo de comer y beber mientras aguardaban a los hombres. Tras una espera que les pareció interminable, estos salieron de la cámara de su padre y entraron en el salón. El primero en hacerlo fue su hermano, después sir Dugald y luego, al fin, Arthur. Aunque estaba cubierto de polvo y suciedad, con una cara maltratada por el sol, barba de cuatro días y olor a cuadra recalentada, a Anna jamás le pareció más maravilloso. De no ser por la multitud de hombres del clan que se agrupaba a su alrededor en el salón, habría saltado a sus brazos.

Se apartaron un momento en tanto que los sirvientes preparaban las mesas. Esta vez no podría evitarla.

—¿Estáis bien? —preguntó Anna sin dar crédito a sus ojos.

La mirada de Arthur se suavizó al percibir su preocupación.

—Sí, muchacha. Estoy bien. Necesito un buen remojón, pero aparte de eso estoy perfectamente sano.

—Me alegra oírlo —dijo mordiéndose el labio y mirándolo con vacilación—. Os… os he echado de menos.

Arthur se estremeció y una pulsión hizo temblar su mentón.

—Anna…

Ella tragó saliva y sintió que de repente se le quebraba la voz.

—¿Habéis pensado algo en mí?

—Tenía mucho en que pensar. —Pero después, al ver la cara que ponía, se arrepintió—. Sí, muchacha. He pensado en vos.

Se habría puesto contenta con ello, de no ser por lo que le había costado admitirlo. Las mesas de caballete estaban ya preparadas y los sirvientes comenzaban a sacar platos con comida. El resto de los hombres desfilaban hacia los asientos. Y allí fue adonde miró Arthur desde el lugar en que estaba, junto a la cámara de su padre. Parecía ansioso por reunirse con ellos. Anna no podía engañarse por más tiempo.

—No deseáis este compromiso. —La verdad escocía. Anna se quedó mirándolo fijamente, atormentada por el propio dolor de su pecho—. ¿Es que…? —Apenas podía pronunciar las palabras. Él le había comentado que le ofrecerían una esposa como recompensa—. ¿Es que esperabais casaros con otra?

Arthur la miró con dureza.

—¿De qué estáis hablando? Ya os dije que no había ninguna otra.

—Entonces es simplemente que no me queréis.

Parecía que algo lo atormentara.

—Anna… —Arthur se aclaró la garganta—. Ahora no es el momento.

A pesar de que estuvieran rodeados de gente, Anna no pudo reprimir toda su frustración.

—Nunca es el momento. O estáis fuera, o encerrado en alguna reunión u ocupado practicando. ¿Cuándo, ruego a Dios que digáis, es el momento?

Arthur, visiblemente frustrado, alisó con una mano sus cabellos encrespados por el casco, que le caían en suaves ondas por encima de las orejas. Anna estuvo a punto de acomodárselo tras ellas, pero se detuvo a tiempo.

—No lo sé, pero ahora mismo lo único que quiero es comer algo, quitarme toda esta porquería de encima y dormir algo más que unas pocas horas.

Debía de estar exhausto. Por un momento Anna se sintió culpable, pero no duró mucho. No pensaba permitir que siguiera dándole largas.

—Entonces mañana. Hablaremos mañana —dijo, mirándolo con intención—. En privado.

Tal vez, más que atormentado, estuviera asustado. No pensaba que fuera capaz de ello, pero al parecer estar a solas con Anna conseguía algo de lo que no eran capaces decenas de guerreros armados. No sabía si reír o llorar.

—No puedo. Se supone que saldremos a montar.

—Cuando regreséis. —Parecía loco por encontrar otra excusa, pero Anna se lo impidió—. Ya sé que estáis ocupado preparando la batalla, pero ¿es que no merezco unos minutos de vuestro tiempo?

Arthur le sostuvo la mirada durante unos momentos.

—Sí, muchacha. Claro que lo merecéis.

—Bien. Entonces marchaos a comer —dijo, señalándole una de las mesas—. Vuestros hermanos os esperan.

Arthur asintió levemente y fue a reunirse con su familia mientras Anna daba media vuelta y se encontraba a su hermana Mary más cerca de lo esperado. La observaba con una expresión de conmiseración en el rostro.

—No pasa nada —dijo Anna, avergonzada por lo que pudiera haber oído—. Está cansado. Eso es todo.

Mary la cogió de la mano y se la apretó.

—Ten cuidado, Annie querida. Hay hombres que no quieren ser amados.

Se quedó circunspecta.

—Eso no es cierto, Mary. Todo el mundo quiere que le aman.

Una sonrisa de melancolía ensombreció la boca perfecta de su hermana.

—Amas demasiado, hermanita. Pero hay gente que no quiere ese tipo de cercanía. Hay gente que prefiere que les dejen en paz.

Aunque Anna no quisiera creer las palabras de su hermana, la persiguieron durante todo el día en tanto que esperaba la oportunidad para hablar con él.

Arthur salió a cabalgar por la mañana temprano, regresó a tiempo para la comida del mediodía y después participó junto con sus hermanos y el resto de los hombres en el entrenamiento vespertino que hacían en el patio. Los ejercicios se intensificaban cada vez más puesto que se acercaba la batalla. Aprovechaban la luz de los largos días de verano y no acababan hasta las ocho de la tarde. La cena era frugal, como también lo eran las plegarias de las vísperas. Anna se vio tentada de seguirle al ver que se dirigía hacia el lago, pero su madre la reclamó para que la ayudara a dirimir una disputa en las cuentas del hogar, y una vez hubo acabado, él ya estaba de regreso y se había encerrado en una reunión junto a los caballeros de alto rango y los guerreros de la *meinie* de su padre en lo que se había convertido en un consejo de guerra nocturno. Anna lo esperó en una pequeña salita practicada en el muro del hueco de la escalera, consciente de que Arthur tendría que pasar por allí camino de los barracones. Normalmente solo acudía a aquel lugar para leer algún libro, pero al estar oculto de la vista por unos cortinajes de terciopelo resultaba algo más privado que esperarle en el salón, repleto de hombres que dormían. Había llevado consigo una vela para leer, pero a medida que caía la noche sus ojos se cansaban más, de modo que la puso a un lado.

Debía de ser ya medianoche cuando los hombres comenzaron a salir de los aposentos de su padre. Arthur fue uno de los últimos, pero Anna finalmente vio cómo se adentraba por el pasillo junto a sus hermanos. Cuando se acercó a su posición, ella apartó los cortinajes y bajó la escalinata para dirigirse a él. Al oír el comentario de su hermano, Arthur la buscó con la mirada con una expresión más resuelta que sorprendida y fue a su encuentro, en tanto que sus hermanos abrían la puerta que conducía al *barmkin*.

—No deberíais haber permanecido despierta —dijo.

—¿Olvidasteis que acordamos vernos hoy? —repuso ella con el ceño fruncido.

—No. —Suspiró—. No lo olvidé.

Aparecieron más hombres en el pasillo.

—Venid —le dijo Anna, guareciéndose en una pequeña cava que usaban para almacenar el vino del señor del castillo, en donde nadie les molestaría.

En cuanto abrió la puerta sucumbió al rico y frutal aroma, que se intensificó al cerrar la estancia. Colocó la vela sobre uno de los toneles y se volvió para mirarlo. Se trataba de una despensa pequeña practicada en el muro. Un espacio íntimo, muy íntimo. Anna se sonrojó al percatarse de ello. Arthur permanecía allí a la luz trémula de las velas como un convidado de piedra, con una expresión rígida y forzada. Se quedó sorprendida al ver que apretaba los puños.

—Esto no es una buena idea —dijo él con voz quebrada.

—¿Por qué no?

Arthur la miró con severidad.

—¿No recordáis lo que sucedió la última vez que estuvimos encerrados en una habitación pequeña?

Anna se ruborizó. Era difícil no recordarlo a la perfección estando tan cerca de él. El calor que desprendía su cuerpo la envolvía y su piel se erizaba al recordar las intimidades que habían compartido. Pero no era para eso para lo que lo había llevado allí.

—Solo tardaremos unos minutos. Necesito saber… —Alzó la vista para mirarlo y examinar su apuesto y terso rostro—. Quiero que me digáis si deseáis este compromiso o no.

La franqueza de Anna ya no sorprendía a Arthur.

—Anna… —dijo intentando darle largas—. Es complicado.

—Eso ya lo dijisteis antes. ¿Qué ocultáis, Arthur? ¿Qué hay ahí que no queréis contarme?

—Hay cosas —dijo conteniéndose y mirándola con aspereza—. No soy el hombre que pensáis.

—Sé exactamente el tipo de hombre que sois.

—No lo sabéis todo.

Anna reconoció el tono de advertencia.

—Entonces contádmelo. —Al ver que no respondía, añadió—: Sé qué es lo importante. Y sé que os quiero.

Aquellas palabras parecieron dolerle. Arthur se acercó para acariciarle la mejilla con una expresión de tristeza que le rompió el corazón.

—Puede que penséis eso ahora, pero pronto cambiaréis de opinión.

Su tono paternalista y esas advertencias crípticas la ponían fuera de sí.

—No lo haré —dijo Anna con vehemencia, apretando los puños para aplacar las ganas que tenía de gritar o de romper a llorar. Respiró profundamente para calmarse y continuó—: Se trata de algo muy sencillo, Arthur: ¿queréis casaros conmigo, sí o no?

—Lo que yo quiera no viene al caso. Estoy pensando en vos, Anna. Puede que ahora mismo no os lo parezca, pero creedme cuando os digo que lo hago por vuestro propio bien. No quiero haceros daño. Todo puede cambiar durante los próximos días. La guerra lo cambiará todo.

Tenía razón. Parecía que todos sus sueños pendieran de un hilo. La guerra estaba a punto de caer sobre ellos y todo lo que conocían cambiaría en un abrir y cerrar de ojos. La espada de Damocles pendía sobre el poder de los MacDougall en las Highlands. Pero había algo a lo que Anna se podía acoger.

—Eso no cambiará mis sentimientos por vos. Son los vuestros los que están en tela de juicio. No habéis contestado a mi pregunta —dijo tras una pausa.

Arthur maldijo y se alejó de la puerta unos pasos, en un intento de deambular que no encontraba espacio suficiente. Casi rozaba el techo con la cabeza. Parecía un león al acecho en una jaula demasiado pequeña. Estaba en un estado de rigidez absoluta, irradiando tensión por cada uno de sus poros. Al final se dio la vuelta y la tomó por el brazo con expresión furiosa.

—Sí, maldita sea. Quiero casarme con vos.

La oscura nube que se había posado sobre ella se disipó. No era la declaración de amor más romántica que hubiera oído, pero con eso bastaba. Su cuerpo se llenó de calidez, y sonrió.

—Entonces lo demás no importa —dijo acercándose más a él y buscando instintivamente la conexión entre ambos cuerpos.

Arthur se estremeció al notar el contacto, pero en esa ocasión Anna no buscó más razones. La quería. Mucho. A pesar de que hiciera cuanto podía por resistirse a ello. La tensión se desprendía de su cuerpo reverberando como la piel de un tambor. Sus ojos se posaban sobre sus labios con una mirada oscurecida por el deseo, pero aun así seguía luchando contra ello.

—¿Qué pasará si no regreso, Anna? Entonces ¿qué?

Se le heló la sangre. ¿Por eso actuaba de aquel modo? ¿Intentaba prepararla en caso de que muriera en el campo de batalla? No soportaba pensar en ello, pero sabía que existía esa posibilidad. Él podía morir. Lo atrajo más hacia sí, aferrándose a los fuertes músculos de su brazo como si jamás pensara dejarlo partir. Dios no podía ser tan cruel para apartarlo de ella. Pero ¿y si lo hiciera? , pensó con el corazón encogido.

Ella sabía lo que quería. No estaba en su mano controlar lo que sucedería en el futuro, pero sí que podía controlar el presente. Tal vez sí lo hubiera llevado a ese lugar con una segunda intención.

Arthur era consciente de que aquello era mala idea, pero tal y como había comprobado más veces de las que quería recordar, era un perfecto majadero por cuanto se refería a Anna MacDougall. La sangre corría cálida por sus venas y una pátina de sudor se acumulaba sobre sus cejas. El intenso aroma del vino, el almizclado sabor a tierra de la pequeña habitación y la leve fragancia floral de su piel lo embriagaban de deseo.

Estaban demasiado cerca el uno del otro, y su necesidad era demasiado acuciante. Las imágenes de cuanto deseaba hacer con ella daban vueltas en su cabeza volviéndolo medio loco. Estaban a solas, maldita fuera. Era demasiado peligroso. Pero si Arthur pensaba que la desanimaría hablándole de un futuro incierto, había errado en sus cálculos.

—No quiero pensar en la guerra ni en lo que sucederá mañana. Solo quiero pensar en el presente. Si hoy fuera el último día que nos quedara juntos, ¿qué es lo que querríais?

«A vos.» Sintió la pulsión. Quería lo que ella le ofrecía más que nada en el mundo.

Eran sus palabras. Su certeza. Le hacía soñar. Arthur quería creer que había un futuro posible. Quería creer, aunque fuera por un instante, que Anna podía ser suya. Su corazón batió como un tambor cuando se puso de puntillas para besarle. En su lucha por no abalanzarse sobre ella, Arthur dejó escapar un gemido. Sabía que en cuanto lo hiciera no habría forma de parar. Tenía una boca cálida y suave, muy dulce. Sabía a miel y olía como… Dios, olía como un jardín recién regado bajo el sol estival.

Anna le acarició el mentón con los labios. Después, el cuello. Arthur empezó a temblar. No podría aguantar aquello durante mucho más tiempo. Se veía incapaz de resistir. Rezaba para que la tortura acabara, pero en lugar de eso empeoró. Anna apretó sus caderas contra las de él y se frotó contra la parte de su cuerpo que anhelaba más el contacto, la parte de su cuerpo que estaba dura y palpitaba, y que era imposible de controlar.

—Aquel día estuvimos tan cerca —susurró junto al cuello de Arthur con un cálido aliento que provocó escalofríos en su piel en llamas— que quiero saber cómo sigue. —Una gota de sudor asomó por su sien. La fría habitación se caldeó en cuestión de segundos. Anna le rodeó el cuello con sus brazos y se pegó a él. Lo buscó con la mirada—. Enseñádmelo, Arthur.

Esa petición desvergonzada rompió el último hilo del que pendían las reservas de Arthur. Soltó un gruñido, la empujó contra la puerta, sujetándole las manos por detrás de la cabeza, y la besó. No, la devoró con sus besos. Se dio un festín con su boca haciendo uso de los labios y la lengua, besándola como si jamás pudiera saciarse.

Ella respondió a su fervor con más fervor, engarzando su lengua a la de él, imitando sus eróticos movimientos. El crepitar en la cabeza de Arthur era cada vez más sonoro. Su cuerpo estaba cada vez más tenso. Pero no era suficiente. Se echó sobre ella, hizo que sus cuerpos se acoplaran y empezó a moverse, primero con delicadeza y después con más insistencia, a medida que Anna se retorcía y gemía con inocente frustración. Tenía ganas de levantarle las faldas y hundirse dentro de ella, ver cómo se deshacía cuando él se sumergía en ella más fuerte y más profundo. Una y otra vez. Reclamándola para sí.

Pero estaba tan receptiva, sentía el placer de una forma tan pura, que en su interior creció una ola de ternura que le hizo apartarse. Anna se quedó parpadeando con unos ojos incrédulos que nadaban en pasión y la boca medio abierta, con los labios hinchados por sus besos, apenas separados.

—Os lo ruego, no…

—¡Chist! —dijo Arthur acallando sus protestas con un dulce beso—. No voy a parar.

Era demasiado tarde para eso. Era un hombre, no un santo venido del cielo. Tenía demasiadas ganas de poseerla y ella lo había llevado demasiado lejos. Ya habría tiempo para las recriminaciones. En ese momento, Anna era suya. Pero no la haría suya contra una puerta como si fuera un animal en celo. Se soltó el broche de los Campbell que llevaba para ajustarse la manta y la extendió sobre el suelo de piedra. Después se sentó sobre ella y le tendió la mano. Anna no lo dudó. Aceptó su mano y permitió que la recostara a su lado con una sonrisa que le partió el corazón. Había justo el espacio suficiente para estirarse entre los toneles de vino.

Arthur acarició sus cabellos y la atrajo hacia sí para besarla con toda la pasión y la emoción que se concentraban en su interior. La besó como si lo fuera todo para él, y Anna se dejó llevar por la dulce posesión de aquel beso. Se acurrucó a su lado y se sintió cálida, amparada y protegida ante todo cuanto sucedía fuera del círculo mágico de su abrazo. Sentía… «Paz.» En sus brazos sentía esa paz y alegría que siempre le eran esquivas.

Volvió a pasar los dedos entre sus cabellos y le sostuvo el cuello con su grande y callosa mano, describiendo suaves circulitos en su nuca con el pulgar.

Podría pasarse la vida besándolo, tendida junto a él, amoldándose a su cuerpo, sintiendo la rígida fuerza de sus músculos contra ella. Su calor era como una vaina protectora que los rodeaba. Las largas y pausadas caricias de su lengua hacían que se derritiera de pasión. Era perfecto. Pero cuando esas largas y pausadas caricias pidieron más, cuando sus besos se hicieron más intensos y profundos, cuando empezó a apretarla con más fuerza y Anna se percató de la dura columna de acero que presionaba su vientre, se dio cuenta de que aquellos besos no eran suficiente. Sintió esa extraña sensación formándose de nuevo en su interior. El despertar. Los indicios. La energía incansable que pulsaba entre sus piernas y hacía que ansiara ese contacto hasta la desesperación. Pero en esa ocasión estaba al tanto de lo que sucedería después. Recordaba la mano de Arthur entre sus piernas, sus dedos dentro de ella, los agudos espasmos del momento de liberación. Recordaba perfectamente la abultada cabeza redonda de su virilidad golpeando en su interior de manera íntima.

Gimió y movió las caderas en círculo contra él, ansiando el alivio que solo la fricción podía ofrecerle. Tenía el cuerpo en llamas, y los pezones cada vez más erectos y sensibles a medida que se rozaban contra su pecho. Intentó atraerlo más hacia sí, pasando las manos por la ancha envergadura de sus hombros, por los duros músculos de sus brazos y su espalda. A pesar de que bajo la tela escocesa Arthur solo llevara la camisola, las calzas y los *braies*, aquellas finas capas de lana se habían convertido en una barrera incómoda. Anna quería tocarlo. Quería sentir el calor de su piel vibrando bajo la presión de sus dedos.

Seguramente él se dio cuenta de su frustración. Apartó su boca de la de ella, se quitó el cinturón y se pasó la camisola por encima de la cabeza, arrojándola al suelo. Su torso era tan impresionante como recordaba. Hombros anchos, brazos musculosos y un vientre plano surcado por líneas rígidas de puro metal superpuestas en una piel ligeramente bronceada subrayada por cicatrices de diferentes tamaños. La peor de ellas era una en forma de estrella que lucía junto a su hombro, el tipo de marca que deja una flecha al clavarse. Y ahora veía con claridad la marca del brazo: el león rampante, símbolo del reino de Escocia. No podía apartar la vista de él. Por Dios bendito que era un hombre hermoso.

—Muchacha, si seguís mirándome de este modo, esto se acabará en un abrir y cerrar de ojos.

La ronquedad de su voz hizo que Anna se estremeciera de deseo de la cabeza a los pies. Se sonrojó.

—Me gusta contemplaros. —La mirada de Arthur se oscureció—. Sois magnífico.

Anna, incapaz de esperar un solo segundo más, acarició su pecho con las palmas de las manos y esa sensación chispeante la hizo gemir. Arthur, por su parte, profirió un profundo sonido gutural y la volvió a tomar en brazos. En esa ocasión no había vuelta atrás. Anna olía su deseo y sentía la necesidad que se desprendía de las eróticas arremetidas de su lengua. Todo ocurría muy deprisa, pero cada momento se grababa a fuego en su memoria. Quería recordarlo todo. El modo en que sabía. La manera en que su boca descansaba sobre la suya. El áspero rozar de su barbilla sobre su piel. El calor que desprendía su cuerpo. El poder de aquellos músculos que se tensaban bajo sus manos. El fiero rugir de los latidos contra su corazón. Quería recordar todas las sensaciones. Cada uno de los olores. Cada roce.

Estaba tan excitada y sensible que sentía la piel calenturienta y enrojecida. Apenas se dio cuenta de cómo sus manos desataban los nudos de su sobreveste sin mangas y se lo sacaban por los hombros. Entonces se encontró con que le agarraba el pecho y lo masajeaba a través de la fina tela de lino de su camisola, al tiempo que llevaba la lengua hasta su cuello. Arthur rozó la tersa protuberancia de su pezón con el pulgar, describiendo círculos, acariciándolo, pellizcándolo suavemente entre los dedos.

Las manos de Anna recorrían ávidamente su espalda, se aferraban a sus hombros y le arañaban la piel a cada una de sus provocadoras caricias. Gimió de las ganas que tenía de romper la tela y notar el contacto directo de sus dedos, su boca. Y sus deseos se hicieron realidad. Primero el vestido y después la camisola pasaron sobre sus piernas hasta llegar a la cintura y luego por encima de la cabeza.

De no ser por la forma en que él la miraba puede que ni tan siquiera se hubiera percatado. Arthur alzó la cabeza y paseó la mirada por su desnudez, lo que hizo que ella se ruborizara y procurara cubrirse, pero él no pensaba permitírselo. La agarró por las muñecas y negó con la cabeza.

—No —dijo de manera brusca con una voz ronca que destilaba violencia—. Sois preciosa. —exclamó Arthur, poniéndose de medio lado y acariciando su brazo como si fuera tan delicada que pudiera romperla con solo tocarla. Acarició sus pechos con la mirada, haciendo que se pusieran más erizados si cabe. Pasó un dedo por la punta y después por su abrupta curva—. ¡Jesús! —dijo con la respiración entrecortada—. Vuestros pechos son de otro mundo.

Arthur soltó un gemido y se inclinó para cogerlos y llevárselos a la boca. Besó primero uno de sus expectantes ápices y luego el otro, dejándola temblando de ganas. Cuando al fin la apresó con sus labios y sumergió un pezón en su boca, Anna gimió de placer. Arthur jamás había visto nada tan hermoso. Era consciente de que debería contenerse para saborear su suave piel de melocotón en toda su inmensidad, pero con solo verla había estado a punto de llegar al límite. Parecía un ángel, esbelta y delicada desde lo más alto de su cabeza hasta los diminutos empeines de sus pies. Si no fuera por esos pechos, habría pensado que estaba muerto y había llegado al cielo. Porque sus pechos eran puro pecado. Una fantasía masculina hecha realidad. Grandes, pero no en demasía, redondos y enhiestos, con la ingravidez de la juventud; su suave y cremosa carne estaba coronada por unos pezones de color frambuesa que hacían la boca agua. Y sabían a…

Gimió de placer y se volvió a sumergir en ella, rodeando su cálida y erecta punta con la lengua. Sabían a dulces deseos carnales y oscuros placeres melosos.

Quería ir despacio, prolongar cada momento de placer, pero su necesidad era demasiado ardiente, demasiado desesperada, y había sido obviada durante demasiado tiempo. Le puso la mano entre las piernas y la exploró con los dedos. Tenía una erección de caballo, pero notar lo mojada que estaba, saber que estaba húmeda para él, hizo que se le pusiera más dura todavía. Lamió sus pechos y la acarició con los dedos hasta que sus caderas empezaron a pegarse a su mano y su respiración entrecortada se volvió irregular. Cuando supo que Anna estaba a punto de llegar, se liberó de los *braies* y las calzas con rapidez y se colocó entre sus piernas.

Sus miradas se encontraron.

Le habría gustado decir que lo pensó dos veces, pero no era cierto. Todo en cuanto podía pensar era en la necesidad de hacerla suya, en que no podía dejarla escapar. En que en sus ojos veía la aceptación y el amor que jamás pensó serían para él. Un amor que Dios sabía que él no merecía, pero que anhelaba más que ninguna otra cosa en el mundo.

—Por favor —sollozó Anna.

Esa era toda la invitación que Arthur necesitaba. Le levantó una de sus piernas para colocarla encima de su propia cadera, al tiempo que apretaba los dientes para reprimir las ganas que tenía de embestirla con todas sus fuerzas y se disponía a facilitarse la entrada. Aunque tal vez la palabra «facilitar» no fuera la adecuada. Ella estaba prieta y él era grande. Enorme.

El sudor se acumuló sobre sus cejas.

Prieta. Dios, estaba tan increíblemente prieta... Apretó todos los músculos ante la insistencia que crecía en su entrepierna. Sus testículos se tensaban al tiempo que la presión ascendía por la base de su columna. El cuerpo de Anna luchaba contra aquella invasión, pero él no pensaba permitir una negativa. Empujó un poquito más, haciendo que ella se estremeciera y emitiera un quejido de angustia.

La sangre bullía por sus venas. Le parecía estar a punto de explotar, pero se contuvo para darle tiempo a prepararse antes de enterrarse completamente entre sus piernas.

«Jesús. Que no empuje más.»

—No... no estoy segura de que esto vaya a funcionar —dijo Anna con inquietud—. ¿Y si... y si esperamos a que esté más pequeña?

La risa se abrió paso entre el sufrimiento a través del pecho de Arthur. Ya le explicaría los pormenores del asunto más tarde.

—Confiad en mí, amor. Nos acoplaremos el uno al otro perfectamente. —Pero lo cierto es que era la primera vez que estaba con una doncella—. Puede que os duela al principio —dijo mirándola a los ojos—. ¿De acuerdo?

Anna asintió, pero la vio un poco menos segura que antes. No dejó de mirarla a los ojos un solo momento, ofreciéndole su apoyo tácito a medida que se hundía más y más en ella, con cada uno de sus dolorosos centímetros, uno tras otro.

La sensación de tener su cuerpo ciñéndole la verga y apretándosela tanto era casi más de lo que podía aguantar. Sabedor de lo mucho que le gustaría, hacía ímprobos esfuerzos para luchar contra la urgencia de embestirla. Ese calor prieto y húmedo envolviéndolo, exprimiéndolo. Todos los músculos de su cuerpo se ponían rígidos de la tensión en tanto que intentaba contenerse y hacer las cosas con calma. Se sentía de maravilla. Pero tenía que hacer que fuera perfecto para ella, pardiez.

«Ya falta poco...»

«Ahora.»

El punto de no retorno. La miró a los ojos, sintió cómo su pecho se contraía y dio el empujón final. Anna gimió y los ojos se le pusieron como platos del dolor, pero no gritó. Al ver el aspecto estoico de su rostro le dieron ganas de reír.

—Ya veréis como después es mejor, amor, os lo prometo. Intentad relajaos.

Ella lo miró como si se hubiera vuelto loco.

—No creo que eso sea posible.

Pero entonces Arthur la besó y Anna comprobó lo equivocada que estaba.

Cuando la penetró, Anna sintió una punzada de dolor y le entraron ganas de gritar con todas sus fuerzas. Pero se daba cuenta de lo que él sufría, de modo que se reprimió, consciente de cuánto se esforzaba por no hacerle daño. No era culpa suya que la providencia lo proveyera con algo tan... descomunal. Aquello debía de hacer que todo resultara bastante incómodo...

«Un momento.» La estaba distrayendo con sus besos, pero por un instante habría jurado que acababa de sentir un... Ahí lo tenía de nuevo. Un pinchazo. Un pinchazo placentero. Muy placentero. Un pinchazo que, de hecho, resultaba increíblemente agradable. Su cuerpo se había amoldado a él y el dolor desaparecía. Ahora sí la notaba, caliente y dura, llenándola de una forma que jamás habría imaginado. Y entonces Arthur empezó a moverse. Al principio despacio, sumergiéndose en ella y saliendo con embestidas pausadas y delicadas. Anna gemía al notar la manera en que sus arremetidas reverberaban por todo su cuerpo. Se sentía como si Arthur la reclamara para sí, como si la poseyera en la más primitiva de las formas. Era una sensación increíble. Tenía que moverse con él, alzar las caderas para coordinarse con sus embestidas y que la llenara hasta lo más profundo. Con más fuerza. Y después más rápido.

Se agarró a sus hombros y lo atrajo más hacia sí, deseando sentir todo su peso sobre ella. Sus cuerpos parecían estar fundidos el uno en el otro. Piel contra piel. Tremendamente sensual. Un peso desgarrador. La pasión la apresaba con su trémulo abrazo. Las sensaciones ardían en su interior. Tomaban forma. Esperaban el momento. Se concentraban en la más femenina de sus partes. Y también él lo sentía. Era como acero bajo sus dedos, músculos tensos y encendidos, preparados para explotar.

Pero lo que más la excitaba era la expresión de sus ojos. Intensa. Penetrante. Oscurecida no solo por el deseo sino también por la emoción. En esas profundidades de ámbar dorado veía reflejado el amor que consumía su propio corazón. La amaba. Puede que él no se hubiera percatado todavía, pero ella sí lo hacía.

La mantenía pegada a sí, sin dejarla irse, mientras se hundía en ella una vez más, sumergiéndose tanto como era posible, y se quedaba ahí. Algo poderoso y mágico pasó entre ellos. Una conexión como jamás antes había imaginado. A medida que la sensación se formaba, la respiración de Anna quedó atrapada en lo más alto de su pecho. Por un instante todo pareció detenerse. Su cuerpo se mantenía al mismo borde del éxtasis, haciendo equilibrios en el precipicio celestial. Dejó escapar un grito agudo cuando el primero de los espasmos de liberación hizo que perdiera el control y quedara fuera de sí, temblando de placer.

—Eso es, amor. Venid a mí. —Arthur comenzó a moverse de nuevo, atravesándola con una despreocupación salvaje—. Oh, Dios. Me gusta mucho. No puedo…

La penetró una última vez con un profundo gemido de satisfacción que parecía desgarrarse de su propia alma. Su cuerpo se puso rígido y luego se estremeció al notar que su desahogo coincidía con la marea ascendente de ella. Arthur tenía una expresión fiera y hermosa, de una pasión primitiva. Se dejó caer sobre Anna con los ecos de la última sensación, aún con sus cuerpos unidos. Todo cuanto ella oía era el sonido de sus respiraciones pesadas y el violento latir de sus corazones. Deseaba quedarse así para siempre, pero Arthur enseguida se apartó y rompió la conexión.

El aire frío pasó sobre su húmedo y ruborizado cuerpo, dejándole la piel de gallina. Anna era consciente de su desnudez, pero estaba demasiado exhausta para moverse. Sus extremidades parecían de gelatina. Pero tampoco había razón para avergonzarse. Arthur no le prestaba atención. Se había quedado mirando al techo, todavía con la respiración entrecortada, pero en un silencio que no presagiaba nada bueno. ¿No le tocaba decir algo? Se mordió el labio, preguntándose que sería lo que pensaba. A ella le había parecido maravilloso… «Pero ¿qué pasará si lo he decepcionado?», pensó sintiendo una punzada de dolor.

Al fin Arthur volvió la cabeza para mirarla y acercó su mano para apartarle los cabellos de la cara con delicadeza. Al ver su estado de incertidumbre le dirigió una sonrisa torcida de chiquillo que se instaló en su corazón para no partir jamás.

Anna sabía que nunca podría olvidar la expresión de su rostro en ese momento.

—Lo siento. No sé qué decir. Nunca antes… nunca antes había sentido algo como esto.

Ella esbozó una amplia sonrisa como respuesta, incapaz de ocultar su alegría.

—¿En serio? No tengo nada con que compararlo, pero me ha parecido algo maravilloso.

—Sí, ha sido maravilloso. —Arthur se inclinó sobre ella y la besó con ternura. Pero cuando ella alzó la vista para mirarlo de nuevo su mirada se había enturbiado—. Jamás me arrepentiré de lo que acaba de ocurrir, Anna. Pero por vuestro propio bien me gustaría que no hubiera pasado.

Anna advirtió el inconfundible tono de advertencia y le pareció que se le clavaba una espina en el corazón, pero lo obvió. No quería que nada ensombreciera ese momento. Se acurrucó bajo su brazo y apoyó la cabeza sobre su hombro, abrigándose con su cuerpo de manera instintiva.

—Yo me alegro de que haya pasado —dijo ella.

Ahora estaban unidos en lo más profundo y nada podría separarlos.

Arthur bajó la vista para mirar a aquella delicada mujer desnuda que se acurrucaba en sus brazos y se le paró el corazón. Lo que acababan de compartir no tenía parangón con nada que hubiera experimentado antes. Había compartido cama con un número de mujeres más que razonable, pero para él fornicar siempre había consistido en saciar su lujuria. Se encargaba del placer de la mujer y del suyo con un solo objetivo en la cabeza: desfogar. Una vez estaba cumplido, no había más que hacer. No se demoraba. Y estaba claro como el agua que tampoco quería rodear a la mujer con sus brazos y desear quedarse así para siempre. Comparado con lo que había sucedido con Anna, el resto parecía casi mecánico, como si hubiera pasado por todos los movimientos simplemente para conseguir el premio. Pero con ella el premio era la experiencia en sí misma. El placer estaba en la exploración, en el descubrimiento y en los detalles. Estaba en el modo en que ella reaccionaba a sus caricias, la manera en que se arqueaba su espalda, la presión que ejercían sus caderas y los pequeños gemidos que salían de sus labios. Estaba en la expresión de sus ojos cuando la penetraba, el rubor que le teñía sus mejillas cuando se acercaba al orgasmo y el modo en que su cabeza se inclinaba hacia atrás y su boca se abría cuando finalmente llegaba.

No había sido capaz de apartar la mirada. Normalmente evitaba el contacto visual, pero con Anna buscaba esa conexión. Quería disfrutar de esa cercanía.

Descansó el mentón sobre su coronilla, saboreando la sedosa suavidad de sus cabellos. Era tan dulce y hermosa… Además de endiabladamente confiada. Eso hacía que se despertase todo su instinto de protección. Y algo más. Algo cálido, tierno y poderoso. Algo que jamás pensó que pudiera ser para él. Se creía diferente. Pensaba que no necesitaba a nadie, que estaba bien solo. Pero se engañaba. No era en absoluto diferente. La necesitaba. La quería. La amaba con un ardor que le resultaba sorprendente. Tal vez pudiera encontrar alguna forma de explicarse. De implorar su perdón. Tal vez hubiera esperanza…

«¡Ah, qué diablos!» Un nudo le contrajo las entrañas a medida que volvía a la realidad. ¿A quién pretendía engañar? Anna jamás se lo perdonaría. ¿Cómo podría hacerlo, cuando él tenía la misión de destruir todo aquello que ella amaba?

La quería, pero eso no cambiaba nada en absoluto. Solo serviría para que lo que estaba por llegar resultara más doloroso. Cuando acabara de cumplir su cometido, no tendrían nada que hacer el uno con el otro. La amaba, pero su lealtad estaba con Bruce. Tenía una misión que cumplir, no solo por el rey, sino también por su padre. En un tiempo diferente, en un mundo en el que no hubiera guerra ni viejas rencillas podrían haber tenido una oportunidad. Pero no en ese mundo. No en ese tiempo.

Y aun así le habría gustado… Dios, cuánto le habría gustado que todo fuera diferente.

Anna alzó la vista y lo miró bajo sus largas pestañas.

—Estoy segura de que no somos la primera pareja comprometida que anticipa su noche de bodas.

El sentimiento de culpa se hizo más profundo. Ese era el problema: no habría noche de bodas. No la habría cuando ella descubriera la verdad. Era un malnacido. Un malnacido ignominioso. ¿En qué estaba pensando? En realidad, eso lo sabía perfectamente. Pensaba en que la quería más que a nada en el mundo y en que tenía que hacer lo que fuera por conservarla. Consciente o inconscientemente, había querido unirse a ella de una forma que no pudiera ser deshecha. Ni tan siquiera por el engaño o la traición.

Una apuesta desesperada. Egoísta. Perversa. Solo serviría para que Anna tuviera más razones para odiarlo. Pero ya estaba hecho y no podría cambiarlo por más que quisiera.

—No —dijo Arthur—. No somos los primeros, pero dadas las circunstancias tendríamos que haber esperado. —La atrajo hacia sí con una voz tan fiera como su abrazo. Era un hijo de perra egoísta, pero juró que cuando aquella maldita guerra acabara le daría una oportunidad. Lucharía por ella, por ellos, si se lo permitía—. Volveré a vos, Anna. Volveré si es que me seguís queriendo.

Ella lo miró con una sonrisa en los labios, cándida e inocente. Demasiado confiada.

—Pues claro que os seguiré queriendo. Nada podrá cambiar eso.

Quería creer lo que decía. Quería creerla más que nada en el mundo. Pero pronto sus palabras serían puestas a prueba.

21

—¿Qué te pasa, Anna? Estás muy callada esta mañana. ¿Es que no has dormido bien?

Anna miró a su hermana con recelo, preguntándose si sospecharía algo. Era difícil decirlo. Lucía una expresión serena en el rostro, una expresión que se adecuaba al sermón matinal al que acababan de atender. Anna no tenía ni la menor idea de acerca de qué versaba. Estaba demasiado ocupada en rememorar cada uno de los segundos de la escena que había tenido lugar la noche anterior. No le cabía duda de que pensar tales cosas en una capilla había de ser terriblemente pecaminoso, pero ya tenía suficiente por lo que hacer penitencia, de modo que se figuró que el daño añadido a su alma no empeoraría la situación.

La recuperación de esos recuerdos la hizo sonreír. Estaba claro que regocijarse en el pecado era incluso más pecaminoso aún, pero lo cierto es que era feliz. Amaba a Arthur y él la amaba a ella. La pasada noche lo demostraba. No regresó a la cámara que compartía junto a sus hermanas hasta que ya era bastante tarde. O temprano. Depende de cómo se mirase. Se quedó acurrucada entre sus brazos tanto como se atrevió a hacerlo, pero al final estuvo obligada a regresar a su habitación. Esas horas pasadas entre los brazos de Arthur significaban uno de los momentos más gozosos de su vida.

Bajo el protector arco de su abrazo la guerra, el caos y la incertidumbre del mundo actual no existían. A la fría luz del día, sin embargo, todo volvía a verse de otro modo. Se cumplía el duodécimo día de agosto. Faltaban tres para que expirase la tregua. Se decía a sí misma que era la guerra lo que la inquietaba. Se decía a sí misma que la razón de que Arthur se mostrara tan taciturno o de que sus palabras adquirieran el matiz de la advertencia era la propia guerra. Pensando en todo lo que estaba por llegar durante los próximos días, la pérdida de su virginidad antes de la boda debería ser lo que menos le preocupara. Pero ¿por qué él le había hablado de la posibilidad de no regresar? Tendría que poner fin a aquello.

—No me pasa nada —dijo Anna con firmeza—. He dormido bien.

En realidad, las cuatro o cinco horas de sueño de que dispuso durmió plácidamente.

—Pues hubo de ser un libro magnífico.

En esa ocasión el tono de voz seco de su hermana no dejaba lugar a dudas.

—Pues sí —respondió Anna sin poder evitar sonrojarse.

Aunque a menudo leía hasta entrada la madrugada en alguna de las cámaras entre muros del castillo para evitar molestar a sus hermanas, era obvio que Mary había adivinado la verdad.

Seguían de cerca al resto de la familia, que atravesaba el patio desde la capilla en dirección al gran salón para romper el ayuno. No obstante, la mayoría de los hombres ya estaba en el patio de armas practicando. El ruido metálico de las espadas y la cacofonía de las voces se hacía mayor a medida que se acercaban. Anna examinó instintivamente las figuras bajo las armaduras en busca de… «Ahí.» El corazón le dio un vuelco solo de verlo. Arthur estaba al otro lado de los establos, de espaldas a Anna. Allí era donde preparaban las balas de paja, así que se figuró que estaría practicando con la lanza. Cerca de él estaba su hermano Dugald, pero al contrario que este, él sí estaba acompañado. Impulsaba un venablo adelante y atrás y le daba vueltas en el aire bajo la atenta mirada de tres jóvenes y de bonitas doncellas que le observaban como si fuera un mago, asintiendo a todo lo que les decía. Intentaba enseñarle a coger la lanza a una joven que tenía frente a sí, pero sus enormes pechos se interponían entre sus brazos.

Aquellos dos hermanos no podían ser más diferentes. Dugald era un fanfarrón ruidoso, el tipo de hombre que solo estaba contento cuando era el centro de la reunión y tenía alrededor el máximo de mujeres posibles. Arthur era más tranquilo. Más recto. Un hombre que se contentaba con estar en segundo plano.

Mary alzó la vista al cielo al contemplar su exhibicionismo y se alejó de allí subiendo la escalera en dirección al gran salón. Anna se apresuró a seguir sus pasos sin poder evitar mirar atrás una vez más. Sir Dugald reía por algo que había dicho una de las chicas. Anna no oyó lo que él le contestó, pero habría jurado que era algo del tipo: «Mira esto».

Alzó la lanza sobre su cabeza como si fuera a arrojarla al tiempo que le gritaba a Arthur:

—¡Arthur, cógela!

Antes de que Anna se percatara de lo que estaba a punto de hacer, antes incluso de que el grito pudiera tomar forma en su garganta, la lanza ya estaba en el aire, proyectada en dirección a Arthur. Estaban tan cerca uno del otro que casi no tuvo tiempo de mirar en respuesta a las palabras de Dugald cuando ya tenía el venablo sobre él. Lo atrapó en el aire en el último instante, con una sola mano. Se lo llevó a la rodilla con un rápido movimiento, lo rompió en pedazos y le devolvió las astillas a su hermano con el rostro ensombrecido por la cólera.

Eso le recordaba algo a Anna.

Una brisa helada bañó su piel. No había visto nada igual más que una vez en su vida. Su rostro palideció al momento. Acalló con una mano la exclamación de sorpresa y se quedó petrificada contra el muro de la entrada con el corazón en un puño. Había sucedido exactamente lo mismo que la noche del bosque de Ayr. Esa noche en que la mandaron a recoger la plata para su padre y se encontró con una emboscada. El caballero que la rescató había hecho exactamente lo mismo. «El espía.»

«No, no puede ser», se dijo Anna, invadida por un ataque de terror que le recorría la espalda. Había de ser una coincidencia. Pero los recuerdos se retorcían en su cabeza y la confundían. Estaba oscuro. No pudo ver su rostro. Él hablaba en voz baja para enmascarar su voz. Pero el tamaño, la altura y la complexión encajaban perfectamente.

No, no, aquello no podía ser. Anna se tapó las orejas y cerró los ojos. No deseaba verlo. No quería pensar en todas las razones que daban pie a esa posibilidad. En sus crípticas advertencias. La sensación de que ocultaba algo. Sus intentos iniciales de evitarla. La mirada de reconocimiento en su tío Lachlan MacRuairi. Se le contrajo el estómago. La cicatriz. Dios, la cicatriz no. Pero la marca de flecha en forma de estrella de su brazo se ajustaba a la herida del caballero que la había rescatado. La bilis ascendió hasta su garganta.

Mary debió de percatarse de que Anna no iba tras ella y bajó la escalera corriendo hasta la entrada en la que su hermana permanecía como un pasmarote pegada al muro.

—¿Qué te pasa, Annie? Parece que hubieras visto un fantasma.

Así era. Dios santo, así era. Anna movió la cabeza, negándose a aceptarlo. Todo a su alrededor comenzó a dar vueltas.

—No… no me encuentro muy bien.

Subió la escalera hacia su cámara sin mediar más palabras y casi no tuvo tiempo de sacar el orinal de debajo de la cama cuando ya estaba vaciando los magros contenidos de su estómago y purgando de paso su corazón en él.

Arthur miró en derredor del gran salón camino de la cámara de Lorn para el consejo de guerra de la noche. Se quedó circunspecto al percatarse de su ausencia. ¿Dónde diablos se habría metido? La leve sensación de preocupación que le asaltó esa mañana al no ver a Anna había empeorado con el desarrollo de la jornada. Alan le dijo que Anna no se encontraba bien. Un dolor de estómago, pero dado lo ocurrido la noche anterior, Arthur no acababa de creérselo. ¿Estaría enfadada? ¿Se arrepentía de lo que había pasado entre ellos? La culpa lo reconcomía por dentro. ¿Qué habría hecho?

Se obligó a alejar a Anna de sus pensamientos y a concentrarse en la tarea que tenía ante sí. No quedaba mucho tiempo. El rey Robert atacaría en cuatro días, y Arthur todavía no había conseguido ninguna información de utilidad.

Entró en la habitación siguiendo a Dugald, que estaba de un humor de perros como jamás antes le había visto, y se sentó a la mesa con el resto de los caballeros de alto rango y los miembros de la *meinie* de Lorn. Minutos después de que se congregaran los hombres, hizo su entrada Lorn. Pero en esa ocasión no llegaba solo. Su padre, el convaleciente Alexander MacDougall, iba con él. El pulso de Arthur se aceleró. Si MacDougall estaba allí, probablemente se trataría de algo importante.

El lord de Argyll tomó asiento en el sillón a modo de trono que normalmente ocupaba su hijo y le dejó a Lorn un sillón más pequeño junto a su puesto. Una vez que se hizo el silencio en la sala, Lorn sacó un trozo de pergamino doblado de su escarcela y lo puso sobre la mesa. Arthur se quedó petrificado al reconocerlo de inmediato. Reprimió una maldición obscena. «El mapa.» O para ser más exactos, su mapa. El mapa que había dibujado para el rey, el que había entregado al mensajero. Debieron de interceptarlo antes de que llegara a Bruce. «Maldición.» Deseó haberse acordado de mencionarlo la última vez que se reunió con ellos.

Los hombres se acercaron para verlo de cerca.

—¿Qué es? —preguntó uno de ellos.

Lorn adoptó una expresión severa.

—Un mapa de los alrededores de Dunstaffnage —dijo, haciéndolo pasar—. Y el número de hombres y los suministros a nuestra disposición.

Hubo varias murmuraciones de enojo cuando algunos de los hombres se percataron de lo que significaba. Dugald se acercó más y examinó el mapa con tal intensidad que a Arthur se le erizaron los cabellos de la nuca. No había nada delator en el documento. La escritura era minúscula y en cuanto a los dibujos… Dugald nunca había prestado mucha atención a los «garabatos» de Arthur más que para reírse de ellos. No tenía nada que temer. Pero aun así, el interés que se tomaba su hermano le resultaba inquietante.

—¿De dónde ha salido? —preguntó Dugald.

—Se lo quitaron a un mensajero del enemigo que mis hombres interceptaron hace varias semanas —respondió Lorn—. Pero por la exactitud de los números, sospecho que hay un traidor entre nosotros. —Los murmullos de indignación y rabia zumbaron por toda la sala y Arthur se unió a ellos—. Desafortunadamente el mensajero no fue capaz de identificarlo.

—¿Cómo podéis estar seguro, milord? —preguntó Arthur.

Una sonrisa de complicidad curvó la boca de Lorn.

—Lo estoy.

Lo cual quería decir que habían torturado al mensajero.

Lorn examinó los rostros de los hombres que le rodeaban, el círculo interno de su mando.

—Mantened los ojos abiertos en busca de cualquier cosa que se salga de la normalidad. Quiero encontrar a ese hombre —dijo aplastando el mapa con la palma de la mano—. Pero este mapa ha demostrado su utilidad. Tengo un plan para ganar la partida al usurpador en su propio juego.

Arthur se quedó quieto, intentando contener la emoción. Tal vez al final pudiera conseguir algo de información para el rey.

—¿A qué os referís? —preguntó Alan.

—Me refiero a que haremos que sus propias tácticas se vuelvan en su contra. Bruce ha conseguido victorias frente a fuerzas mucho más poderosas luchando según sus propios medios: eligiendo el lugar y el terreno adecuados para el ataque, asestando golpes duros y rápidos desde sus escondrijos, usando el mismo tipo de estrategias que han usado nuestros ancestros durante siglos, tácticas de guerra highland. Y que me aspen si permito que alguien de las Tierras Bajas me gane en mi propio terreno —dijo, haciendo acto seguido una pausa para que el resto coreara su aprobación—. No nos quedaremos aquí esperando al asedio del castillo como él cree. Atacaremos nosotros primero.

Todos empezaron a hablar al mismo tiempo. Arthur se obligó a no unirse a la refriega porque quería oír el resto. Pero sabía que aquello era algo grande, monumental de hecho. Lorn tenía razón: el rey no esperaría que los atacaran. No cuando tenían una fortaleza como Dunstaffnage para cobijarse. Lorn impuso silencio en la sala con un movimiento de la mano.

—Esperad a que cuente el resto para hacer preguntas. —Colocó el mapa más adelante para que los hombres que tenía frente a él pudieran verlo—. Bruce y sus hombres vienen del este por la carretera de Tyndrum. —Apuntó a una esquina del mapa, haciendo que la piel de Arthur se erizara al presentir algo importante. Lorn movió el dedo siguiendo el camino y se detuvo en el paso de Brander. A Arthur se le encogía el estómago del temor—. Para llegar hasta Dunstaffnage tendrán que cruzar estas montañas. En el estrecho y largo paso de Brander, allí será donde ataquemos. Pondremos a nuestros hombres aquí, aquí y aquí —dijo señalando tres cumbres por encima de las cuales no se veía nada, debido a los meandros del camino.

Arthur reprimió una imprecación al tiempo que el resto de la sala prorrumpía en una ola de excitación. Era el sitio perfecto desde el que llevar a cabo un ataque sorpresa. Los MacDougall sorprenderían a Bruce desde arriba, descendiendo sobre el ejército en marcha en una abertura estrecha desde donde el rey no podría sacar ventaja de su superioridad numérica.

—¿Cuándo? —preguntó Dugald alzando la voz.

—Nuestros informes señalan que Bruce llegará a Brander en la madrugada del catorce.

«Hijo de perra traicionero.»

La sala se quedó en silencio.

—Pero la tregua no expira hasta el quince —dijo Alan con cautela.

Lorn entornó los ojos.

—Es el usurpador quien ha escogido ignorar el código de la batalla, no yo. Bruce marcha sobre nuestras tierras. Es él quien rompe la tregua. —Un razonamiento a la propia conveniencia como jamás se vio antes. Pero nadie en la sala se atrevió a discutirlo—. Alan —continuó Lorn—, marcharás con el grueso de las fuerzas mañana y estaréis en la posición al caer la noche, solo para asegurarnos.

A Arthur no le sorprendió saber que Alan estaría al mando. Esos abruptos barrancos y el irregular terreno serían difíciles de surcar incluso para los guerreros más jóvenes.

—¿Defenderéis vos el castillo, milord? —preguntó.

Lorn lo fulminó con la mirada.

—Mi padre guardará el castillo —corrigió—. Yo me haré cargo de una flota de galeones y comandaré el ataque desde aquí —dijo señalando el lugar en el que el río Awe se adentraba en el lago del mismo nombre—. Así, cuando les hayamos sorprendido desde arriba, les seguiremos atacando desde el frente.

Golpeando a Bruce desde dos direcciones. Era un plan excelente. No solo se trataba de una localización perfecta para lanzar el ataque, sino que al atacar primero, y antes de que la tregua expirase, tendrían el factor sorpresa a su favor.

Esa intervención provocó un aluvión de preguntas, pero Arthur ya estaba concentrado en la tarea que se avecinaba. Tenía que advertir al rey lo antes posible sin que Lorn se percatara de que su plan corría peligro. Tendría que arriesgarse a enviar el mensaje esa misma noche. Después, en la excitación y el caos que precederían al ataque, tendría la posibilidad de escabullirse.

«Para siempre.»

Se le encogió el estómago. Tenía ante sí el momento que tanto había temido y sabía que era inevitable. El momento de decir adiós. El momento en que se suponía que debía volver a las sombras y desaparecer sin decir una palabra. Eso era lo que él hacía. Lo que siempre supo que tendría que hacer. Simplemente no esperaba que fuera tan tremendamente duro. Parecía cobarde marcharse sin una explicación. Dejar que Anna descubriera la verdad por sí misma. Le habría gustado prepararla, decirle que la amaba y que nunca quiso hacerle daño. Decirle que lo sentía, que seguiría siendo suya siempre que ella quisiera.

Pero no podía. Partiría al día siguiente siendo un hombre y cuando regresara lo haría siendo otro. Anna lo odiaría por ello. Aunque dudaba mucho de que cupiera una mínima posibilidad de que estuvieran juntos, Arthur se juró que cuando terminara todo la buscaría para intentar explicárselo. Siempre que ella quisiera escucharlo.

«No puede ser cierto. No es posible.» Anna se negaba a creerlo. Pero tampoco podía alejar de sí la duda que se había instalado como un parásito en sus entrañas y no quería marcharse. La excusa de su enfermedad no era falsa. Las dudas se retorcían y reconcomían su interior, debilitándola. Pasaba el día entero en el refugio de sus aposentos intentando convencerse de que aquello no era posible, de que él no la engañaría de tal modo. Pero quedaban demasiadas preguntas en el aire. Unas preguntas que no podían esperar hasta el día siguiente. Para entonces podría ser demasiado tarde. Mary y Juliana acababan de regresar a la cámara hacía poco para informarle de que los hombres ya disponían los preparativos previos a la guerra. «Guerra.» El miedo le atenazó el pecho, y la necesidad de encontrarlo se tornó desesperada.

Tenía el vestido arrugado y lleno de pelos de Escudero tras haber pasado todo el día tumbada en la cama, pero no perdió el tiempo en cambiarse. Se echó agua en la cara, se enjuagó la boca, pasó un cepillo por su enmarañado cabello y se encaminó a las dependencias de su padre tras pedirle a sus hermanas que le echaran un ojo al cachorro. Le defraudó encontrar la puerta abierta, ya que esperaba que los hombres continuaran en el consejo de guerra. No obstante entró, atraída por las voces que procedían del interior.

Su padre, que estaba de pie junto a Alan, observando un trozo de pergamino extendido sobre la mesa, alzó la vista al verla entrar en la sala.

—Ah, Anna. ¿Te encuentras mejor?

—Sí, padre, mucho mejor —contestó ella, intentando no mostrar la decepción que le suponía descubrir que se hallaban allí solamente ellos dos. Seguramente Arthur ya se habría retirado a los barracones para dormir. ¿Qué podía hacer ella, entonces? ¿Qué excusa inventaría para ir en su busca a esas horas?

—¿Necesitas algo? —preguntó Alan, percatándose de la preocupación de su rostro.

Cuando su hermano bajó la vista, Anna se dio cuenta de que estaba retorciéndose los faldones del vestido.

—Pareces disgustada por algo

No podía llegar a hacerse una idea.

«Oh, Dios. Tendría que contárselo.» Anna sintió un vacío en el estómago al percatarse de que debería compartir sus sospechas con ambos. Pero no podía. No hasta que estuviera completamente segura. Su padre… Le dolía admitir que la ira de su padre no siempre era racional. No podía estar segura de lo que haría. Pero tenía que contarles algo.

—Es por la guerra. Mary me ha dicho que los hombres se preparan para partir mañana.

—No hay razón para preocuparse, Anna. Tu madre, tus hermanas y tú estaréis a salvo aquí.

—No creo que sea eso lo que le preocupa, padre —dijo Alan con una sonrisa forzada.

Estaba en lo cierto. Anna emprendió la retirada, ansiosa por encontrar a Arthur.

—No quería molestaros —dijo mirando el pergamino sobre la mesa—. Es obvio que estáis ocupados, os dejaré que… —añadió, deteniéndose de repente con una exclamación de sorpresa.

Clavó la mirada en el trozo de pergamino y cayó en la cuenta de que lo reconocía, a pesar de que en ese momento ya estaba acabado y tenía un aspecto diferente. Ya no parecía un bosquejo. Parecía un mapa. «Un mapa.» ¿Qué significaba aquello? Si Arthur estaba haciendo un mapa para su padre, ¿por qué no le había dicho nada? «Intentaba ocultarlo.»

Anna dio varios pasos al frente presa de un pavor inexplicable. Intentó disimular el temblor de su voz:

—Interesante mapa. —Tenía la garganta demasiado seca, de modo que, más que hablar, carraspeaba—. ¿De dónde lo habéis sacado?

—Nuestros hombres lo interceptaron de un mensajero enemigo —respondió Alan, pasando los dedos por sus finos trazos—. La verdad es que es muy bueno. Magníficamente detallado.

Anna no oyó más que las palabras «mensajero enemigo». Palideció al momento; sus peores temores, aparentemente, se habían confirmados.

«Es un espía.»

—¿Sabes algo al respecto, hija?

Anna volvió la vista hacia su padre. Abrió la boca para pronunciar las palabras que condenarían a Arthur, pero quedaron congeladas en su boca. No podía. No podía hacerlo. No antes de ofrecerle una oportunidad para explicarse.

—Nada —se apresuró a decir bajando los ojos, incapaz de sostenerle la mirada.

Alan la observaba con expresión de extrañeza.

—¿Estás segura de que no te encuentras mal, Annie? No tienes buen aspecto.

No se encontraba muy bien. Tenía mareos. Como si la habitación girara a su alrededor o los tablones del suelo se desprendieran a sus pies. Se tambaleó y dio un paso para recuperar el equilibrio.

—Yo… yo creo que será mejor que vuelva a mi habitación.

Alan fue hacia ella con el desasosiego marcado en el rostro.

—Te acompaño.

—No. —Anna negó con la cabeza enérgicamente, reprimiendo unas lágrimas que le escocían en los ojos—. No es necesario. Estoy bien. Seguid con lo que estáis haciendo.

Anna salió antes de que su hermano pudiera oponerse. Se apresuró a llegar al *barmkin* sumida en una sensación de ahogo. Abrió la puerta de la torre del homenaje y se sintió reconfortada por el golpe de aire frío de la noche. Inspiró profundamente, llenándose los pulmones y procurando estabilizar su acelerada respiración. Se aferró a la barandilla de madera que coronaba la escalera como si fuera un cabo de salvamento, dejando que el aire fresco y el tranquilizador dosel de la negra y cerrada noche calmara la precipitación de su corazón, la de su aliento y, sobre todo, la de su cabeza. Varios de los hombres que vigilaban el *barmkin* se quedaron mirándola, pero Anna estaba demasiado disgustada para preocuparse por ello. ¿Disgustada? No, aturdida. Destrozada. Horrorizada. Su cabeza todavía daba vueltas, incapaz de creerlo.

Intentaba decidir lo que debía hacer, si recorría el patio, llamaba a las puertas de los barracones y preguntaba por él, mandando al diablo toda corrección, cuando las puertas se abrieron y salió un grupo de soldados vistiendo armadura completa. El corazón le dio un vuelco al percatarse de que uno de ellos era Arthur. Se dirigían hacia los establos. Estaba partiendo. «Partiendo.»

Se asió a la barandilla con fuerza hasta que la madera se astilló en sus manos. Se lo quedó mirando con el pecho ardiendo de dolor y una parte de sí todavía reacia a creerlo. Arthur pareció advertir el calor de su mirada y dejó a medias lo que estaba haciendo para alzar la vista. Sus ojos se encontraron entre la luz mortecina que proveían las antorchas. Arthur dijo algo a uno de los hombres, se separó del grupo y caminó en su dirección. Anna inspiró profunda y entrecortadamente y se dispuso a bajar la escalera para encontrarse con él al final de esta. Su corazón se detuvo al ver su rostro. ¿Cómo podía mirarle con tal cara de preocupación y planear traicionarla al mismo tiempo?

—¿Qué ha pasado? —preguntó—. Me quedé preocupado al no veros antes.

Él se acercó a ella, pero Anna se revolvió. No podía permitir que la tocara. Solo serviría para confundirla más si cabe.

—Necesito hablar con vos.

La rigidez de su voz despertó los temores de Arthur. Dirigió su mirada hacia los establos, donde los hombres habían desaparecido.

—No tengo mucho tiempo. Me están esperando.

—¿Os marcháis… sin decir adiós?

El pequeño temblor que apareció en su barbilla lo delataba. Señal de que se sentía culpable.

—No es más que la ronda nocturna. Estaré de vuelta en unas horas.

—¿Estáis seguro? ¿No me advertisteis de que tal vez no regresaríais?

Arthur examinó con detenimiento su rostro y pareció percatarse de que algo iba realmente mal. Consciente de los hombres que patrullaban a su alrededor, la tomó por el brazo y la llevó hacia el jardín que había en la parte posterior a la torre, donde nadie podría oírlos. La cogió por los hombres para encararla hacia sí y la miró con expresión severa.

—¿A qué se debe todo esto, Anna?

Anna alzó la barbilla, odiando que la tratara como si fuera una niña pesada.

—Lo sé.

—¿Qué es lo que sabéis?

Un sollozo asomó por su pecho, pero consiguió controlarlo. Las palabras salieron como un torbellino.

—Sé la verdad. Sé por qué estáis aquí. Sé que sois quien me salvó en Ayr. Sé que trabajáis para ellos —dijo Anna, casi escupiendo esa última palabra, incapaz de pronunciarla.

Él trabajaba para el enemigo mortal de su familia.

Se había quedado inmóvil, demasiado; sus facciones habían sido adiestradas para la impasibilidad. A Anna se le cayó el alma a los pies. Esa falta total de reacción le condenaba más que una negación.

—Estáis trastornada —dijo Arthur con calma—. No sabéis lo que estáis diciendo.

—¡Cómo os atrevéis! —exclamó Anna con voz temblorosa y una emoción que ardía en su pecho hasta convertirse en un acceso de rabia—. ¡No os atreváis a mentirme! Os vi esta mañana coger la lanza al vuelo y romperla con la rodilla. Solo he visto eso una vez en mi vida. ¿No recordáis cómo salisteis a rescatarme aquella noche? ¿Un espía de los rebeldes que se hacía pasar por caballero? Recibisteis un flechazo en el hombro por ello. —Tenía ganas de arrancarle la armadura y obligarle a que lo reconociera—. Tenéis una cicatriz exactamente en el mismo lugar. —Hizo una pausa para que lo negara, casi esperando que le diera una explicación, pero el silencio colmaba el aire estancado entre ambos—. Vi el mapa, Arthur. El mapa que permitisteis que yo creyera que era un dibujo. Se lo quitaron a un mensajero enemigo —continuó, desafiándolo todavía con la mirada—. Tal vez debería llamar a mi padre y que sea él quien decida.

Arthur frunció los labios hasta que emblanquecieron. La agarró por el codo y la acercó más a sí.

—Bajad la voz —advirtió—. Podrían matarme solo por acusarme de ello.

Anna se serenó, aplacándose un tanto su ira, consciente de que lo que decía era cierto. Arthur la dirigió hacia un banco de piedra y la hizo sentarse.

—No os mováis.

—¿Adónde vais? —preguntó Anna, irritada por recibir órdenes suyas.

—A decirles que me retrasaré —respondió Arthur, mirándola con gesto severo.

22

«¡Piensa! ¡Maldita sea, piensa!»

Arthur se tomó su tiempo en informar a los hombres de su retraso mientras intentaba calmar el violento torrente de sangre que afluía por sus venas. Pero todos sus instintos primarios de supervivencia habían despertado al unísono en respuesta al peligro. Lo peor había sucedido. Lo habían descubierto. Anna había adivinado la verdad.

Maldijo al idiota de su hermano por arrojarle aquella lanza, que además a punto había estado de atravesarle la cabeza, y también a sí mismo por ser tan poco cuidadoso con el mapa. Su misión acababa de irse al garete, y, a menos que pudiera encontrar una manera de justificarlo, todo indicaba que no viviría para ver la siguiente puesta de sol. No podía pensar en lo que significaría su fracaso para Bruce. Si no los avisaba, irían directos hacia la trampa. Una victoria de los Mac-Dougall podría hacer que las tornas de la guerra cambiaran de nuevo.

A pesar de no advertir ningún peligro al salir de los establos, Arthur no quitaba las manos de sus armas, casi esperando encontrarse a los soldados de Lorn aguardando. Pero Anna no había avisado a su padre. Todavía no, al menos. Le esperaba en el banco en el que él la había dejado. Respiró algo más tranquilo en su camino de vuelta al cruzar el patio, aunque aún no tenía claro lo que le diría. No era solo su integridad y la misión lo que estaban en juego. Si todavía quedaba la esperanza de una vida en común para ambos, sería en ese momento cuando tendría que conseguir que Anna entendiera sus razones.

Ella no lo miró cuando se acercó, sino que se quedó contemplando la oscuridad en silencio, con un rostro que era una pálida máscara de angustia. Se sentó junto a ella con una sensación de impotencia absoluta. Quería tomarla en sus brazos y decirle que todo saldría bien, pero sabía que no era cierto. La había traicionado. Poco importada que no hubiera podido evitarlo.

—No es lo que pensáis —dijo suavemente.

—No podéis haceros una idea de lo que pienso. —La voz de Anna estaba teñida de emoción. Cuando se volvió hacia él con sus grandes ojos azules anegados de lágrimas no derramadas, Arthur sintió una punzada en el corazón que le hizo estremecer—. Decidme que no es cierto, Arthur. Decidme que todo es un error. Decidme que no sois lo que creo que sois.

Debería. ¿Qué significaba una mentira más encima de tantas otras? Podía intentar negarlo. Tal vez llegara a convencerla. Pero lo dudaba mucho. Ella lo sabía. Lo veía en sus ojos. Y si le mentía en ese momento, jamás tendría la posibilidad de que lo comprendiera. Si quería que ellos dos tuviesen una oportunidad como pareja, tendría que contarle la verdad.

La miró a los ojos.

—Jamás quise haceros daño.

Anna emitió un sonido, un gemido de dolor que parecía provenir de un animal herido, un gatito de piel aterciopelada atrapado en una trampa para osos. No pudo evitarlo. Se acercó a ella para calmarla, pero Anna dio un respingo.

—¿Cómo sois capaz de decir tal cosa? Me habéis utilizado. Me mentisteis en todo lo que era importante. —Las lágrimas brotaron desde las comisuras de sus ojos y cayeron en torrente por sus mejillas—. ¿Hubo algo real? ¿O hacer que me encariñara de vos también era parte del plan?

—Lo que pasó entre nosotros fue real, Anna. Nunca fuisteis parte del plan. Jamás debisteis formar parte de ello. Esto no tiene nada que ver con vos.

—Entonces ¿con qué tiene que ver? ¿Con Robert Bruce? ¿Con las viejas rencillas? ¿Con vuestro padre? —Arthur apretó los puños y tragó saliva—. Así que es por vuestro padre… Culpáis al mío de su muerte —dijo, retirándose de él—. No es más que un horrible y retorcido intento de venganza. Queréis la destrucción de mi familia porque vuestro padre murió en la batalla, ¿no es eso? ¿Qué es lo que planeáis, asesinar a mi padre para vengar la muerte del vuestro? —Se quedó paralizada por el horror—. Dios mío, eso es lo que planeáis hacer.

Arthur apretaba con fuerza los dientes. Dicho por ella, sonaba como algo infame. Simple. Pero era cualquier cosa menos eso. Anna, cegada por el amor que le tenía a su familia, estaba incapacitada para ver lo que sucedía a su alrededor. Odiaba tener que ser él quien le abriera los ojos, pero no le quedaba otra alternativa.

—Es vuestro padre quien acabará con el clan y no yo, Anna. Robert Bruce ha hecho lo que nadie creía posible. Es la mejor opción de Escocia para liberarnos del yugo inglés. Se ha ganado los corazones del pueblo. Pero el odio de vuestro padre y su orgullo le impiden verlo de ese modo. Prefiere ver a una marioneta inglesa en el trono… Los MacDougall se quedan solos, Anna. Incluso Ross acabará rindiéndose.

Anna se quedó completamente rígida.

—Mi padre hace lo que considera correcto.

—No, vuestro padre hace todo lo que está en su mano para no admitir la derrota. No os equivoquéis respecto a las razones de todo esto. Vuestro padre preferiría veros muertos antes que aceptar la derrota.

Advirtió la indignación que ruborizaba sus mejillas.

—Vos no sabéis nada de mi padre.

Anna hizo un intento de levantarse, pero él la agarró por la muñeca y la obligó a permanecer sentada.

—Sé más de lo que querría acerca de vuestro padre. Sé exactamente de lo que sería capaz por ganar.

Anna intentó liberar su brazo.

—Soltadme.

—No hasta que oigáis todo lo que tengo que decir.

No había nada que deseara menos que desilusionarla, pero era consciente de que no podía protegerla de la verdad durante mucho más tiempo.

—No os dije todo lo que vi el día en que mataron a mi padre.

—No quiero...

—Sin embargo, lo oiréis —la iterrumpió—. Aunque no queráis hacerlo. Yo estaba en esa colina y lo vi todo, Anna. Mi padre tenía al vuestro a merced de su espada. Podría haberlo matado y, no obstante, se apiadó de él. Vuestro padre aceptó los términos, acordó la rendición y después, cuando mi padre se dio la vuelta, lo mató.

Anna dejó escapar un grito ahogado con unos ojos llenos de horror e incredulidad.

—Os equivocáis. Mi padre jamás haría algo tan deshonroso.

Arthur la agarró firmemente y la obligó a mirarlo a los ojos.

—Yo estaba allí, Anna. Lo vi y lo oí todo, pero no pude hacer nada para detenerlo. Intenté advertir a mi padre, pero era demasiado tarde. Lorn me oyó y envió a su hombres a que me dieran caza, y hube de ocultarme en el bosque durante una semana. Para cuando salí de allí, era demasiado tarde para cambiar la historia. Nadie me habría creído.

Arthur se dio cuenta del pánico que la sobrecogía. Sintió su corazón batir fuertemente contra el pecho. Luchaba por aferrarse a cualquier hilo que pudiera preservar sus ilusiones respecto a la verdadera persona que ella veía en su padre.

—Debisteis malinterpretar lo ocurrido. Estabais muy lejos.

—No malinterpreté nada, Anna. Lo oí todo.

Se equivocaba. Tenía que equivocarse. ¿No era cierto? Su padre tenía mal genio, pero ella sabía qué tipo de persona era.

Le volvió la espalda bruscamente.

—No os creo.

El pesar de sus ojos cortaba más que el cristal.

—Preguntadle vos misma. —Anna no dijo nada. No quería atender a razones—. Vuestro padre no se detendrá ante nada para conseguir la victoria, Anna. Nada. Por todos los diablos, si incluso ha utilizado a su propia hija…

Anna se puso en tensión, ofendida por tal acusación.

—Ya os dije que la alianza con Ross fue idea mía.

—No estoy hablando de eso. Me refiero a usaros como mensajera.

Anna se quedó sin aliento. ¿Lo sabía? Cielo santo, ¿le habría ofrecido información sin ser consciente de ello?

—¿Cuándo? —exclamó—. ¿Desde cuándo lo sabéis?

—No lo descubrí hasta hace unas semanas, desafortunadamente. —Su rostro tenía una expresión temible—. ¡Por todos los santos, Anna! ¿Sabéis el peligro que habéis corrido?

—Sí, pero nunca imaginé de dónde provenía.

«De vos.» Él era el enemigo. Él la espió e hizo cuanto pudo por…

Anna se quedó mirándolo al tiempo que todas las terribles consecuencias acudían en tropel a su mente. De repente dio un brinco hacia atrás, horrorizada. «No, eso no, por favor.» Se le revolvió el estómago.

—¿Por qué insististeis en acompañarme al norte, Arthur?

—Para manteneros a salvo.

—¿Y para evitar una alianza con Ross?

—Sí, en caso de que fuera necesario —dijo, haciendo frente a su mirada sin pestañear. El dolor lastimaba tanto el corazón de Anna que se ahogaba en sus propios sollozos—. Pero no es lo que pensáis. Aquello no formaba parte de mis planes.

Era como si la fustigaran por dentro. Le parecía desangrarse, como si estuviera en carne viva.

—¿Y se supone que he de creeros?

Arthur contrajo la mandíbula.

—Es la verdad. Lo que ocurrió en aquella habitación fue porque los celos y el miedo a perderos me volvieron medio loco. No me enorgullezco de lo que hice, pero os juro por Dios que no lo había planeado.

—¿Ocurrió por casualidad, eso queréis decir? ¿Y qué pasa con lo de anoche? ¿Ocurrió también por casualidad? —Su voz se quebró por la emoción que la embargaba—. ¿Cómo pudisteis, Arthur? Sabíais lo que acabaría pasando y aun así me dejasteis creer que os importaba, que queríais casaros conmigo. Y no eran más que mentiras.

¿Cómo podía ser tan idiota para ofrecerse a un hombre que planeaba traicionarla, traicionarlos a todos ellos?

—No —dijo Arthur con rudeza, obligándola a mirarle a los ojos—. No era mentira. Nada de eso era mentira. Yo… —Vaciló, como si aquellas palabras no cupieran en su boca—. Yo os quiero, Anna. Nada me haría más feliz que casarme con vos.

Por un estúpido momento el corazón le dio un vuelco al escuchar esas palabras que tanto tiempo había esperado. Unas palabras que debían hacer que todo fuera perfecto, pero que no conseguían más que ahondar en lo desgraciado de aquel asunto.

Era un hombre cruel. Era cruel decirle aquello que tan desesperadamente ansiaba oír. A buen seguro, no hacía más que manipularla para que no lo delatara.

«Delátalo.» Oh, Dios, ¿qué podría hacer? Tenía la obligación de decirle a su padre lo que acababa de descubrir. Pero si lo hacía no le cabía la menor duda de lo que sucedería. Arthur moriría. Y si no lo hacía, Arthur pasaría al enemigo la información que hubiera obtenido. Se trataba de una elección imposible, pero sabía que, a pesar de todo lo que Arthur hubiera hecho, no podía ser ella quien le echara el lazo al cuello. Un solo hombre no podía derrotar a un ejército.

—¿De verdad esperáis que crea que me amáis?

Arthur adoptó una postura rígida, pero siguió mirándola a los ojos.

—Sí, lo espero. No tengo ningún derecho a hacerlo, pero esa es la verdad. Jamás antes le dije esas palabras a nadie y nunca pensé que lo haría. Pero desde el primer momento que os vi, sentí algo especial. Sé que vos también lo sentisteis, una conexión a la que no me pude resistir.

—Lo que sentíais era lujuria —dijo Anna devolviéndole sus palabras. Arthur frunció los labios. Ella era consciente de que lo estaba llevando al límite, pero se sentía demasiado dolida y furiosa para que le importara—. ¿Cómo podéis esperar que crea en vuestro amor cuando me habéis mentido desde el primer día en que nos conocimos?

—¿Qué queríais que hiciera? No estaba en posición de deciros la verdad. ¿Creéis que yo quería que sucediera esto? Por Dios santo, sois la última persona en el mundo de la que querría haberme enamorado. —Anna se estremeció. ¿Se suponía que eso había de hacerla sentir mejor? Aunque le doliera que aceptara sus sentimientos con tal dificultad, las palabras de Arthur tenían el distintivo de la verdad—. Intenté mantenerme al margen —señaló, dando rienda suelta a su frustración—. Pero no me lo permitisteis.

—Entonces es culpa mía, ¿no?

Arthur suspiró y volvió a llevarse la mano a los cabellos.

—No, por supuesto que no. Incluso en el caso de que me hubierais evitado, yo me habría enamorado de vos en la distancia. Me atrajisteis desde el primer momento en que os vi. Vuestra calidez. Vuestra vitalidad. Vuestra dulzura. Sois todo lo que no sabía que me perdía en la vida, eso que no creía posible para mí. Jamás quise tener ese tipo de intimidad con alguien hasta que os conocí. —A pesar de todos sus intentos por no caer en sus engaños de nuevo, Anna no pudo evitar que su corazón se conmoviera. Arthur la tomó de la barbilla y volvió su rostro para mirarla a los ojos—. Sé que no puedo esperar que me creáis, Anna, pero sí espero que intentéis comprender que lo hice lo mejor que pude dadas las difíciles circunstancias. Estaba condenado a traicionaros incluso antes de que nos conociéramos.

Los ojos de Anna examinaron su rostro en busca de señales de engaño, pero solo encontraban sinceridad. Quería creerle, pero ¿cómo podía hacerlo sabiendo lo que pretendía? Incluso en el caso de que sus sentimientos fueran sinceros, tenía la intención de traicionarla. Él estaba en un bando y ella en el otro. Quería matar a su padre.

Anna volvió la cara bruscamente, recelando de su propia debilidad. Cuando la miraba con esa expresión, solo podía pensar en besarle y en lo protegida que se sentiría entre sus brazos, fingiendo que todo saldría bien.

—¿Cómo podría creer que os importo cuando estáis aquí para espiarnos, destruir a mi familia y vengaros de mi padre? Si me amaráis de verdad, no podríais hacerlo.

Los ojos de Arthur brillaron con fuerza en la oscuridad, como si quisiera discutir con ella pero comprendiera la inutilidad del gesto.

—¿Qué otra cosa podría hacer?

—Podríais dejar de lado vuestras ansias de venganza. —Lo miró a los ojos, consciente de que estaba a punto de pedirle un imposible, pero sabiendo también que esa era la única oportunidad que habría para ambos—. Podríais escoger quedaros conmigo.

Arthur se quedó de piedra. ¡Maldita fuera por hacerle eso! Por hacerle escoger. Le pedía lo único que no podía darle. No podía echar por tierra todo su honor y lealtad, ni tan siquiera por ella. Su rostro adoptó el aspecto del granito.

—Hice un juramento, Anna. Juré dar mi espada a Bruce. —Y a la Guardia de los Highlanders, pensó—. Ir contra eso sería ir contra mi conciencia. Ir contra todo aquello en lo que creo. Y a pesar de que tengáis razones para creer lo contrario, soy un hombre de honor.

Eran el deber, la lealtad y el honor los que le habían llevado hasta allí.

—Pero esto no es solo una cuestión de honor. ¿No es cierto? —lo desafió—. Es una cuestión de venganza. Queréis la destrucción de mi padre.

—Quiero justicia —dijo Arthur tensando la mandíbula.

Sus grandes ojos lo miraban con expresión luminosa y suplicante, reconcomiendo su conciencia. Anna puso una mano sobre la suya, pero a él le pareció que con ella se agarraba a su corazón.

—Es mi padre, Arthur.

Le pareció que todo su interior se retorcía. Esa suave súplica llegaba más hondo de lo que le habría gustado. ¿Cómo era capaz de hacerle eso? ¿Cómo podía apretarle las tuercas para que él se viera en la necesidad de hacer cuanto pudiera por satisfacerla? Pero era imposible. Eso no podía hacerlo.

Durante catorce años su vida se había centrado en una sola cosa: deshacer un entuerto. Había esperado demasiado tiempo para encontrarse con Lorn cara a cara en el campo de batalla. Así como no podía negar sus sentimientos hacia ella, tampoco podía obviar su promesa de justicia.

—¿Creéis que no soy consciente de que se trata de vuestro padre? ¿Creéis que no he pasado cada uno de los días de estos dos últimos meses deseando que no fuera así? Yo no quería que pasara nada de esto, maldita sea.

Las lágrimas brillaron en los ojos de Anna.

—Creo que eso ya lo dejasteis suficientemente claro. Vuestros sentimientos hacia mí son un obstáculo.

—Yo no he dicho eso. —Arthur apretó los puños.

—No tenéis nada que explicar. Creedme, lo entiendo.

La aspereza de su tono dejaba muy claros los sentimientos de Anna. Se levantó del banco y caminó unos pasos hacia el interior del patio con la mirada perdida en la oscuridad.

—Marchaos —dijo sin expresión en la voz—. Partid antes de que cambie de opinión.

No podía creer que fuera a dejarle marchar. Por un segundo tuvo un destello de esperanza. Eso solo podía significar que ella todavía le amaba pues al dejarlo marchar lo anteponía a su familia. Y tenía que marcharse. No le gustaba la idea de dejarla plantada así, pero tenía que advertir al rey. Se acercó a ella, se puso a su lado, la tomó por el codo y la atrajo hacia sí con delicadeza. Daba la impresión de ser más joven y frágil a la luz de la luna, con esa cara pálida que parecía un óvalo de alabastro.

—Os juro que volveré tan pronto como pueda.

Anna negó con la cabeza sin dejar de mirar al infinito.

—Ya habéis hecho vuestra elección. Si os marcháis ahora lo haréis para siempre —dijo, mirándolo al fin con un rostro imperturbable—. No quiero volver a veros jamás.

La determinación de su voz cortaba como una espada.

—No lo decís en serio. —No podía decirlo en serio. Era su rabia la que hablaba. Pero la tozudez de la posición de su barbilla hizo que el pánico corriera por las venas de Arthur. Conocía esa expresión. La atrajo hacia sí con fuerza, consciente de que tenía que hacerla entrar en razón—. No digáis algo de lo que podríais arrepentiros.

Anna respingó al sentir el contacto.

—¿Qué hacéis? ¡Soltadme! —Le dio un empujón para desembarazarse de él.

Pero sus esfuerzos no hicieron más que agudizar la sensación de pánico de Arthur. Tenía que hacérselo ver. ¿Cómo podía negarlo? ¿Acaso no sentía ella la energía que desprendían sus cuerpos? ¿El calor? Estaban destinados el uno para el otro.

Se había quedado sin palabras y sin tiempo, de modo que la besó, capturando su boca con la de él en un desesperado y fiero abrazo. Ella se quedó lívida, ya sin forcejear, simplemente desmayada sobre sus brazos. «No, maldita sea. No.» La ausencia de reacción empeoraba la sensación de urgencia. La besó con más fuerza, con más pasión, obligándola a abrir los labios, buscando algo que mucho se temía se le estaba escapando entre los dedos. Sus labios estaban calientes y suaves, seguían sabiendo a miel, pero nada era como antes. «Ella no quiere que la bese.» Se detuvo. «¿Qué demonios estoy haciendo?» La dejó ir al tiempo que soltaba una imprecación y se la quedaba mirando con horror. Nunca antes había hecho algo así. La idea de perderla hacía que se volviera loco.

—¡Dios, Anna! Lo siento —dijo con una voz ronca y entrecortada por la aspereza de su aliento.

Se merecía que ella le dirigiera esa mirada, como si él fuera el barro que se adhería a sus suelas.

—Jamás creí que fuerais un bruto, pero da la sensación de que estáis en vuestro sitio junto al rey usurpador. Simplemente tomáis cuanto queréis.

—Anna, yo…

—Marchaos de una vez —dijo ella con acritud—. Eso es lo mejor que podéis hacer. Ya habéis hecho suficiente daño. —Lo miró a los ojos, desafiante—. ¿Acaso pensabais que podría perdonaros esto?

Era la confirmación de sus peores temores. Había sido un

idiota. Permitía que las emociones enturbiaran su percepción de la realidad. Pensaba que sería posible un futuro para ellos por la simple razón de que la quería más que a nada en el mundo. Pero nunca tuvieron ni la más mínima oportunidad. Ella jamás le perdonaría aquello que la obligación, el honor y la lealtad le imponían. Fijó los ojos en Anna en busca de alguna señal de debilidad, pero ella lo miraba con frialdad, inmutable. La ausencia de lágrimas, ira o emoción no dejaba lugar a dudas. Todo había acabado. Dios, todo había acabado de verdad.

Arthur siempre supo que podría llegar aquel momento, pero nunca esperó sentirse tan impotente y desesperanzado. Jamás pensó que le dolería tanto. Le parecía que lo hubieran roto en mil pedazos por dentro y no hubiera nada que hacer al respecto.

—Os amo, Anna. Siempre os amaré. Nada podrá cambiarlo. Espero que algún día comprendáis que nunca quise haceros daño.

Alargó el brazo para tocar su mejilla una vez más, incapaz de detenerse, pero ella se apartó de él como si fuera un leproso y su mano cayó sin fuerza sobre el aire.

—Adiós.

Dicho esto Arthur la miró por una última vez, una imagen que tendría que retener para siempre, dio media vuelta y abandonó el lugar.

Jamás olvidaría el aspecto que tenía en aquel momento: pequeña, sola; de una belleza dolorosa, con sus largos cabellos dorados cayéndole sobre los hombros en sedosos bucles y sus delicados rasgos resplandeciendo bajo la opalescente luz de la luna. Tan frágil que podría romperse como el cristal. Pero determinada. Con una determinación atroz.

Le parecía tener el pecho ardiendo y que su calor se intensificaba a cada paso. Creía caminar sobre las ascuas del infierno y que el peso de sus pisadas fuera pura agonía. No podía desprenderse de la sensación de que estaba mal dejarla allí de tal modo, de que si no hacía lo correcto en ese momento, después ya no tendría oportunidad de hacerlo. Estaba a medio camino de las cuadras cuando se volvió. Pero ya era demasiado tarde. Ella no estaba. Miró hacia lo más alto de la escalera que conducía a la torre del homenaje y alcanzó a ver un mechón de pelo dorado siguiendo la estela de su figura como si de un pendón se tratara antes de desaparecer tras la puerta. Una vez esta se hubo cerrado, pareció que algo se cerraba también en su interior. Para siempre. Se trataba de una parte de él que jamás debió abrir. Eso era lo que conseguía por relacionarse íntimamente con la gente. Estaba destinado a la soledad. Nunca debió olvidarlo.

Intentó obviar el vacío que ardía en su interior. Tenía que dejar de pensar en ello. Necesitaba centrarse en la tarea que tenía entre manos. Pero el rostro de Anna seguía apareciendo ante él. Lo perseguía. Lo distraía.

Entró en las cuadras y se apresuró a preparar su caballo. Presentarse voluntario a la ronda nocturna se había probado doblemente providencial. No solo le servía como excusa para salir del castillo, sino que también significaba que no tendría que perder el tiempo volviendo a los barracones. Sus pertenencias más importantes las llevaba consigo: la cota de malla y las armas. Las mudas de más y los pocos artículos personales que tenía podía dejarlos allí. Los planes habían cambiado. Tenía que marcharse para siempre, por más que eso significara que Lorn estuviera al tanto de que su plan estaba en peligro. No le quedaban más opciones toda vez que Anna había descubierto la verdad. No podía arriesgarse a que ella cambiara de opinión.

No empleó más de cinco minutos en el establo. No pensaba más que en salir de allí cuanto antes y poner tierra de por medio entre ellos. Se decía a sí mismo que eso era lo mejor que podía pasar. Estaba bien antes en soledad y volvería a estarlo.

Sin embargo, no llegó a salir del establo. Sus sentidos le advirtieron, pero no lo hicieron a tiempo. De nuevo sus emociones le distraían. Aunque en ese caso no habría supuesto diferencia alguna. Abrió la puerta de las cuadras y se encontró rodeado. John de Lorn y su hijo Alan flanqueados por al menos una veintena de guardias espadas en mano. La mandíbula de Arthur se contrajo por el dolor que representaba aquella puñalada en las entrañas. No podía creerlo. Anna lo había delatado. Tal vez tendría que haberlo esperado, pero no la creía capaz de ello. Subestimó el amor que Anna le tenía a su padre y sobrestimó el que sentía por él. No había razones para que le sentara como una traición. Pero así era.

Lorn enarcó una ceja de manera indolente.

—¿Ibais a alguna parte, Campbell?

—Sí —respondió despreocupadamente, como si no estuviera rodeado por hombres armados—. Voy a unirme al grupo de vigilancia nocturna. —Miró en derredor, sin señal de fingir su indignación—. ¿Qué significa esto?

Lorn sonrió, aunque en su expresión no había ninguna señal de simpatía.

—Me temo que estamos obligados a reteneros un momento. Hay varios asuntos que tenemos que aclarar.

Arthur dio un paso al frente. Oyó el tintineo del metal en tanto que los guardias respondían a su afrenta alzando las espadas y cerrando el cerco a su alrededor. Pero no era necesario. Estaba atrapado. Tal vez consiguiera abrirse paso a golpes a través de una veintena de hombres que apuntaban a su cuello las espadas, pero las puertas del castillo ya estaban cerradas. No sería capaz de atravesarlas sin que todo el castillo se alzara contra él. No había salida.

Miró a Alan, pero no obtendría ayuda de él. Mostraba una mirada tan dura e inquebrantable como la de su padre, si bien sin ese brillo de maldad acerada. Todos sus instintos clamaban por que luchara, por desenvainar la espada y llevarse consigo a unos cuantos hombres de Lorn. Pero se obligó a mantener la calma. A no hacer ninguna tontería. Su misión era lo primero. Si existía la más remota posibilidad de que pudiera escapar para avisar a Bruce, tendría que considerarla. Tal vez pudiera salir de ese embrollo por medio del diálogo. No estaba seguro de cuánto les abría contado Anna.

—¿No puede esperar? —dijo—. Me están aguardando.

—Me temo que no —repuso Lorn. Hizo un gesto con la mano y dos de sus hombres más fuertes se adelantaron para agarrar a Arthur de los brazos—. Llevadlo a las mazmorras. Registradlo.

«Diantres.» Al parecer no habría modo de salir de allí por medio del diálogo. Había olvidado la nota, el mensaje que pensaba dejar en la cueva esa noche para el rey. Un pequeño trozo de papel doblado que llevaba en la escarcela con tres palabras que sellarían su destino: «Ataque, 14, Brander».

Aunque tal vez su destino hubiera quedado sentenciado dos meses atrás, cuando se encontró cara a cara con la muchacha que acababa de rescatar de un ataque fatal. La chica que podría desenmascararlo.

Arthur emitió un fiero grito de guerra que atravesó la noche y dejó que fuese su instinto quien tomara el mando: «*Bàs roimh Gèill!*». Morir antes que rendirse. Luchó como un salvaje y tumbó a cinco soldados antes de caer bajo la empuñadura de la espada de Alan MacDougall. A medida que la oscuridad se cernía sobre él, supo que aquello no había acabado. Y que estaba a punto de empeorar.

Lo querían vivo.

23

Se suponía que no tendría que sentir que se le partía el corazón. Anna quería que Arthur se marchara. Le había mentido. La había traicionado. La había utilizado. Quería destruir todo cuanto era importante para ella. ¿Cómo podía pensar que existía posibilidad alguna de continuar juntos? Incluso llegaba al punto de intentar beneficiarse de la pasión que existía entre ambos. Como si un beso pudiera hacerla olvidar lo que había hecho. Lo odió en aquel momento. Lo odió por mancillar algo que era hermoso y puro.

Se decía a sí misma que eso era lo que ella quería, pero en cuanto Arthur dio media vuelta y se marchó, el hielo de su corazón comenzó a resquebrajarse.

Se marchaba. La abandonaba.

Jamás volvería a verlo.

«Oh, Dios.» Se quedó completamente quieta, sin osar moverse pese al estremecimiento de su interior. Se sentía como una fina lámina de cristal sacudida por una violenta tormenta de emociones. Fuerte en la superficie y frágil en realidad. En cuanto el viento soplara con fuerza, se rompería en mil pedazos diminutos. No debía sentirse así después de lo que él le había hecho. No tenía por qué sufrir tanto. El dolor. El resquemor. La desolación. La sensación de que le arrancaban el corazón. Esa intensidad de emociones parecía pura debilidad. ¿Dónde estaba su orgullo? Era una MacDougall y sin embargo, en ese momento, solo se sentía como una chica más que observa cómo el hombre al que ama se marcha de su vida para siempre.

Incapaz de soportarlo por un momento más, temiendo lo que él vería si se daba la vuelta, echó a correr. Subió la escalera tan rápido como pudo hasta que alcanzó la seguridad de su cámara. Allí se desplomó sobre la cama con cuidado de no despertar a sus hermanas, se echó la manta por encima de la cabeza y se arrebujó sintiéndose como una muñeca de trapo. Solo entonces se dejó llevar por la emoción y rompió a llorar en silenciosos sollozos que parecían arrancados de su propia alma.

Escudero, sintiendo su angustia, se acurrucó junto a ella. Anna se abrazó al cachorro e hizo de esa cálida bola de pelo de amor incondicional su compañía durante aquella larga y miserable noche.

«Os quiero.»

No podía sacarse las palabras de la cabeza. Sonaban tan sinceras… Pero Arthur le había mentido en todo lo demás, así que ¿por qué habría de creerle en eso? Incluso en el caso de que fuera cierto, no debería revestir importancia. Anna repasaba lo ocurrido una y otra vez, recordando cada una de las palabras de su explicación, su justificación… o como quiera que pudiera llamarse a aquello que intentaba hacer. Ya era suficiente que estuvieran en bandos contrarios de la guerra, pero ¿realmente esperaba que ella comprendiera su necesidad de destruir al clan familiar? ¿De matar a su padre, el hombre a quien ella más admiraba en el mundo? ¿Y todo por cierta forma retorcida de venganza? Justicia, lo había llamado él.

No quería oír sus explicaciones ni entender sus razones. Y tampoco creyó ni por un momento las mentiras que había soltado acerca de su padre. Él jamás habría matado a un hombre de manera tan deshonrosa. «Haría cualquier cosa por ganar», pensó tapándose las orejas con la almohada como si las plumas pudieran contener sus propios temores. «Preguntadle vos misma», la había desafiado Arthur.

No necesitaba preguntarle. Ella sabía la verdad.

Pero Arthur parecía demasiado seguro acerca de lo que había visto.

Anna salió de la cama en cuanto las primeras luces del amanecer tendieron su manto por el suelo. Hizo sus abluciones matinales y pasó sigilosamente junto a sus hermanas para salir de la cámara. Sabía exactamente lo que haría. Demostraría que Arthur se equivocaba. Así podría dejar todo aquello atrás y detener ese miserable sufrimiento de su corazón.

Todavía no habían dispuesto las mesas con sus caballetes y algunos de los hombres seguían aún desperezándose en sus jergones del gran salón cuando se apresuró hacia los aposentos de su padre. Sabía que estaría levantado, a pesar de que apenas hubiera pasado una hora desde el amanecer. Cuando se preparaba para la batalla, John de Lorn prácticamente no dormía. Oyó su voz en cuanto se aproximó a la entrada.

—No me importa cuanto tiempo tarde. Quiero saber los nombres.

—No sé por cuanto más podrá…

Alan detuvo en seco sus palabras al verla entrar en la habitación. Con solo mirarlo a la cara, Anna supo que algo iba mal. Su padre estaba sentado a la mesa. Frente a él su edecán, el capitán de la guardia y su hermano Alan. Su padre entornó los ojos con ira al verla, en tanto que los otros desviaron la mirada, casi como si quisieran evitarla. Anna, pensando que el enojo de su padre se debía a la interrupción, se apresuró a batirse en retirada.

—Lo siento. Volveré más tarde.

—No —respondió John de Lorn—. He de hablar contigo. Ya hemos acabado con esto. No quiero más excusas —dijo a Alan—. Conseguid lo que quiero. Cueste lo que cueste.

Alan torció el gesto, pero asintió. Anna sintió una punzada en el corazón al ver que salía de la habitación sin dirigirle la palabra, ni tan siquiera una mirada. Tomó asiento en el banco que había frente a su padre y cruzó los brazos sobre el regazo. La intensidad de su mirada la hacía sentir incómoda en cierta forma. Estaba furioso y no era a causa de la interrupción.

—Si tienes algo que decirme, llegas demasiado tarde.

A Anna se le encogió el corazón.

—¿Algo… algo que deciros?

Su padre sacó un trozo de papel de su escarcela y lo puso sobre la mesa ante ella. Un escalofrío recorrió su nuca al reconocer el mapa.

—Sí —dijo John de Lorn—. Cuándo habéis visto esto antes, por ejemplo. —La vergüenza tiñó las mejillas de Anna. ¿Cómo lo había averiguado? Su padre respondió a la pregunta por ella—. Tu reacción. Que fueras a buscarle inmediatamente después de ver el mapa confirmó la procedencia.

¿Acaso su padre los había vigilado durante todo el tiempo? No, tal vez en el patio, pero no era posible que los hubiera divisado en el jardín, pues este no alcanzaba a verse desde el salón. Aunque, obviamente, había visto lo suficiente.

—No me esperaba esto de ti, Anna.

Inclinó la cabeza, profundamente afectada por haberlo decepcionado. No tenía excusa. Quería decir que no estaba segura, pero sí lo estaba. En cuanto había visto el mapa, había sabido que Arthur era un espía.

—Lo siento, padre. Quería darle una oportunidad para que se explicara.

—¿Y te satisfizo su explicación? —repuso su padre con una voz tan castigadora como un látigo.

Ella negó con la cabeza. Aunque sabía que tenía la obligación de contárselo todo, esas palabras seguían siendo muy difíciles de decir. Tuvo que recordarse que Arthur la había abandonado.

—Su lealtad está con Bruce —comenzó, deteniéndose después para mirar a su padre con cautela—. Dijo que Bruce se había ganado el corazón del pueblo. Que es la mejor alternativa para liberarnos de la tiranía inglesa de una vez por todas. Y que vamos a perder y que será mejor que nos rindamos.

Su padre se puso rojo de cólera.

—¿Y le creíste? Arthur Campbell diría cualquier cosa para ganarse tu simpatía. Tú, pequeña insensata… Te estaba utilizando para escapar. Jamás nos rendiremos. Y no vamos a perder.

La seguridad de sus palabras sumió a Anna en un mar de dudas y la hizo dudar de si debía mencionar el resto. Su padre ya estaba más que enfadado con ella, pero tenía que acabar con todo aquello.

—Afirma que estaba allí cuando mataste a su padre y que él lo vio todo.

La leve desviación de la mirada de su padre podría significar cualquier cosa, pero hizo que el corazón de Anna se detuviera.

—Eso es imposible —dijo, descartando la idea—. No sé lo que vería, pero Colin Mor y yo estábamos lejos del grupo. No había nadie allí cuando combatimos. En cualquier caso, yo nunca he negado que cayera bajo mi espada. Ni que la victoria que conseguí para nuestro clan fuera la causa de la pérdida de las tierras de los Campbell en lago Awe. Que Arthur Campbell albergue deseos de venganza por eso es algo inevitable, pero no supone excusa alguna.

Se obligó a mirarle a los ojos, a pesar de que se odiara a sí misma por repetir la acusación de Arthur.

—Dijo que su padre os tenía bajo la punta de su espada y que os ofreció la rendición, que aceptasteis y que después lo asesinasteis cuando se dio la vuelta.

En esa ocasión la desviación de la mirada paterna no podía ser malinterpretada. Ni tampoco la tensión de su mandíbula, ni las arrugas blancas que se marcaban alrededor de su boca. Estaba enfadado. Enfadado sí, pero no lo ofendido que habría debido. El rostro de Anna palideció. «Oh, Dios. Es cierto.»

El horror que adivinó en la expresión de su hija pareció molestar a John de Lorn.

—Aquello ocurrió hace mucho tiempo. Hice lo que debía hacer. Colin Mor era cada vez más poderoso; invadía nuestras tierras. Había que detenerlo.

A Anna le parecía estar en presencia de un extraño y que por primera vez veía al hombre que realmente era. Seguía siendo el mismo padre al que amaba, pero ya no era ese hombre incapaz para ella de hacer nada malo. Ya no era un hombre al que no podía cuestionar. Había dejado de ser un dios. No, mostraba una humanidad temible. Le parecía imperfecto y capaz de cometer errores. Grandes errores. Errores execrables.

Arthur tenía razón. Su padre haría cualquier cosa por ganar. Ni tan siquiera se detendría por el bien de su propio clan.

—Tienes poco por lo que juzgarme, hija. Tú, que dejas

que alguien que traiciona a nuestro clan se marche en libertad… —Endureció tanto la voz que se le quebró—. ¿Sabes el daño que podría haber hecho?

Su padre tenía razón. Había decidido dejar libre a Arthur, incluso sabiendo que podría hacerle daño a su clan, porque no soportaba la idea de convertirse en instrumento de su muerte.

—No quería que le hicieran daño. Yo… le tengo cariño. —Anna se quedó callada de repente, sorprendida de que su padre hablara en condicional—. ¿El daño que podría haber hecho? —preguntó.

Su padre fruncía el gesto de modo forzado y la blancura de sus labios contrastaba con el color rojizo de su iracundo rostro.

—Tienes suerte de que pudiera mitigar el desastre. Mis hombres rodearon a Campbell anoche cuando intentaba darse a la fuga. Llevaba un mensaje que prueba su culpa —dijo con los ojos ardiendo de furia—. Un mensaje que podría haberlo arruinado todo.

Anna no podía respirar del horror que bullía en su interior. El miedo atenazaba su corazón y lo estrujaba.

—¿Qué habéis hecho con él?

—Eso no es de tu incumbencia.

El llanto contenido le ardía en la garganta. En los ojos. El pánico comprimía sus pulmones. Apenas pudo pronunciar unas palabras:

—Por favor, padre, simplemente decidme… ¿está vivo?

Él no respondió de inmediato, sino que la observó con su fría y escrutadora mirada.

—Por ahora sí. Tengo algunas preguntas para él.

Anna cerró los ojos y exhaló el aire con una sensación de alivio sobrecogedora.

—¿Qué haréis con él?

Su padre la observó con paciencia. Era obvio que no le gustaba aquel interrogatorio.

—Eso depende de él.

—Por favor, he de verle.

Anna tenía que asegurarse de que Arthur se encontraba bien.

Su padre pareció ultrajado por tal petición.

—¿Para que le dejes marchar de nuevo? No lo creo —dijo apretando la mandíbula con rabia—. No serviría de nada. Ese hombre es peligroso y no se puede confiar en él.

—Arthur jamás me haría daño —dijo Anna sin pensarlo, para al instante percatarse de que era la verdad. Él la amaba. Sabía que en el fondo era cierto. No cambiaba nada del pasado, pero tal vez sí del futuro. El corazón se le encogió. Si es que tenía un futuro—. Por favor...

Sus ruegos caían en oídos sordos. Los ojos oscuros de su padre la miraron con una dureza inquebrantable.

—Arthur Campbell ya no es asunto tuyo. Ya has hecho suficiente daño. ¿Cómo puedo estar seguro de que no intentarás buscar el modo de ayudarle? —Las protestas de Anna murieron en su garganta. A decir verdad, tampoco ella podía estar segura. El miedo que atenazaba su corazón al pensar que Arthur estaba encarcelado hacía que se percatara de que no era tan fácil evadirse de lo que sentía por él—. No esperaba esto de ti, Anna. —La decepción de su voz la desgarraba hasta lo más profundo, y esa sensación se veía agravada por la seguridad de que lo merecía. Pero estaba entre dos aguas, atrapada entre dos hombres a los que amaba. Su padre la despidió con un gesto huraño de la mano—. Estarás lista para partir dentro de una hora.

Se le cortó la respiración.

—¿Partir? Pero ¿adónde?

—Tu hermano Ewen marchará como avanzadilla del ejército con un contingente amplio de hombres para asegurar nuestras defensas en Innis Chonnel. Irás con él. Una vez que hayamos mandado al rey Capucha al infierno, le harás una visita a mi primo el obispo de Argyll en Lismore. Allí tendrás tiempo de pensar en lo que has hecho y en dónde reside tu lealtad.

Anna asintió con lágrimas cada vez más abundantes. Estaba claro que su padre no confiaba en ella y no la quería en el castillo mientras él permaneciera fuera. Sabía que podría haber salido peor parada, que el castigo de su padre podría haber sido mucho más severo. Pero no podía soportar la idea de abandonar a Arthur sin saber lo que sería de él.

—Por favor… Haré lo que me pidáis. Prometedme simplemente que no lo mataréis cuando yo esté fuera —dijo, atragantándose con sus sollozos—. Lo amo.

—¡Basta! Pones a prueba mi paciencia, Anna. Tus tiernos deseos hacia ese hombre te hacen olvidar tu deber. Lo único que te libra de un castigo mucho peor es saber que tal vez yo también tenga parte de culpa por pedirte que lo vigilaras. Arthur Campbell es un espía. Sabía el riesgo que corría cuando decidió traicionarnos. No tendrá nada menos de lo que se merezca.

Arthur no sentía ya nada. Hacía horas que había sobrepasado el umbral del dolor. Le habían pegado, fustigado y roto cada uno de sus dedos con el aplastapulgares. Pero sí percibía el sabor de la sangre. Ese nauseabundo sabor metálico colmaba su nariz y boca como si estuviera ahogándose en ella. Su cabeza colgaba hacia delante y su pelo, mojado y empapado en sudor y sangre, ocultaba su mirada a aquellos que le rodeaban. En algún momento de la noche llegaron a ser más de una decena los hombres que intentaban hacer que se rindiera. Ahora que los rayos de sol atravesaban las saeteras de la mazmorra, tan solo quedaban tres de ellos.

Estaba atado a una silla, pero no era necesario inmovilizarlo. Ya no suponía ninguna amenaza. Le habían retorcido tanto el brazo derecho que se le había salido del hombro. Su mano izquierda colgaba inerte junto a su cuerpo, con cada uno de sus huesos rotos uno a uno con una lentitud agonizante. Y pensar que había reído la primera vez que había visto aquel artefacto… Aquella pequeña abrazadera de metal parecía inofensiva, desde luego nada que pudiera obligarlo a contarles lo que querían. Pero pronto aprendió cómo algo simple podía provocar un sufrimiento terrible. Más dolor del que jamás había imaginado. Había estado a una vuelta de torno de contarles todo cuanto querían saber. Les habría dicho lo que fuera con tal de que parasen.

—Maldito seáis, Campbell. Decidles simplemente lo que quieren saber.

Arthur miró a Alan MacDougall a través del velo enmarañado de su pelo empapado. El hermano de Anna permanecía junto a la puerta como si no pudiera esperar más para salir de allí, con la cara lívida y contraída. Casi parecía que fuera él a quien torturaban. El heredero de Lorn no tenía estómago para eso. Pero su edecán sí. Arthur tenía la impresión de que aquel hijo de perra sádico podría continuar con ello durante días y días. A pesar de no poder hablar, emitió una especie de gruñido y negó con la cabeza, sin fuerzas. No. Todavía no. No les diría nada aún. Sin embargo, la palabra «nunca» ya no asomaba entre sus pensamientos.

La cabeza se le fue hacia atrás, impulsada por el nuevo golpe de aquel hijo de perra, que le sacudió con un puño envuelto en cadenas que, antes bien, parecía una almádena.

—Los nombres —exigió—. ¿Quiénes son los hombres que luchan en la guardia secreta?

Arthur ya no se molestaba en fingir ignorancia. No le creían. Anna lo había condenado sin darse cuenta de ello. Gracias a lo sucedido en Ayr, cuando él la rescató, y también al último ataque en los bosques, Lorn estaba seguro de conocer al menos a uno de los miembros de la infame guardia fantasma. No podía culparla por ello. Y por lo que parecía, tampoco podía culparla por delatarlo. En algún momento de la noche entre los golpes y el látigo, Arthur se percató de que, dadas las preguntas que le dirigían, lo más probable era que se equivocara. En caso de que ella lo hubiera traicionado, no les había dicho mucho.

Percibió cómo el puño del hijo de perra volvía al ataque, como una mancha negra en los confines de su conciencia. Se preparó de manera instintiva para el golpe aunque sabía que no le serviría de ayuda, ya que por su tamaño y el poder de sus mazazos, se diría que el edecán provenía de una larga dinastía de herreros. Sin embargo, alguien llamó a la puerta y reclamó al edecán de Lorn, de modo que Arthur pudo recuperarse un instante. Se derrumbó sobre la silla y procuró introducir un soplo de aire en sus encharcados pulmones. Tenía una costilla rota como mínimo, aunque puede que fueran más.

—Os matarán si no lo contáis —dijo Alan.

Arthur se tomó su tiempo para contestar, intentando hacer acopio de las fuerzas necesarias para hablar.

—Me matarán de todas formas —gruñó.

Aunque Alan no apartó la mirada, su mueca de agonía le dijo a Arthur que su rostro debía de reflejar el dolor que sentía.

—Sí, pero será muchísimo menos doloroso.

Y más rápido.

Con todo, Arthur había fracasado ya demasiadas veces y estaba decidido a salvar lo que pudiera de aquella maldita misión. Si fuera capaz de afrontar el momento final sin revelar los nombres de sus compañeros de hermandad, revestiría su muerte con cierta apariencia de honor.

Aun así, dada la magnitud catastrófica de sus fracasos, no significaría más que una victoria pírrica. Lo había perdido todo. Anna. La oportunidad de destruir a Lorn y rendir justicia a su padre. Y la oportunidad de avisar al rey de la amenaza. Bruce y sus hombres irían directo hacia la emboscada y él no tendría medios para advertirles.

Les había fallado igual que falló a su padre.

Que le pegaran hasta convertirlo en un amasijo sanguinolento, lo despellejaran hasta dejarlo al borde de la muerte y le rompieran los dedos uno a uno sirvió para que sus pensamientos no escaparan de las cuatro paredes de la prisión. Pero en los pequeños descansos temía las otras consecuencias que su captura pudiera acarrear. Lorn amaba a su hija y no le haría daño; aun así tenía que preguntar.

—¿Anna?

Alan lo miró con expresión grave.

—No está. —A Arthur el mundo se le vino encima. Al ver la horrorizada expresión de su rostro, Alan se apresuró añadir—. Está a salvo. Mi padre pensó que era mejor sacarla del castillo hasta que…

Alan detuvo sus palabras. «Hasta que esté muerto», se dijo.

El aire volvió a llenar sus pulmones. Solo la habían enviado a otro lugar. Pero entonces lo recordó.

—No… seguro —consiguió decir. En vísperas de la batalla, Bruce tendría líneas de ataque rodeándolos y estrechando el cerco. La severa expresión que se dibujó en el rostro de Alan le decía que no se mostraba en desacuerdo, pero, al igual que Arthur, se veía impotente para detenerlo—. ¿Mis hermanos? —preguntó Arthur.

Puede que Dugald y Gillispie fueran sus enemigos en el campo de batalla, pero no quería que ellos tuvieran que sufrir sus preferencias.

—Mi padre no tiene razón alguna para creer que estén implicados. Les hicieron un breve interrogatorio y parecían tan sorprendidos como el resto de nosotros. —Se detuvo, con la mirada confundida—. ¿Por qué salvasteis mi vida? No teníais por qué hacerlo.

Arthur se sacudió el pelo de la cara para mirarle a los ojos.

—Sí, tenía que hacerlo.

Alan asintió, comprendiéndolo todo.

—La amáis de verdad.

No dijo nada. ¿Qué habría podido decir? Nada de aquello importaba.

La puerta se abrió y el edecán de Lorn volvió a aparecer en la salita con una cuerda en la mano. A Arthur se le aceleró el pulso como reacción inmediata al peligro.

—Hora de partir —dijo—. Los hombres están listos para marchar.

Arthur se preparó para lo peor, consciente de que había llegado su final. Había ganado. Lo tendrían que matar. Una pequeña victoria en ese amargo mar de fracasos.

—Entonces ¿hay que colgarlo? —dijo Alan.

El edecán sonrió, brindándole a Arthur el primer síntoma de emoción que percibía en su feo y curtido rostro.

—Todavía no. La cuerda es para el foso. —El alivio que embargó a Arthur le indicó que no estaba tan preparado para morir como creía. Después de lo que acababa de pasar, el húmedo agujero de una fosa de castigo le parecería el paraíso—. Tal vez las ratas le aflojen la lengua —dijo el edecán con una carcajada.

O tal vez un infierno en vida.

La acometida de terror que atravesó su cuerpo sirvió para darle un arrojo de fuerzas primitivo. Forcejeó contra el metal de sus grilletes como un poseído. Su piel amoratada y echa tiras sucumbía ante la sensación de tener ratas recorriéndola.

Tenía que escapar de allí.

Pero no podía. Encadenado y herido, no era rival para los guardias que lo arrastraban desde los calabozos hasta la sala contigua. Al final ni tan siquiera se preocuparon por la cuerda, sino que lo arrojaron adentro.

Oscuridad.

Chillidos.

Caída. Impacto.

Un duro y escalofriante golpetazo.

Y después, felizmente, oscuridad. Solo oscuridad.

24

—Ewen, me temo que necesito un momento de privacidad sin más dilación —dijo Anna, fingiendo un sonrojo embarazoso.

—¿Ya? —Su hermano la miró como si ella tuviera cinco años. Estaban en lo más profundo del bosque, cerca de un túmulo funerario, a unos tres kilómetros del castillo—. ¿Por qué no lo hiciste antes de salir?

Anna lo fulminó con la mirada para comunicarle que no le hacía ninguna gracia que le hablara como si fuera su madre.

—Porque entonces no necesitaba hacerlo.

Ewen puso mala cara.

—Pararemos cuando lleguemos a Oban. Está a menos de dos kilómetros.

—No puedo esperar tanto —repuso Anna negando con la cabeza—. Por favor… —imploró con voz chillona, removiéndose un poco en la montura para dar énfasis a su urgencia.

Su hermano murmuró una maldición y después se volvió para dar el alto a la veintena de hombres que los escoltaban a través de los cerca de cincuenta kilómetros que les separaban de Innis Chonnel, un viaje que era mucho más rápido en barco pero que su padre, tras navegar desde el castillo con su flota, había considerado demasiado peligroso.

—Apresúrate, pues —dijo con impaciencia—. Uno de mis hombres te acompaña…

—Eso no será necesario —interrumpió Anna bruscamente. «Lo arruinaría todo»—. Yo… —continuó sin tener que fingir el bochorno— me temo que esta mañana comí algo que me ha revuelto estómago. Puede que tarde un poco.

A su hermano pareció avergonzarle que compartiera unos detalles demasiado personales de un asunto que jamás debió mencionarse. Anna misma estaba horrorizada por la naturaleza y el alcance de su embuste, pero necesitaba todo el tiempo que fuera posible para escapar. Tenía que volver al castillo. No había explicación para ello, pero desde el mismo momento en que había salido de los aposentos de su madre esa mañana, no había logrado sustraerse a una insoportable premonición. Tal vez estuviera motivada por las palabras de su padre, pero ella sabía que algo saldría mal, terriblemente mal. Y esa sensación no había hecho más que empeorar a medida que el castillo se desvanecía tras ellos bajo la luz del sol. No sabía qué podría hacer; simplemente, que tenía que hacer algo. Puede que no tuvieran ninguna posibilidad de estar juntos, pero tampoco deseaba su muerte, y dado que su padre había marchado del castillo tras ellos, aquella era su oportunidad.

Habida cuenta de la humillación que suponía que unos veinte hombres observaran cómo se alejaba para hacer sus necesidades, Anna hizo provisión de toda la dignidad con que contaba, aceptó la ayuda que le ofrecía el escudero de su hermano para bajar del caballo, le dio las riendas y se adentró en actitud regia hacia la densa fronda de árboles y helechos. En cuanto estuvo fuera de la vista se arremangó las faldas y hechó a correr. Desde allí no tardaría más de diez minutos en llegar hasta el castillo. Lo que tardaría en convencerles para que la dejaran entrar en los calabozos donde albergaban a los prisioneros no lo sabía. Pero esperaba conseguirlo antes de que su hermano Ewen se diera cuenta de que había desaparecido. No tardaría mucho en figurarse adónde habría ido. Y al contrario que ella, él iría a caballo.

Corrió a través de los árboles en paralelo a la carretera para que no la vieran, procurando hacer el mínimo ruido posible. Pero las hojas secas y las ramas caídas hacían que el silencio resultara imposible. Oyó un ruido tras ella y quiso gritar de rabia. ¿Cómo habían descubierto tan pronto su huida?

Se escondió tras un peñasco en un intento por ocultarse, pero se encontró con que alguien la levantaba a pulso por detrás.

—Soltadme —dijo, e intentó liberarse.

Como esperaba toparse con su hermano o con alguno de sus hombres, al dar media vuelta y ver a un guerrero de mirada fiera con yelmo y nasal se quedó lívida. Dejó escapar un grito de alarma, amortiguado por la mano del hombre.

—¡Chitón, muchacha! No quiero haceros daño.

Su temible rostro no inspiraba demasiado confianza. Tenía la complexión de una montaña y unos rasgos toscos y rústicos que se adecuaban perfectamente a su tamaño. Anna se obligó a quedarse quieta, haciendo ver que creía lo que le decía, pero después, en cuanto él se relajó, le golpeó tan fuerte como pudo con el tacón de la bota y le hincó el codo en lo más profundo de su peto de cuero, estremeciéndose al golpear las partes de metal.

El hombre dejó escapar una exclamación de sorpresa, pero no aflojó su abrazo lo suficiente para que Anna pudiera liberarse. Lo volvió a mirar con frustración y se quedó inmóvil, esa vez de verdad. Había algo familiar en él. No, en él no. En su atuendo. Anna se quedó sin respiración. El yelmo oscurecido, el *cotun* de cuero negro tachonado con metal, el extraño corte de la manta… Se trataba de la misma indumentaria característica que llevaban su tío y los guerreros del bosque de Ayr. Aquel hombre formaba parte de la guardia secreta de Bruce. Un hecho que Anna vio confirmado solo un momento después.

—Dudo que la que fuera mi sobrina os crea, Santo.

Anna se quedó atónita de la sorpresa al ver que Lachlan MacRuairi salía de entre los árboles con otro guerrero.

—Santo, Templario —dijo, señalando en su dirección—. Permitid que os presente a lady Anna MacDougall. —Hizo un gesto con la mano al hombre que la agarraba—. Puedes soltarla. No gritará, a menos que quiera ver muertos a su hermano y al resto de sus hombres.

Anna se restregó la boca tan pronto como estuvo libre, intentando recuperar las sensaciones. Miró a su alrededor.

—Solo sois tres.

Su comentario pareció divertir sinceramente a los hombres.

—Dos más de los que necesitamos —dijo el tercero de ellos.

Era solo un poco más bajo que los otros dos. Anna empezaba a pensar que ser un gigante recubierto de músculos era condición indispensable para ser miembro del ejército secreto de Bruce. Bajo la sombra de su yelmo con nasal, el hombre hacía gala de una sonrisa tan afable como simpática. Templario, lo había llamado su tío. Un nombre de lo más extraño. Era demasiado joven para haber luchado contra los infieles. Hacía treinta y cinco años de la última cruzada. Y al hombre que la agarraba MacRuairi lo había llamado Santo. Anna se percató de que habían de ser apodos, nombres de guerra.

«¡Guardián!» Así había llamado el guerrero apuesto a Arthur en el bosque. ¿Sería ese su nombre de guerra?

—¿Qué hacéis aquí, tío?

Parecía extraño llamar «Tío» a alguien que no era más que diez años mayor que ella. No parecía mucho mayor que Arthur, aunque debía de tener treinta y tres o treinta y cuatro años.

—Tal vez debería preguntaros yo lo mismo. ¿Por qué habéis huido de vuestro hermano y de sus hombres?

No le sorprendía que MacRuari no respondiera a su pregunta. O bien estaba reconociendo el terreno o bien vigilando el castillo. Como estaban cerca de la costa, Anna supuso que habría llegado en barco. Lachlan MacRuairi era un pirata de los pies a la cabeza.

—Así que ofrecéis cobertura al ataque de Bruce contra mi padre desde el mar —dijo ella, intentando adivinar su propósito.

Su tío se encogió de hombros evasivamente.

—Ahora decidme, lady Anna, ¿por qué os encuentro corriendo a través del bosque?

—Necesito regresar al castillo.

—¿Por qué?

Se mordió el labio mientras pensaba en lo que debía contarles. Pero sabía que no tenía mucho tiempo. Ya la habían entretenido demasiado. Le costaría Dios y ayuda regresar al castillo antes de que su hermano Ewen le diera alcance. ¿Tal vez quisieran llevarla?

—¿Tenéis caballos cerca? —preguntó.

MacRuairi frunció el ceño.

—Sí.

Anna respiró aliviada.

—Bien. Puede que precise vuestra ayuda para regresar al castillo. Necesito asegurarme de que Arthur está bien. —Ninguno de ellos reaccionó, y Anna supuso que así debía ser. No sabían que ella estaba al tanto de la verdad—. Creo que lo llamáis Guardián.

MacRuari maldijo.

—¿Os lo dijo él?

Anna negó con la cabeza.

—Es una larga historia. Descubrí la verdad por mí misma. Desafortunadamente, no fui la única. Mi padre también lo sabe.

MacRuari volvió a renegar, esa vez haciendo uso de un improperio que incluso el propio padre de Anna rara vez usaba.

—Entonces… está muerto.

—No —repuso ella, desconcertada por su vehemencia—. Encarcelado. Mi padre lo está interrogando.

MacRuairi escupió y una mirada de puro odio atravesó sus oscuros rasgos.

—En tal caso deseará estar muerto. —¿A qué se refería?, se preguntó Anna. Su tío, viendo la confusión en sus ojos, se lo explicó—: He estado al otro lado de los interrogatorios de vuestro padre. Tiene unos métodos bastante persuasivos e imaginativos a la hora de extraer información. Si Guardián no está muerto ya, pronto lo estará.

El estómago se le descompuso al oír sus palabras.

—Mi padre jamás…

No fue la expresión sombría del rostro de MacRuairi lo que la detuvo, sino el recuerdo de la conversación parcial que había oído antes de entrar en la cámara de su padre. «Conseguid lo que quiero. Cueste lo que cueste.»

«Oh, Dios.» Anna se sintió desfallecer. Su padre lo estaba torturando. Sabía que ese tipo de cosas ocurría, claro está, pero aquello suponía una parte fea de la guerra en la que no quería pensar. Y tampoco le gustaba pensar que su padre pudiera estar implicado en tamaña crueldad.

—Tenemos que ayudarle —casi gritó, con lágrimas en los ojos.

El corazón le dio un vuelco al oír un grito a poca distancia de ellos.

—¡Anna!

—Me están llamando. Tenemos que marcharnos ya.

MacRuairi negó con la cabeza.

—No hay ninguna necesidad de que vengáis. Nosotros nos encargaremos de todo.

—Pero…

MacRuairi cortó sus protestas en seco.

—Si venís con nosotros, nos seguirán. Nos costará menos trabajo ayudarle si no sospechan nada. Volved con vuestro hermano y continuad el viaje.

—Pero puede que necesitéis mi ayuda. —Anna deseaba ver a Arthur por sí misma—. ¿Cómo llegaréis al castillo? ¿Cómo lo encontraréis?

El rostro de MacRuairi adoptó una expresión severa.

—Sé dónde está. —Por el modo en que lo dijo, Anna supo que él mismo había estado allí; sintió un escalofrío. Pero lo que le heló la sangre fue la angustia que vio reflejada en sus ojos. Dios, ¿qué le habría hecho su padre? ¿Y qué le estaría haciendo a Arthur?—. Ya habéis hecho suficiente —dijo—. Si Guardián está vivo, él mismo os dará las gracias.

«Si está vivo.» Anna reprimió sus lágrimas y asintió, consciente de que tenían razón. El mejor modo de ayudar a Arthur era que fueran ellos solos a buscarlo. Pero eso no hacía más fácil verlos desaparecer entre los árboles. Quería ir con ellos. «Está vivo», se decía a sí misma. Tenía que estarlo. De no ser así lo sabría, porque una parte de ella también habría muerto.

En cuanto estuvieron fuera de su vista, Anna comenzó a correr en la dirección opuesta a la que había tomado para llegar allí. Al llegar a un pequeño arroyo respondió a las llamadas de su hermano. Tendría que dar algunas explicaciones, pero, teniendo en cuenta la naturaleza del asunto, no creía que Ewen se viera inclinado a formularle muchas preguntas. Todo cuanto Anna podía hacer ya era rezar por que se produjera un milagro. Pues eso era lo que necesitarían para rescatar a Arthur del virtualmente impenetrable castillo de Dunstaffnage antes de que fuera demasiado tarde.

Arthur las dejaba acercarse. Afinaba sus sentidos para captar cualquier signo de correteo o chillido y permitía que las ratas se aproximaran lo suficiente para cogerlas. Así podía romperles el cuello con una mano contra su propia pierna, algo que, dado que solo tenía una mano operativa, resultaba del todo fortuito. Lo malo era que esa mano estaba unida a un brazo dislocado, con lo que cada movimiento le producía un dolor atroz. Intentó recolocarse el hombro por sí mismo, pero no tenía la fuerza ni el apoyo necesarios.

Acabar devorado por ratas hambrientas no era exactamente el modo en que esperaba morir, pero no sabía por cuánto tiempo podría mantenerlas a raya. Cada vez que se desmayaba, sus persistentes mordiscos lo despertaban. Había perdido mucha sangre y a cada hora que pasaba estaba más débil y peor respondían sus sentidos. Pronto no sería capaz de volver a despertar.

Habría matado ya unas cincuentas de aquellas asquerosas criaturas según sus cálculos, pero había cientos de ellas allí abajo. Se estremeció. Cuando iluminaron el hueco con la antorcha para arrojarlo adentro, el fondo del foso se veía repleto de ellas. Una vez cerrado, aquel agujero había quedado en la más absoluta oscuridad. Dependía de sus sentidos, y estos le abandonaban lentamente. Sus ojos empezaron a cerrarse. Estaba tan cansado que solo quería relajarse durante un...

«¡Ah!», gritó de dolor, despertando a la realidad gracias a unos dientes afilados como cuchillas que se clavaban en su tobillo. Pataleó y la rata voló por los aires.

Suponía que tendría que agradecer a Dugald el que fuera capaz de aguantar tanto tiempo allí. Aquellas horas pasadas en la oscura alacena le habían servido de lección. Sabía a lo que tenía que estar alerta y cómo anticipar los movimientos de las ratas. Pero las reacciones de Arthur eran cada vez más lentas. Cada vez se escapaba un número mayor de ellas y un número mayor le mordía la mano. Sabía que no podría durar mucho así. No vendrían a por él hasta que no acabara la batalla, y como había perdido la cuenta del tiempo hacía ya horas, no sabía cuándo sería eso.

«Maldición.» No era solo el horror del movimiento de las ratas lo que estaba volviéndolo loco, sino saber que sus amigos estaban allí fuera dirigiéndose hacia una trampa mortal y que no podía hacer nada por ayudarles. Había fracasado. «Fracasado.» Cerró los ojos en un intento de que la amarga verdad se desvaneciera. La pesadez se cernía sobre él. Cada vez le resultaba más difícil resistirse y no dejarse llevar hacia esa bendita oscuridad de la inconsciencia. Estaba tan cansado…

Sus ojos no volvieron a abrirse. Nada podría despertarlo. Ni las ratas, ni la explosión de mil demonios que haría que los guardias corrieran hasta las puertas del castillo minutos después.

Alguien lo zarandeaba.

—¡Guardián! ¡Guardián! ¡Maldita sea, despertad! No nos queda mucho tiempo.

¿Quién era Guardián?

Abrió los ojos solo para cerrarlos inmediatamente al sentir que la luz de la antorcha le atravesaba el cráneo como si fuera un puñal.

Guardián era él.

Pero ¿cómo…?

Volvió a abrir los ojos. Esa vez lentamente, permitiendo que se adaptaran a la luz.

MacRuairi.

Advirtió el alivio que se reflejaba en el rostro del otro.

—No estaba seguro de que siguierais con vida.

La mente de Arthur estaba embotada y pensada con lentitud.

—Yo tampoco lo estaba.

MacRuairi se estremeció, y Arthur advirtió que no tenía buen aspecto, incluso ante la tenue luz de la antorcha. Tenía la cara macilenta y sus ojos iban sin parar de un lado a otro con inquietud. Casi se diría que tenía un ataque de pánico.

—Salgamos de aquí cuanto antes. ¿Podéis caminar?

Arthur asintió e intentó incorporarse por sí solo. Tenía cuidado de no mirar hacia abajo. La antorcha mantenía a las ratas lejos, por el momento.

—Creo que sí.

—Mejor. No tenía muchas ganas de intentar sacaros de aquí.

MacRuairi le tendió la mano, pero Arthur la rechazó y se las arregló para ponerse en pie por sus propios medios.

—¿Estáis solo? —preguntó.

MacRuairi lo miró de arriba abajo, y enseguida se hizo una idea de cuál era su estado. Frunció el gesto al percatarse de por qué rechazaba su ayuda.

—No. Santo y Templario están conmigo. Halcón quería venir, pero alguien tenía que quedarse con la flota. ¿No oísteis la explosión?

Arthur negó con la cabeza.

—¿Es así como habéis conseguido entrar?

MacRuairi le ayudó a asegurar la cuerda alrededor de la cintura y entre las piernas. Unas piernas que, aunque temblaban como si fueran las de un potrillo recién nacido, consiguieron mantenerle en pie.

—No, pero no está mal como maniobra de distracción.

MacRuairi se agarró a una segunda cuerda y subió rápidamente. Después izó el cuerpo de Arthur con la otra, lo cual no resultaba fácil, ya que tenía un peso muerto al otro extremo. Pero MacRuairi, además de ser tan dañino como una serpiente, era por añadidura tan fuerte como un maldito buey.

La sensación de alivio que asaltó a Arthur al estar fuera de aquel agujero infernal era prácticamente sobrecogedora. Tenía ganas de llorar como un niño. MacRuairi se desprendió de la manta que llevaba y se la dio. Arthur había olvidado que estaba desnudo. La aceptó con gratitud, ajustándosela alrededor de la cintura y de los hombros lo mejor que podía con su mano maltrecha.

—El pestazo a mierda de rata acabará desapareciendo.

A Arthur le sorprendió ver un rastro de compasión en la mirada del otro. De repente se percató de la razón por la que MacRuairi parecía estar tan cerca del ataque de pánico allí abajo. Lo conocía bien. Seguramente, debía de haber pasado por algo similar.

—¿Y el resto? —preguntó Arthur.

MacRuairi volvió el rostro violentamente, como si le molestara reconocer esa grieta en su coraza de hielo.

—El resto tarda más en desaparecer.

«O no desaparece nunca.» Arthur oyó esas palabras no pronunciadas.

—¿Cómo me habéis encontrado?

—La muchacha nos dijo que os habían hecho prisionero. Lo demás… lo imaginé.

«La muchacha…»

—¿Anna? —preguntó Arthur con una voz agudizada por su incredulidad.

—Sí. Tuvimos suerte de verla.

MacRuairi le explicó que estaban reconociendo el terreno y comprobando que no hubiera mensajes suyos en el túmulo funerario cuando oyeron acercarse a un grupo de jinetes. Al reconocer a Anna la siguieron y se percataron de cómo intentaba darles esquinazo a su hermano y sus hombres.

Arthur estaba sorprendido.

—¿Intentó escapar?

—Al parecer, quería asegurarse de que estabais bien.

Arthur murmuró una maldición. Gracias a Dios, no había sido ella quien la encontrara. No quería que se enterara jamás de lo que le había hecho su padre. Era un baño de realidad demasiado fuerte. Mejor que pudiera acogerse a alguna ilusión. Pero saber que le importaba lo suficiente para ir a su encuentro significaba mucho para él. Más que mucho. Le debía la vida. Y también le daba esperanzas.

—¡Oh, no! —murmuró MacRuairi con disgusto—. Tenéis exactamente la misma mirada de tonto del culo que MacSorley. No tenemos tiempo para esto. Os contaré el resto más tarde.

MacRuairi le rodeó la cintura con un brazo, con cuidado de evitar su hombro lastimado, y le ayudó a caminar hasta la puerta. Llamó dos veces sin dejar espacio entre uno y otro golpeo, y después hizo una pausa y repitió la llamada. La puerta se abrió.

—Por todos los demonios, Víbora. Estaba a punto de salir a buscaros. —Magnus MacKay, el Santo, echó un vistazo a Arthur y se estremeció—. ¿Estáis bien, Guardián?

Arthur procuró sonreír, pero flaqueó ante la intensidad del dolor.

—No estoy en mi mejor momento, pero me alegro mucho de veros. ¿Cómo pudisteis…?

Una explosión estruendosa clamó atravesando la brisa de la noche y dejó su pregunta en el aire. «La brisa de la noche.» Dios santo: ¡el ataque!

—¿Qué hora es?

—Poco después de la medianoche —dijo MacKay.

—Tengo información para el rey.

—Más tarde —dijo MacRuairi—. No tenemos tiempo. Esa era nuestra maniobra de distracción. Si queremos salir de aquí tendremos que darnos prisa.

MacKay y MacRuairi flanquearon a Arthur y lo llevaron de la antecámara al interior del calabozo. Una rápida mirada al suelo le informó del destino que habían seguido los guardias. Desafortunadamente ninguno de los cuerpos pertenecía a su torturador. El edecán había marchado con Lorn. Una razón más por la que deseaba con todas sus fuerzas que llegaran allí a tiempo. Otra cuenta que debía saldar.

Salieron a la torre que albergaba el calabozo refugiados en la oscuridad. Aunque el patio estaba desierto, se oía la conmoción que llegaba desde las puertas del castillo. Sin embargo, en lugar de dirigirse hacia allí, comenzaron a ascender por el adarve, con lo que Arthur se figuró cuál era el plan de MacRuairi. Habían asegurado tres cuerdas al pretil del baluarte que quedaba frente a las puertas en la parte más alejada, mirando al lago. Por lo general había un guardia vigilando el perímetro, pero la explosión había hecho que se desviara hacia la puerta.

Arthur miró hacia abajo en la oscuridad e hizo una mueca de disgusto.

—Antes tendremos que arreglaros el hombro —dijo MacRuairi. Le dio la vuelta, lo agarró por la base del hombro y le ofreció su daga—. ¿Preparado?

Arthur se puso la empuñadura de madera entre los dientes y asintió. El dolor fue extremo, pero rápido. Tras un momento, ya era capaz de girar el brazo libremente sobre su hombro.

—¿Habíais hecho esto antes? —preguntó Arthur.

—No —dijo MacRuairi con una extraña sonrisa en el rostro—. Pero lo he visto hacer. Supongo que tenéis suerte de que aprenda rápido.

Una vez que tuvo el brazo en su sitio, Arthur pudo deslizarse cuerda abajo con la ayuda de los otros. Cuando estuvieron todos en tierra, MacRuairi los condujo hacia una parte oscura del muro exterior. Al mirar al suelo, Arthur se percató de que faltaban algunas de las piedras y vio que había un agujero bajo ellas. Entraron prácticamente a rastras.

—Esta es la parte más antigua del muro —explicó MacRuairi—. Las rocas casi se pueden desmenuzar.

Ese comentario le indicó a Arthur que seguramente no era la primera vez que avanzaba por ese agujero.

Al otro lado los esperaba Gordon.

—¿Por qué habéis tardado…? —dijo deteniéndose al ver el estado de Arthur—. Diablos, Guardiá, estáis hecho un asco.

—Eso dicen —respondió Arthur secamente.

Se tomaron su tiempo en reparar el muro, por si acaso algún día volvían a necesitarlo, y poco después ya corrían siguiendo la costa. A poco menos de un kilómetro encontraron la pequeña embarcación que MacSorley había escondido en la cueva.

—Tenéis que llevarme ante el rey. Lo antes posible —dijo Arthur. Sobre el horizonte oriental se veían ya los primeros rayos del amanecer suavizando el cielo nocturno. Tendrían que ir a caballo, ya que la ruta marina hacia Brander estaría cercada por la flota de Lorn—. Espero que lleguemos a tiempo.

—¿Qué es lo que pasa? —dijo MacKay advirtiendo la urgencia del caso—. ¿Qué habéis averiguado?

Mientras navegaban hacia el oeste y se colaban entre la flota de barcos, allá donde el lago Etive se encontraba con el mar abierto, en el fiordo de Lorn, Arthur explicó con presteza el plan traicionero del padre de Anna, tanto los detalles de la emboscada como su decisión de atacar antes del fin de la tregua.

Gordon soltó una imprecación.

—Ese hijo de puta traicionero…

Los sentimientos de MacKay eran idénticos, pero los expresó en términos mucho más precisos, para después añadir:

—El rey no lo esperará.

—Sí —dijo Arthur—. Lorn ha elegido el sitio muy bien.

Arthur les habló del estrecho paso y los escarpados acantilados de Ben Cruachan.

—Conozco el lugar —dijo MacRuairi—. A los exploradores les costará mucho encontrarlos.

—Y por eso tenemos que advertirles.

MacRuairi negó con la cabeza de modo sombrío.

—Saldrán a primera hora del amanecer. Incluso en el caso de que llegáramos antes de que alcancen la parte más estrecha del paso, no resultará fácil que un contingente de tres mil hombres dé media vuelta. Toda esa zona es peligrosa.

—No es necesario que den media vuelta —dijo Arthur—. Tengo un plan. —Sus tres compañeros de la guardia intercambiaron una mirada—. ¿Qué? —preguntó.

Fue Gordon quien expresó lo que todos estaban pensando.

—No estáis en condiciones de luchar. Nosotros haremos llegar el mensaje al rey.

Arthur rechinó los dientes.

—Yo voy.

Nada evitaría que luchara. Si tenía alguna posibilidad en el mundo de enfrentarse a Lorn en el campo de batalla, haría uso de ella.

—Solo conseguiréis ralentizar nuestra marcha —dijo MacRuairi sin rodeos—. No tenéis fuerzas ni para sentar a una mula, ¿cómo vais a cabalgar a nuestro paso? ¿Y cómo diablos creéis que podréis coger las riendas con esa mano?

Arthur le dirigió una mirada cargada de veneno.

—Dejad que sea yo quien me preocupe de eso.

MacRuairi se quedó mirándolo a los ojos y tras unos segundos asintió.

—Será mejor que encontremos algo que daros con lo que luchar.

Llegaron a tiempo y Arthur no se cayó del caballo, aunque para su vergüenza estuvo muy cerca de hacerlo. Como los hombres de MacDougall ya estaban posicionados tuvieron que rodearlos desde el sur. Se cruzaron con el rey a poco más de un kilómetro del paso. Este no era dado a mostrar su enfado, pero cuando Arthur le informó de los planes de Lorn sí que lo hizo. Perjuró y llamó a Lorn por todos los nombres viles que cabían bajo el sol.

—Por los clavos de Cristo, ¿cómo es posible que no lo supiéramos? —preguntó sin dirigirse a nadie en particular, a pesar de lo cual todos los guerreros sintieron su parte de culpa por lo que habría significado un desastre. Y también el rey, pues sabía mejor que nadie que no había de confiar en el código de caballería.

—Se esconden entre las rocas de una ladera escarpada —dijo Arthur—. No es fácil advertirlos si no se les está buscando.

Por la mirada que MacLeod les dedicaba a los rastreadores, Arthur temía, por más que pudiera comprenderlo, que lo pagarían muy caro.

—¿Decíais que teníais un plan? —preguntó el rey.

—Sí. —Arthur se arrodilló y dibujó un mapa en el suelo con un palo—. Podemos vencer a Lorn en su propio terreno. Tiene a varios cientos de hombres en esta posición —dijo, marcando un punto a medio camino de la ladera—. El resto del ejército atacará en la boca del paso cuando marchéis en retirada y os cogerán entre dos frentes: arriba y abajo. —Arthur señaló un lugar un poco más arriba de donde estaban los hombres de Lorn—. Si enviáis un contingente por arriba, sus hombres se verán atrapados. Cuando la emboscada no dé resultado, Lorn se desesperará.

Bruce se quedó circunspecto.

—¿Estáis seguro de que podemos conseguir que nuestros hombres lleguen allí arriba? Por lo que describís, es un terreno escarpado y traicionero. Si nos descubren antes de llegar a la posición, no servirá de nada.

—Mis highlanders pueden hacerlo —dijo Neil Campbell—. Conocen estas tierras.

—¿Estáis seguro? —preguntó Bruce.

—Sí —dijo Neil—. Luchan como leones, pero se mueven como gatos.

—Yo los llevaré —dijo Arthur—. Conozco bien el terreno.

Neil seguía siendo uno de los guerreros más formidables del reino, pero tenía cincuenta años y no estaba tan en forma como antes. Bruce posó la mirada sobre él, y Arthur se dio cuenta de su incertidumbre. A pesar de que se hubiera limpiado la sangre y la suciedad antes de ponerse la indumentaria de guerrero que le habían prestado, de que se hubiera vendado la mano y la muñeca, de que hubiera comido y bebido suficiente *uisge-beatha* para devolver el color a su rostro, sabía que todavía parecía que una bestia rabiosa del infierno se lo hubiera tragado, lo hubiera machacado con sus dientes y lo hubiera escupido después. Antes de que el rey pudiera negarse, añadió:

—Puedo hacerlo, señor. No me encuentro tan mal como parece delatar mi aspecto.

Era una mentira, pero no demasiado grande. Saber que estaba cerca de la hora de la verdad con Lorn le daba nuevas fuerzas.

—Os habéis ganado el derecho, sir Arthur —dijo el rey—. Sin vuestra información, esto podría haber sido un desastre.

Arthur sabía que el recuerdo de Dal Righ hacía dos años, cuando se vio empujado por Lorn a huir para salvar la vida, seguía demasiado fresco en la memoria del rey. Bruce llamó a su lado a uno de sus caballeros más jóvenes y a la vez de los más dignos de confianza que tenía: sir James Douglas. El único que le hacía sombra, el sobrino del rey y otrora renegado, sir Thomas Randolph, estaba con MacSorley en el oeste, preparando el ataque desde el mar en caso de que fuera necesario.

—Douglas, quiero que vayáis con él —dijo el rey. Acto seguido hizo señas a otro de los guerreros. Gregor MacGregor, el compañero original de Arthur en la Guardia de los Highlanders, avanzó de entre los demás—. Vos estaréis al frente de los arqueros —dijo. Y después se dirigió a Arthur—: Tomad tantos hombres como necesitéis.

—Será mejor que pongáis a unos cuantos MacGregor en el lote, Guardián —dijo Flecha en cuanto el rey se volvió para consultar con Neil y MacLeod—. No podemos permitir que los Campbell se lleven toda la gloria.

Arthur consiguió esbozar una sonrisa. Dios, era fantástico estar de vuelta. Era fantástico poder bromear acerca de las viejas rencillas de sangre entre los MacGregor y los Campbell que en otro momento habían hecho de ellos enemigos acérrimos.

—Así son los MacGregor, siempre dispuestos a sacar beneficio del duro trabajo de los Campbell.

—Necesito algo con lo que impresionar a las muchachas —dijo MacGregor.

Campbell soltó una carcajada. MacGregor no necesitaba nada para impresionar a las muchachas. Eso ya lo hacía su cara por él, y no pocas veces se habían metido con él a causa de ello.

—Si necesitais ayuda para mejorar vuestra cara bonita, puedo mandaros al tipo que me hizo esto —dijo, señalando su propio rostro.

MacGregor hizo una mueca de dolor.

—El tipo se empleó a fondo. Eso hay que reconocerlo.

—Me aseguraré de que le llegue vuestro cumplido cuando lo agarre —dijo Arthur secamente.

Ambos sabían que aquella no sería una conversación muy larga.

Neil había acabado de hablar con el rey, y cuando vio que Arthur se disponía a preparar a los hombres, lo llevó aparte.

—¿Estás seguro de que te encuentras bien, hermano? Cualquiera entendería que no tengas ganas de seguir. Ya has hecho suficiente.

«Yo lo entendería», era lo que quería decir. Arthur percibía eso en la mirada de su hermano Neil. Pero ambos sabían que ese no sería el final.

—Estaré bien —le aseguró— cuando todo esto haya acabado.

25

El plan de Arthur funcionó. Junto a Douglas, MacGregor y una pequeña partida de los hombres de su hermano, dirigió al grupo de guerreros hacia un lugar elevado en las montañas de Ben Cruachan, por encima de donde estaban agazapados los hombres del clan de Lorn. Los guerreros de MacDougall desplegaron una lluvia de flechas y peñascos sobre los «desprevenidos» soldados en cuanto el ejército de Bruce pasó por el desfiladero que había bajo ellos. Pero el ataque «sorpresa» de los MacDougall recibió otro ataque sorpresa como respuesta. Los guerreros de MacDougall alzaron la vista, horrorizados, y descubrieron que Arthur y sus hombres dejaban caer otra lluvia de flechas de su propia cosecha y saltaban sobre ellos como si fueran una aparición. Al perder el elemento sorpresa y la posición estratégica en las alturas, la emboscada de los MacDougall se transformó en una desbandada. Atrapados entre dos frentes, abajo y arriba, sus hombres fueron masacrados. Cuando Lorn lanzó su ataque frontal en la boca del desfiladero, en lugar de enfrentarse a un ejército en el que reinaba el caos se encontró con las poderosas huestes de Bruce fuertemente armadas.

Arthur corrió para descender la empinada montaña y unirse a la contienda, atravesando el barullo de soldados en lucha con un solo objetivo en mente: encontrar a Lorn. Consiguió distinguir a Alan MacDougall al otro lado de la ladera, concentrando a sus hombres con la valiente intención de librar una nueva carga. Pero la valentía no sería suficiente. Esperaba por el bien de Anna que se diera cuenta de ello antes de que fuera demasiado tarde.

El estrecho embudo del paso contrarrestó en parte la ventaja numérica de Bruce, pero el ataque de Lorn no tardó mucho en verse frustrado. Arthur alcanzó la primera línea del frente justo cuando la vanguardia de los MacDougall empezaba a romperse. El rey Robert, a la cabeza de su ejército, luchando junto a sus caballeros de confianza y los miembros de la Guardia de los Highlanders, ordenaba perseguir a los fugitivos del clan enemigo. En su frenético intento por retirarse al castillo de Dunstaffnage, muchos de los MacDougall fueron derribados o se ahogaron al intentar cruzar el puente sobre el río Awe.

¡Habían ganado! El intento de los MacDougall de superar a Bruce fracasaba y el rey obtenía su revancha por la batalla de Dal Righ. Acababan de romper el cerco del clan más poderoso de las Highlanders. La victoria era dulce, pero no sería completa hasta que Arthur encontrara a Lorn.

En el caos de la retirada, examinó el contingente de fugitivos en busca de su enemigo. Le alivió comprobar que Alan MacDougall lideraba a un grupo de sus hombres hacia terreno seguro. Al ver a MacRuairi junto al puente, Arthur descendió para encontrarse con él.

—¿Dónde está?

No tenía que decir de quién hablaba. MacRuairi escupió al suelo y señaló en dirección sur a la entrada del lago Awe.

—Nunca salió de su *birlinn*. Ese maldito cobarde dirigió la batalla desde el agua. En cuanto sus hombres se retiraron, huyó en dirección al lago.

Arthur maldijo su suerte, negándose a creer que, después de haber llegado tan lejos, se le vedara la posibilidad de justicia en el último momento.

—¿Cuánto tiempo hace de eso?

—No más de cinco minutos.

En tal caso, todavía tenía una oportunidad. Pero necesitaría las dotes marineras de MacRuairi si quería atraparle. Lorn poseía tres castillos en el lago Awe, pero Innis Chonnel, el antiguo fortín de los Campbell , era el más nuevo y mejor fortificado. Allí sería donde marcharía.

Arthur miró a MacRuairi con parsimonia.

—¿Os apetece una regata?

MacRuairi, conocido por ser uno de los más temidos y osados piratas sobre el mar, sonrió. Al menos pareció que esbozaba una sonrisa.

—Yo reuniré a los hombres. Vos encargaros del barco.

Arthur estaba ya corriendo hacia la ribera del río para llegar al puerto. Se trataba de una carrera que no tenía ninguna intención de perder. En esa ocasión, John de Lorn no escaparía a su destino fatal.

Anna no podía hacer más que esperar. Pero no saber lo que sucedía tras los gruesos muros del castillo de Innis Chonnel era una auténtica tortura. El corazón se le encogió. No, tortura no. Lo suyo no era nada comparado a lo que Arthur estaba sufriendo. Ni tan siquiera podía soportar pensar en ello, aunque no parecía ser capaz de otra cosa más que de imaginar lo que le estaba sucediendo, sin saber si estaría vivo o muerto. ¡Era cosa de locos! ¿Cómo conseguiría su tío entrar en el castillo, por no hablar de rescatarle? «Tendría que haber ido con ellos.» Así al menos sabría lo que había pasado. Pero su tío estaba en lo cierto. No habría conseguido más que llevar a su hermano de vuelta al castillo.

Las horas pasaban con lentitud. Cuando no estaba arrodillada, rezando en la pequeña capilla, Anna procuraba mantenerse ocupada. Llamaron a la batalla a la mayoría de los soldados, de modo que solo quedaba un pequeño retén de guardias en el castillo para defenderlo. La noche anterior, ya sin más falsas visitas al arroyo, en cuanto el grupo llegó al castillo, Anna organizó a los hombres para que prepararan las cámaras, refrescaran el gran salón e hicieran inventario de las provisiones con que contaban.

El castillo de Innis Chonnel había sido construido más o menos en la misma época que Dunstaffnage. A pesar de no ser tan grandioso, se trataba de una edificación similar. La fortaleza cuadrada estaba construida sobre una base de riscos en el confín sudoeste de la isla. Sus altos muros de piedra rodeaban un pequeño patio. En las esquinas habían levantado dos torres, la más grande de las cuales servía como torre del homenaje, en tanto que la segunda se utilizaba como calabozo. Entre ambas estaba el gran salón. Sobre los muros se habían edificado otras dependencias de madera más pequeñas que acogían los barracones, los arsenales, los establos y las cocinas.

Resultaba extraño pensar que aquel hubiera sido el hogar de Arthur en su momento. Anna siempre disfrutaba sus estancias en el castillo junto a su padre, pero en ese momento se sentía extraña. Como si no debiera estar allí. Como si fuera una intrusa. Sabía que aquello era ridículo. Los castillos cambiaban de manos con frecuencia durante la guerra. Pero después de lo que Arthur le había contado… Anna estaba dividida. Dividida entre el padre al que todavía amaba, aunque sin duda idealizaba, y un hombre a quien debería odiar, a pesar de no poder hacerlo. No quería comprender por qué Arthur había hecho aquello, pero lo comprendía. Podía entender la lealtad que regía sus actos porque era la misma que regía los de ella. La lealtad al rey y a la patria. La lealtad al clan y a la familia. Sí, eso lo entendía especialmente.

Arthur era un highlander. Sangre por sangre, así era como funcionaban las cosas en las Highlands. De modo que vengar a su padre se convertía en su deber. Pero ella sabía que no se trataba solo de venganza. Una parte de él seguía siendo aquel niño pequeño que había visto morir a su padre y seguía pensando que tendría que haberlo evitado. Justicia. Venganza. Pero también significaba expiación. No obstante, comprenderlo no ofrecía a Anna respuesta alguna. ¿Qué se podía hacer cuando amar a uno significaba perder al otro?

Tras una noche sin descanso, pasó el día siguiente a su llegada de modo muy similar al primero de ellos: rezando y procurando mantenerse ocupada todo el tiempo para no pensar en lo que sucedía tras los gruesos muros del castillo. Por si sus temores por el destino de Arthur no bastaran, también estaba la batalla. Quién sabía si en ese momento no habría dejado ya de existir el mundo en el que ella había vivido siempre. Los hombres a los que amaba podían yacer muertos o heridos, y aun así, en los protegidos confines de Innis Chonnel, sobre la incomunicada isla del lago Awe, todo tenía una apariencia normal. La brillante luz del sol seguía rielando sobre las mansamente onduladas aguas del lago, los pájaros seguían volando y el viento húmedo todavía esparcía sus cabellos cuando paseaba por el patio.

Distinguió la figura de Ewen, que salía de la torre del homenaje.

—¿Alguna noticia? —preguntó, a pesar de saber la respuesta de antemano, ya que en caso de que se aproximara alguien oiría la llamada.

—No, todavía nada —respondió su hermano negando con la cabeza.

Sabía que la espera también era dura para Ewen, si bien por diferentes motivos. Él quería luchar. No obstante, si la culpaba a ella de su confinamiento en Innis Chonnel, nunca lo dejó ver.

Anna se mordió el labio inferior.

—Ojalá supiera cómo van las cosas.

—Ojalá —dijo su hermano con una sonrisa—. Pero en cuanto haya algo de lo que informar…

—¡Se acercan barcos, señor! —gritó uno de los guardias desde la torre vigía.

Anna siguió a su hermano en su fulgurante ascenso de la escalera hacia las almenas. Solo podía distinguir las tres velas cuadradas que se aproximaban a ellos desde el norte a toda velocidad.

—Es padre —dijo Ewen con una voz descorazonada.

Un presentimiento hizo que Anna se estremeciera de arriba abajo.

—¿Qué pasa? ¿Algo va mal?

Ewen no se molestó en intentar ocultar la verdad.

—Dijo que solo vendría en caso de que fuera necesario.

«Necesario.» A Anna se le detuvo el corazón. Eso significaba que lo haría si tenía que batirse en retirada.

¡Habían perdido!

Anna se tambaleó, sintiendo que sus piernas eran como gelatina. Puso la mano en el borde del pretil para recuperar el equilibrio, observó cómo se acercaban los barcos y rezó por que hubiera otra explicación. Cualquier cosa menos que Bruce hubiera ganado. Entonces entornó los ojos para protegerse de los destellos del sol y vio algo más.

—¿Qué es eso? —dijo, señalando justo detrás de los barcos que se acercaban—. ¿Qué es eso que viene detrás!

Pero Ewen estaba ya dictando órdenes.

—¡Nos atacan! ¡A vuestros puestos!

Los hombres saltaron a la acción de inmediato mientras Anna, incapaz de desviar la mirada, observaba aterrorizada cómo se aproximaban los barcos. Al parecer, los hombres de su padre no parecían percatarse de que los persiguían.

—¡Detrás! —gritó en un intento de avisarles.

Pero el viento se llevaba su voz.

—¡Anna, sal de aquí! —le gritó Ewen—. Esto no es seguro. Ve a la torre y atranca la puerta.

Anna asintió en silencio e hizo lo que su hermano le pedía. Una vez dentro, corrió hacia su cámara de la segunda planta para mirar desde la saetera. Dado que la torre del homenaje estaba en la esquina sur del castillo, no pudo ver los barcos hasta que prácticamente estaban ya junto al embarcadero. Observó con el corazón en un puño cómo comenzaba la batalla justo a sus pies. Vio a su padre situado detrás de sus hombres, gritando órdenes al tiempo que el barco de guerreros enemigos… Se quedó petrificada, con el corazón dándole brincos en el interior del pecho. Parpadeó. No, no era un sueño. Una intensa ola de alivio se abrió paso en su interior haciendo que se le estremeciera el corazón.

Arthur estaba vivo. Vestía con un atuendo de batalla que no le resultaba familiar y aunque a simple vista, con la cara y el pelo resguardados bajo el yelmo con nasal, fuera imposible de distinguir de los otros guerreros, sabía que se trataba de él.

«Gracias a Dios.»

Entonces se le reveló la absoluta trascendencia de su presencia en el castillo. El horror se apoderó de ella y la atrapó con su helado abrazo. Si Arthur estaba allí, solo podía ser por una razón. Corrió hacia la puerta, consciente de que tenía que hacer algo. Tenía que detenerle. No podía permitir que matara a su padre.

Arthur tenía frente a sí el momento que tanto había esperado. En cierto modo parecía adecuado que el encuentro final tuviera lugar en la pequeña isla de Innis Chonnel, bajo la sombra abrumadora del castillo que un día fue su hogar. La carrera había estado reñida, pero al final MacRuairi dio fe de que su reputación era merecida. Oculto por la cegadora luz del sol, siguió a los barcos en retirada de Lorn sin que estos se percatasen de su presencia hasta alcanzar a los tres *birlinn* cuando se disponían a atracar. Solo entonces dispuso Arthur una descarga de flechas sobre los desprevenidos MacDougall.

MacRuairi había reunido a cuarenta piratas de su clan, algo que habría supuesto un combate desigual, dado que los MacDougall los triplicaban en número. Pero los hombres de MacRuairi estaban más que dispuestos a aceptar el desafío. Bribones, rufianes, descuartizadores, eran calificativos generosos para unos MacRuairi que se ganaban a pulso su reputación como el mayor flagelo de los mares. Pero en tierra luchaban con la misma ferocidad.

Los guerreros de MacRuairi estaban ya saltando por la borda espada en mano al grito de «¡Por el león!», al tiempo que su jefe acostaba el barco sustraído hasta ponerlo prácticamente encima de los de MacDougall. Arthur estaba allí mismo, liderando la carga.

Lorn había situado a sus hombres al final del embarcadero con la esperanza de contener a los hombres de MacRuairi en cuanto intentaran tomar tierra. Pero los guerreros de MacDougall no eran rival para las salvajes acometidas de sus parientes. A pesar de que ambos descendieran de hijos de Somerled, el rey noruego que había gobernado las islas ciento cincuenta años antes, luchaban de generación en generación por la supremacía. Los MacDougall la habían ganado tras la batalla de Larg y recibieron el favor de los reyes ingleses, pero esa integración hizo que se apartaran mucho de sus raíces vikingas. Los MacRuairi luchaban como los propios bárbaros que habían sido hasta hacía tan poco tiempo que la mayoría de ellos podía seguir recibiendo ese nombre.

Rompieron el muro de contención de los MacDougall rápidamente y situaron la batalla sobre las rocosas costas de la isla. Arthur estaba en desventaja al contar solo con un brazo, por no hablar de su débil estado; sin embargo, pese a encontrarse lejos de sus habituales condiciones para la lucha, se defendía bien. Se abría paso con determinación entre los soldados sin quitarle ojo a Lorn en ningún momento. Este estaba en la retaguardia de la batalla, rodeado por el protector círculo de sus hombres, entre los que se encontraba su edecán. La sangre de Arthur hervía anticipando el momento.

Los MacDougall retrocedían, y pronto quedó claro que las superiores fuerzas en número de Lorn no ganarían la partida. Arthur, enfrascado en un encarnizado combate con uno de los hombres de MacDougall, al cual por desgracia conocía, oyó el grito de retirada. Maldijo, consciente de que tenía que detener a Lorn y a su edecán antes de que alcanzaran la seguridad de las puertas del castillo.

«Otra vez no.»

Llamó la atención de unos cuantos hombres de MacRuari y les dijo lo que quería de ellos. Luchó para abrirse paso hasta Lorn seguido por esos mismos hombres, que hicieron mella en el círculo protector de Lorn y los sacaron a él y a su edecán del grupo. Una vez que Arthur llegó hasta allí, los hombres de MacRuairi de dispersaron para formar una barrera tras él.

Si Lorn no hubiera estado a pocos metros de la seguridad de los muros del castillo, Arthur habría disfrutado más con su muerte, pero tal y como estaban las cosas tuvo que despachar al edecán con presteza. Por más habilidad que tuviera aquel hombre a la hora de torturar, no era rival para Arthur, ni tan siquiera con una sola mano.

Al fin se volvió hacia Lorn y lo alcanzó a escasos metros de la puerta. Sus hombres estaban tan ocupados defendiéndose que ninguno de ellos pudo acudir en su ayuda. Arthur advirtió la rabia en sus ojos cuando John de Lorn alzó la espada contra él.

—¿Cómo escapasteis? —preguntó con incredulidad.

—¿Sorprendido de verme?

Un brillo asesino afloró en los ojos de Lorn.

—Tendría que haberos matado.

—Sí, tendríais que haberlo hecho.

—Sois el culpable de todo este desastre. Traicionasteis mis planes para acabar con ese hijo de puta asesino.

—Rey Robert —le provocó Arthur, rodeándolo como a una presa—. Diría que mejor que os acostumbréis a llamarlo así, pero me temo que no estaréis por aquí el tiempo suficiente.

Y dicho esto le asestó un golpe.

Lorn estaba preparado y se las arregló para contrarrestarlo, si bien a duras penas y temblando con todo el cuerpo del esfuerzo. John de Lorn, en su día uno de los más temidos guerreros de las Highlands, ya no significaba ninguna amenaza. La edad y la enfermedad se habían cobrado su precio. No era cobardía, sino la enfermedad lo que hizo que permaneciera en el lago y en la retaguardia de la batalla. El maldito orgullo de Lorn evitaba que admitiera lo enfermo que realmente estaba.

El segundo golpe de Arthur lo tumbó de rodillas. Le puso la punta de la espada en el cuello. La cofia de malla no serviría de nada contra el afilado acero de su arma. El sol se reflejaba en el casco del anciano del mismo modo en que había hecho catorce años antes cuando Arthur observaba desde la distancia cómo su padre sostenía la hoja ante el cuello de ese mismo hombre y le ofrecía clemencia. Era el momento que había estado esperando. Tendría que haber sentido la anticipación de esa escena en sus propias venas. El sabor de la victoria había de ser dulce. Sus músculos tendrían que estar en tensión, preparados para propinar el mandoble. Pero no sentía nada de eso. Solo podía pensar en Anna.

Si lo hacía, sería para ella lo que Lorn siempre fue para él: el hombre que había matado a su padre. Tal vez su perdón fuera algo más de lo que tenía derecho a esperar, pero si asesinaba a Lorn destruiría cualquier opción que pudiera quedar. ¿Qué honor habría en matar a un hombre demasiado enfermo para luchar? Su padre ya había sido vengado. Lorn estaba acabado. Su derrota en Brander había dado al traste con cualquier opción que tuviera de detener a Bruce.

Anna tenía razón. Matarle entonces no sería más que venganza, y Arthur la quería a ella mucho más que cualquier momento efímero de satisfacción que aquello pudiera proporcionarle. Bueno, puede que no fuera tan efímero, pero, en cualquier caso, la quería más.

Lorn lo miró con furia bajo el visor de hierro de su yelmo.

—¿A qué estáis esperando? ¡Hacedlo de una vez!

Piedad. A pesar de que hasta ese momento lo hubiera olvidado por completo, aquella había sido la última lección de su padre.

—Rendíos ante el rey y os dejaré vivir.

El rostro de Lorn se retorció de ira.

—Prefiero la muerte.

—¿Y qué pasará con vuestra familia? ¿Qué hay de vuestro clan? ¿También queréis que mueran?

Los ojos de John de Lorn estaban incendiados de puro odio.

—Lo prefiero antes que rendirme a un asesino.

—¿Haréis que mueran vuestras hijas por vuestro maldito orgullo?

Aquello hacía que a Arthur le hirviera la sangre. Conocía a Anna. Jamás iría en contra de su padre. La familia lo era todo para ella.

—Dadle a Anna vuestra bendición. La mantendré a salvo. Sabéis tan bien como yo que estáis acabado. Pero vuestro clan puede pervivir a través de nuestros hijos, en vuestros nietos.

La rabia de Lorn estaba desenfrenada. Sobre sus ojos, vidriosos de locura, resaltaban las venas de su sien y su rostro encendido. Se desahogó profiriendo una retahíla de maldiciones viles que le dejaron echando espuma por la boca.

—¡Jamás será vuestra! ¡Antes prefiero verla muerta!

—¡Padre!

Arthur oyó el grito angustiado que se alzaba tras él. Anna. Se volvió de manera instintiva y dejó su espalda a merced de Lorn. Exactamente lo mismo que su padre había hecho tiempo atrás ante sus propios ojos.

26

Anna llegó al patio justo en el momento en que Arthur hacía caer de rodillas a su padre.

¡Oh, Dios, había llegado demasiado tarde!

Corrió más deprisa.

Ewen y los demás intentaban defender el castillo lanzando flechas de manera selectiva desde las troneras del adarve, preparados para bajar la reja en cuanto su padre y los otros consiguieran retirarse al interior. Los guardias estaban tan preocupados observando lo que sucedía en el exterior que ni tan siquiera la vieron colarse antes sus narices.

—¡Milady! —la llamó uno de los guardias—. No podéis…

Anna no los escuchaba. Avanzó unos cuantos metros más allá de las puertas, pero no llegó muy lejos. Los soldados enemigos habían formado una línea que separaba a Arthur y al padre de Anna del resto de los contendientes. Cuando ella intentó pasar entre ellos uno de los hombres la agarró.

—¡Por las llagas de Cristo! —dijo, alzándola a pulso—. ¿Adónde creéis que vais, muchacha?

Abrió la boca para gritarle al aterrador rufián que la soltara, pero entonces oyó la voz de Arthur y se quedó quieta en los brazos del soldado. No daba crédito a lo que oía. Arthur blandía una espada contra el cuello de su padre, a punto de alcanzar la venganza y la expiación que motivaba sus actos, cuando le ofreció piedad. Le ofreció a su padre la oportunidad de salvarlos a todos. Una oportunidad que, después de lo que seguramente le habría hecho, su padre no merecía. La oportunidad de un futuro.

Se dio cuenta de que Arthur la amaba. «Me quiere tanto que me antepone a su sed de venganza.» Pero si las palabras de Arthur colmaban su corazón, las de su padre se lo destrozaron. «Antes prefiero verla muerta.» Anna se zafó de las garras de su captor y retrocedió, angustiada por un horror y una conmoción que la hicieron gritar. «No lo ha dicho en serio.»

Sin embargo, ella sabía que sí lo había dicho en serio. Su padre preferiría verla muerta antes que casada con el enemigo, aunque ella le amara. Aquel cruel rechazo a la oferta de Arthur hizo saltar en pedazos cualquier atisbo de ilusión que le quedara. Pero su grito fue un error. Un error más terrible de lo que podría haber imaginado. Su voz tendría que haberse perdido en el infernal estrépito de la batalla. Nadie debería haberlo oído. Pero lo hizo Arthur. Se volvió al oír su voz y la espada pareció perder toda su fuerza.

«Padre nuestro que estás en los cielos…» Bajo la sombra del yelmo, la visión de su rostro golpeado y masacrado le revolvió el estómago y le provocó un acceso de bilis. Pero el peor de los horrores estaba por llegar. Vio el brillo de la espada de su padre por el rabillo del ojo.

—¡No! —gritó dando un paso al frente. Pero el soldado la atrapó antes de que pudiera avanzar—. ¡Cuidado!

«Talón de Aquiles.» Ella era su talón de Aquiles, pero no podía permitir que muriese por ello.

Arthur dio media vuelta y ondeó su espada por el aire para rechazar el golpe mortal del padre de Anna con suficiente fuerza para arrebatarle la espada de las manos y hacerla volar. Entonces alzó la espada sobre su cabeza.

Anna se volvió y protegió sus ojos del horror que estaba a punto de acontecer. Arthur mataría a su padre, y después de lo que este acababa de hacer no podría culparlo de nada. Espero a oír el espeluznante sonido de la muerte. Pero el silencio parecía interminable. Estaba todo tan tranquilo que se percató de que la batalla que se libraba a su alrededor también se había detenido.

—Marchaos —oyó que Arthur decía—. Tenéis cinco minutos para llevaros a vuestra hija y a vuestros hombres del castillo.

La mirada de Anna recayó de nuevo sobre su padre. Su padre, que seguía con vida. Arthur había bajado la espada y se apartaba de él, en tanto que John de Lorn se había puesto en pie con el rostro teñido de una pátina de rabia desafiante.

—Sois un estúpido.

—Y vos tenéis suerte de que vuestra hija signifique para mí mucho más que vuestra mísera vida. Pero os aseguro que el rey no siente lo mismo. Marchaos por vuestro propio pie o hacedlo con grilletes, eso no es de mi incumbencia, pero marchar marcharéis.

Un grito llegó desde las alturas como para confirmar sus palabras.

—Barcos, milord. Seis de ellos viniendo hacia aquí.

«Bruce.»

Lorn no se lo pensó. Reunió a sus hombres y ordenó a Ewen evacuar el castillo y reunir cuantas armas pudiera llevar consigo.

El hombre que la agarraba la soltó. Anna corrió, pero Arthur ya se había marchado y se ponía a un lado junto al resto de los hombres de Bruce, entre los que reconoció a su tío, para dejar paso a los MacDougall. MacRuairi no parecía muy contento con tal arreglo, pero después de un rápido pero violento intercambio de palabras Arthur y él se quedaron en silencio. Arthur no parecía dispuesto a mirarla.

¿Por qué no la miraba? Anna tenía ganas de correr a su encuentro, pero se le veía tan distante y apartado… El corazón se le encogió por la incertidumbre. Siempre había pensado que sería él quien la abandonaría y, sin embargo, allí permanecía de pie como un centinela: firme, incondicional y fiel. Un hombre con el que se podía contar. Un hombre que derribaría dragones y se arrastraría a través de las brasas del infierno.

—Vamos, Anna. Tenemos que partir.

Ewen había aparecido tras ella y le tiraba del hombro para sacarla de allí.

—Yo… —titubeó, al tiempo que desviaba la mirada hacia Arthur, como si esperara, como si ansiara que él dijera algo.

Ewen, indeciso, la miró un instante y se retiró junto a sus hombres. Su padre debió de captar aquel cruce de miradas.

—No lo hagas, hija. Ni tan siquiera pienses en ello.

Anna miró a su padre a los ojos. El hombre que había amado durante toda su vida. Un hombre que era mucho más complejo de lo que ella pensaba. Era difícil reconciliar la figura de su cariñoso padre con la del hombre que acababa de ver ese día, a pesar de que supiera que se trataba de una única persona. Por un momento deseó volver a ser aquella chiquilla que se sentaba sobre las rodillas de su padre y lo miraba como si fuera un dios. Volver al momento en que las cosas eran sencillas.

Si alguna vez puso en duda el amor de Arthur, ya no podía hacerlo. No después de lo que acababa de hacer por ella.

—Le quiero, padre. Os lo ruego…

Advirtió el dolor que sus palabras le causaban antes de que su mirada se endureciera.

—No quiero oír hablar más de esto. Haz tu elección. Pero no te equivoques. Si te marchas con él, jamás volveré a verte. Estarás muerta para mí.

Las lágrimas afloraron a los ojos de Anna y le escocían en la garganta.

—No lo decís en serio.

Pero sí lo decía en serio.

—Elige —exigió su padre con rabia.

Anna se encaminó hacia el bote en que la esperaba su hermano con lágrimas cayéndole por las mejillas. Arthur, incapaz de ver cómo se alejaba, volvió el rostro.

Había atendido a cada palabra de la dolorosa conversación que Anna acababa de mantener con su padre. ¡Maldito fuera Lorn por hacerle eso a su hija! Por hacerla elegir entre los dos. No tenía por qué ser así. Arthur había intentado darle una salida, pero el muy hijo de perra no quería acogerse a ella. Casi se arrepintió de no haberlo matado. Casi. Pero cuando oyó a Anna decir que le quería, supo que había hecho lo correcto. Aunque eso significara que debía dejarla marchar. Desafortunadamente, el dolor de su partida no se atenuaba en absoluto en esa segunda ocasión. Le ardía el pecho. Sus músculos temblaban por la tensión y la contención y parecía que se los desgarraran con una cuchilla. Quería detenerla, que no subiera a aquel maldito bote. Quería decirle que su lugar estaba junto a él. Que la quería. Pedirle que lo eligiera a él.

Pero no podía ponérselo más difícil de lo que ya era. No estaba dispuesto a hacerla sufrir más. Bastó una mirada a su afligido rostro para que se diera cuenta del terrible precio que se estaba cobrando en ella el ultimátum de su padre.

—Lo siento, Ewen. Explícaselo a madre —dijo de repente—. Dile que lo siento. Lo siento, pero mi sitio está junto a él.

Arthur se quedó de una pieza. No podía creer lo que acababa de oír. Se volvió lentamente y la vio abrazar a su hermano.

Se despedía de él con aquel abrazo.

Arthur se quedó sin respiración.

Anna se separó del abrazo de su hermano y aventuró una mirada en su dirección. La incertidumbre que esta reflejaba provocó una punzada en el pecho de Arthur que rompió hasta el último hilo de contención que le quedaba. Tras unos pocos y largos pasos llegó a su lado. La voz de Arthur luchaba con el esfuerzo por contener la emoción que brotaba en su pecho.

—¿Estáis segura? No tenéis por qué hacerlo. Os protegeré a vos y a vuestra familia lo mejor que pueda, aunque os marchéis.

Anna sonrió, con los ojos velados por las lágrimas.

—Que seáis capaz de hacer eso es la razón que me hace estar segura de ello. Os amo. Soy vuestra, si aún me queréis.

Dios santo, si aún la quería… Arthur se olvidó de la suciedad y el polvo que lo cubría, por no hablar del olor de la batalla, y tomó a Anna en brazos con un suspiro de alivio que le salió de lo más profundo del alma. De un lugar que, pensó, ya jamás volvería a abrir. Descansó la mejilla sobre su cabeza, absorbiendo la sedosa y dorada calidez de la fragancia de sus cabellos, y la apretó fuertemente contra sí, demasiado emocionado para hablar. Pero no tenía que decir nada. La manera en que ella lo rodeaba con sus brazos y ponía su mejilla contra su *cotun* lo decía todo. Lo había elegido a él. No podía creerlo. Jamás pensó que podría sentirse de tal modo. Nunca pensó que ese tipo de felicidad le estuviera destinada. Pero su alegría quedaba atemperada por la conciencia de saber lo difícil que debía de ser para ella.

Se separó de Anna a su pesar. Ella alzó la vista, acariciada por los rayos del sol, que dejaban en sus bellos rasgos una luz dorada y suave. Una luz que se extendía por su interior como si se tratara de un cálido abrazo. Sintió cómo se henchía su interior. Era un hombre afortunado.

Al percatarse de que aún no había contestado, hizo una mueca con la boca.

—Por si no lo habéis adivinado, eso significa un sí.

La sonrisa de Anna hizo que a Arthur se le parara el corazón.

Pensaba que su destino era permanecer solo, pero ahora sabía que simplemente había estado esperando a que llegara ella. Juntos afrontarían cualquier obstáculo o desafío que la vida les deparase. Incluyendo a su padre. Arthur la apretó contra sí a su lado mientras Lorn caminaba hacia el muelle para ocupar su lugar entre sus hombres. Cuando pasó junto a ellos sin volver a dirigirle la mirada, Arthur notó que Anna se tambaleaba. La apretó contra sí con más fuerza, con el deseo de protegerla contra ello. Aquel hijo de perra estaba destrozándole el corazón.

—¡Padre! —exclamó con un hilo de voz.

Lorn se volvió para mirarla con expresión gélida. Pero no estaba tan poco afectado como quería aparentar. En los ojos del anciano había un dolor real.

—No hay nada más que decir. Has tomado tu decisión.

Anna negó con la cabeza.

—Elijo amaros a los dos. Pero mi futuro está junto a Arthur.

Lorn la miró con detenimiento, y por un instante Arthur pensó que claudicaría. Pero el hombre aplacó su gesto y dio media vuelta para marcharse sin decir una palabra más, condenado de nuevo por su propio orgullo. Cortando las relaciones así con ella, no hacía más que perjudicarse a sí mismo. Anna era la luz, el engrudo que hacía que la gente que la rodeaba se mantuviera unida. Sin ella, sus vidas serían algo más oscuras. Arthur lo sabía. Lo había comprobado en sus propias carnes.

Deseaba poder ahorrarle ese dolor o sufrirlo por ella, pero lo único que podía hacer era permanecer a su lado mientras veía cómo su padre y las gentes de su clan se alejaban en el barco. Cuando viraron hacia el lago y desaparecieron de su vista, Arthur la tomó de la barbilla para que lo mirase a los ojos.

—Os juro que me aseguraré de que nunca os arrepintáis de esto.

Anna le ofreció una sonrisa vacilante a través del brillo de sus lágrimas.

—No lo haré. Es la única decisión que podía tomar. Os amo.

Arthur se inclinó y la besó con dulzura. Su boca era incluso más dulce y suave de lo que recordaba.

—Y yo os amo a vos.

Quería decir muchas más cosas, pero el resto tendría que esperar. Los refuerzos llegarían de un momento a otro.

—¿Cuál es vuestra cámara? —preguntó Arthur.

Anna se sonrojó. Parecía avergonzada.

—La de arriba del todo que mira hacia el lago.

Tendría que haberlo imaginado.

—Allí estaban mis aposentos.

Anna abrió los ojos de par en par y se apresuró a decir:

—Me trasladaré…

Arthur negó con la cabeza, cortando en seco sus palabras.

—Quedaos, así sabré dónde encontraros. —Le gustaba pensar en ella ocupando su habitación. Arthur miró hacia atrás y vio los barcos acercarse—. Id allí. Hay ciertas cosas a las que tengo que atender. Iré a buscaros cuando haya acabado.

Anna estiró el brazo para tomarlo de la barbilla.

—Vuestro pobre rostro.

Arthur hizo una mueca de dolor.

—Ya sé que se ve horrible.

Sus ojos se llenaron de culpa.

—Dios, Arthur… Lo siento.

—Nada de eso, muchacha —repuso él negando con la cabeza—. Eso se ha acabado. No podemos cambiar el pasado. Todo cuanto podemos hacer es vivir el presente y planear el futuro.

Un futuro que solo momentos antes parecía sombrío y ahora rebosaba de esperanza. La observó partir, consciente de lo cerca que había estado de perderla. Pero ahora que estaba con ella, Arthur juró que jamás la dejaría marchar.

No la hizo esperar mucho. Anna oyó cómo llamaban a la puerta con suavidad apenas media hora después de que zarparan los barcos. Los hombres de Bruce no se quedaron demasiado tiempo, pero aun así resultaba extraño ver que el patio de armas se llenaba de soldados enemigos. No, enemigos no. Al elegir a Arthur también elegía a Bruce, aunque supuso que le llevaría algún tiempo familiarizarse con lo que en realidad significaba aquello. Por el momento, simplemente intentaba hacerse a la idea de que no sabía cuándo podría volver a ver a su familia, si es que llegaba a hacerlo. Al negarse a rendirse ante Bruce, a su padre no le quedaba más alternativa que seguir el mismo camino hasta Inglaterra que había tomado meses antes John Comyn, el conde de Buchan. Y sospechaba que su madre, sus hermanos y sus hermanas pronto marcharían junto a él.

Pero por más difícil que le hubiera resultado tomar aquella decisión, Anna sabía que había elegido bien. El amor ciego que tenía por su padre era el de una niña que pensaba que él jamás haría nada malo. Sin embargo, el amor que sentía por Arthur era el de una mujer. Una mujer que entendía que las personas, incluso aquellas a las que amaba, cometían errores. El perdón formaba parte del amor.

Al abrir la puerta y verlo allí el corazón le dio un vuelco. Su enorme envergadura llenaba el umbral y tenía que encogerse para entrar en la habitación. De repente aquella pequeña cámara daba la impresión de ser minúscula. El aire estaba impregnado del olor del jabón. Se había bañado y quitado la armadura y vestía con una camisa limpia, túnica y calzas, que, sospechaba Anna, habría tomado prestados de alguno de los miembros de su clan que se habían marchado. Pero no fue la visceral conciencia de su presencia lo que la hizo arrojarse a sus brazos y hundir la cara en su amplio y cálido pecho, sino la infantil expresión de incertidumbre que traslucía su rostro.

Anna apreció el suspiro de alivio que recorría el cuerpo de Arthur al rodearla con sus brazos y agarrarla.

—¿Os encontráis bien? —preguntó Arthur.

Anna apoyó la barbilla sobre su pecho para mirarle y asintió.

—¿Estabais preocupado?

Un mechón de pelo mojado le cayó sobre la frente.

—Sí, más de lo que habría querido.

—He tomado una decisión, Arthur. Sabía lo que decía. Puede que en ocasiones no sea nada fácil, pero jamás me arrepentiré de ello. —Su hermano Alan tenía razón. Merecía a un hombre que la amara con la misma intensidad que amaba ella. Un hombre que derribara dragones y se arrastrara sobre las brasas del infierno por ella. Arthur había hecho eso y ella jamás lo dejaría escapar. Anna se dejó abrazar un instante antes de volver a hablar—: Gracias por lo que hicisteis. Sé que… —La emoción la embargaba—. Sé que no debió de ser fácil.

Su rostro se ensombreció, pero solo por unos segundos.

—Jamás me arrepentiré de ello —dijo repitiendo sus palabras con una media sonrisa—. Salvar la vida de vuestro padre es un pequeño precio a pagar por la felicidad que recibo a cambio.

Anna se mordió el labio.

—Pero ¿qué pasará con Bruce? ¿No estará enfadado porque le dejarais marchar?

Arthur hizo una mueca.

—Si podemos tomar la primera reacción de vuestro tío como señal, probablemente sí. Pero el rey me debe unos cuantos favores. Creo que con esto saldamos cuentas. En tanto que vuestro padre abandone Escocia, estará inclinado a comprenderlo.

Inclinado. De repente Anna se dio cuenta de que solo notaba una mano de Arthur en la espalda. Se liberó de su abrazo y al bajar la vista vio que su mano izquierda lucía un aparatoso vendaje. No se había percatado antes porque Arthur llevaba puestos los guantes.

—¿Qué le ha pasado a vuestra mano?

—Está rota —dijo Arthur con total naturalidad.

Se quedaron mirándose a los ojos, y Arthur contestó su pregunta tácita. Anna solo necesitó mirar su maltrecha cara para saber cómo había sucedido.

—¿Qué más?

—Unas cuantas costillas —respondió él, encogiéndose de hombros—. Varios cortes y algunos moratones. Nada que no pueda curarse. —Hubo algo en sus ojos que indicó a Anna justamente lo contrario—. No es más de lo que merezco por lo que os hice.

—No —repuso ella negando con la cabeza de manera categórica—. No digáis eso. Lo que hicisteis fue horrible, pero jamás habría exigido tal castigo —continuó con lágrimas en los ojos—. No es que lo hayamos tenido muy fácil, ¿verdad?

Arthur la agarró por la barbilla y negó con la cabeza.

—No, amor, pero os prometo que eso cambiará. Se acabaron las mentiras. Se acabaron los secretos. —Sonrió, torciendo el gesto—. En cualquier caso, ya conocéis los más peligrosos.

Que formaba parte del ejército secreto de Bruce.

—¿Por qué os llaman Guardián?

Hubo un momento incómodo cuando Arthur miró a su alrededor en la habitación en busca de algo donde sentarse y se percató de que no había más que la cama. No obstante, se sentó en el borde e hizo señas a Anna para que se sentara junto a él. Ella advirtió que tenía cuidado de dejar unos centímetros de separación entre ambos mientras se lo explicaba.

Lo habían obligado a abandonar el adiestramiento antes que los demás para que ocupara su puesto como espía. La decisión de usar nombres de guerra se tomó en su ausencia. Algunos de los hombres salieron de las bromas que se hacían entre ellos y otros, como el suyo, provenían de sus habilidades.

—Entonces yo tenía razón —dijo Anna con alegría— cuando pensaba que seríais un rastreador perfecto.

Arthur rió.

—Sí, aunque no me hizo ninguna gracia. Intentaba ocultar mis habilidades, pero vos parecíais pensar en otras cosas.

Y en otras cosas empezó a pensar Anna. Se acercó un poco más a él, dejando que sus pechos le rozaran el brazo.

—¿Y qué ocurrirá después?

Arthur parecía intentar contenerse por todos los medios.

—Ahora creo que será mejor que me marche. No debería estar aquí con vos de este modo. No sin un sacerdote.

Anna rió y le puso una mano sobre la pierna. Sus potentes músculos se tensaron bajo ella.

—No creo que me apetezca tener a un sacerdote aquí con nosotros.

Arthur apretó los dientes; de hecho, pareció apretar todos los músculos de su cuerpo.

—Me refiero hasta que estemos casados.

—Me da la impresión de que es más bien un poco tarde para ponernos ceremoniosos, ¿no?

—No he subido con la intención de… —Arthur no continuó—. Maldita sea, Anna, dejad de hacer eso. —La cogió de la mano y detuvo su incursión por el interior del muslo—. Intento hacer las cosas bien.

—¿Queréis decir que anteriormente no las hicisteis bien? —Anna parpadeó con exagerada inocencia.

Arthur la miró con reproche.

—Sabéis perfectamente que no es eso a lo que me refiero. Aquello fue absoluta y totalmente perfecto.

Se acabó la provocación. Cuando alzó la vista para mirarlo, de nuevo lo hizo con todo el amor de su corazón.

—Por favor, Arthur. Necesito sentirme así una vez más. —Anna necesitaba la cercanía. Necesitaba la conexión. Necesitaba saber que todo iría bien. Sus ojos se abrieron de par en par—. A menos que no seais capaz. Olvidaba que…

Arthur la detuvo con un ardiente beso que penetró hasta lo más profundo de su alma.

—Claro que soy capaz, maldita sea.

Y, así, procedió a mostrarle con todo lujo de detalles cuán capaz era. Lenta, profunda y tiernamente, con todo el amor que albergaba en su corazón. Y cuando los últimos estremecimientos de placer empezaron a extinguirse, cuando él sostuvo su cuerpo desnudo contra el suyo amoratado y maltratado, Anna supo que en los brazos de aquel fornido y firme guerrero encontraría por fin la paz.

EPÍLOGO

Castillo de Dunstaffnage,
10 de octubre de 1308

La paz sentaba bien, tanto a Escocia como a Anna. Menos de dos meses después de la derrota de su padre en Brander, Bruce ganó la batalla de los grandes de Escocia. Su abuelo, Alexander MacDougall, se rindió tras un breve asedio al castillo de Dunstaffnage, mientras que el conde de Ross había hecho lo propio hacía pocos días. Bruce perdonó la vida al hombre responsable del encarcelamiento de su mujer, de su hija y de sus hermanas, así como de la condesa de Buchan, un acto que daba fe del deseo que tenía de ver Escocia y a sus nobles unidos bajo una misma bandera.

«Por el bien de Escocia.» Anna tenía que admitir que esa filosofía la impresionaba. El hombre en sí...

Bueno, procuraba mantener la mente abierta. Tantos años defendiendo una causa no se olvidaban en cuestión de semanas. Pero lo que Bruce había planeado para ese día haría bastante para que cambiara de opinión. Sabía lo que significaba aquello para Arthur.

Su mirada se paseó por el gran salón y cruzó la marea de miembros del clan reunidos en celebración. Algunos de ellos le resultaban familiares, aunque casi todos eran extraños. Le tomaría un tiempo, pero Anna se prometió que los conocería a todos ellos. Aquel sería su hogar. Bruce había concedido la guardia del castillo de Dunstaffnage a Arthur en gratitud a su lealtad y por los servicios prestados. Además de eso, su próxima misión tampoco lo alejaría demasiado. Pasaría los siguientes meses supervisando Lorn y Argyll en su totalidad y trazando mapas de cuanto encontrara.

Arthur tomó la mano de Anna y la apretó cariñosamente.

—¿Estás contenta, mi amor?

Anna alzó la vista para mirar al hombre que estaba sentado junto a ella en el estrado, un hombre que se había convertido en su marido esa misma mañana. Lágrimas de alegría cubrieron sus ojos al mirar sus apuestos rasgos, en los que ya apenas se veían trazas del calvario que había sufrido.

—Sí, ¿es que podría ser de otra forma? Al fin has hecho de mí una mujer honrada y tal vez pueda volver a mirar al padre Gilbert a los ojos.

Arthur rió. Ese profundo y armonioso sonido, mucho más libre ahora, seguía siendo capaz de erizarle el vello de la piel con un cálido hormigueo.

—Ya te dije que tendría que haberme marchado antes.

—Tenía frío… —Anna hizo un puchero con los labios.

—Te ofrecí una manta antes de irme.

—No quería más mantas —dijo con la misma terquedad que la había metido en problemas desde el principio.

Lo quería a él. Se había acostumbrado a dormir a su lado en Innis Chonnel y le había resultado difícil habituarse de nuevo al regresar a Dunstaffnage el mes anterior. Verse a hurtadillas no era ni la mitad de excitante e íntimo. Y, por supuesto, el principal problema de verse a hurtadillas era la posibilidad de que los descubrieran, justamente lo que había sucedido hacía una semana, cuando el padre Gilbert cogió a Arthur saliendo de su habitación.

—Esta noche no necesitarás más mantas —dijo él con una mirada larga y cálida.

Anna no pudo evitar ruborizarse, a pesar de que en los últimos dos meses hubiera perdido la inocencia en muchos sentidos, algunos de ellos de lo más reveladores.

—¿Crees que se darán cuenta si nos marchamos ahora? —preguntó Arthur inclinándose sobre ella.

El suave susurro de su aliento en el oído la hizo estremecer. Pero lo que le provocó destellos de calor entre las piernas fue la mano que se movía de manera posesiva y determinada sobre su muslo. Las caricias de su dedo le recordaban a su lengua. Y si recordaba su lengua, no podía olvidarse de su boca. Y si recordaba su boca, tenía que acordarse de la manera en que la había despertado esa mañana haciéndola llorar de placer. ¡El mismo día de la boda, el muy irrespetuoso bellaco!

Y entonces recordó cómo ella le había pagado su diablura con la misma moneda incitándolo con su propia lengua. Recordaba el delicioso sabor salado de su piel, aquella columna de carne aterciopelada introduciéndose cada vez más profundo en su boca. La manera en que lo había exprimido hasta el final con la succión de sus labios, rodeando la gruesa y potente cabeza de su miembro con la lengua hasta que Arthur imploraba por no poder contenerse más. El modo en que acabó por perder el control y le sostenía la cabeza con las manos para metérsela hasta el fondo, haciendo que los gritos guturales del alivio retumbaran en sus oídos.

El cuerpo de Anna comenzó a derretirse con la dulce calidez de la excitación. Entonces recordó dónde estaba y se sobresaltó. Le apartó la mano, confiando en que nadie los hubiera visto. ¡Por el amor de Dios, si tenía los ojos entornados! Se suponía que era ella quien debía distraerle y no al contrario.

—No podemos marcharnos. No hasta que… —Se detuvo al percatarse de que tal vez hubiera dicho demasiado—. Somos los invitados de honor.

Arthur puso cara de sorpresa, mirando al otro extremo de la mesa en el que había varios asientos vacíos.

«¡Por los clavos de Cristo!» Se había dado cuenta. Pues claro que lo había hecho. No había nada que se le escapara a aquel hombre tan observador. Anna lo agarró de la mano.

—Vamos, deberíamos bailar.

Se quedó circunspecto, sin mover un dedo.

—¿Pasa algo, Anna? Actúas de un modo raro.

Los ojos se le pusieron como platos.

—Pues claro que no. Solo que quiero bailar.

Una sonrisa picarona torció su gesto.

—Me temo que tendrás que darme unos minutos.

—¿Por qué?

Arthur bajó la vista hasta su entrepierna, y las mejillas de Anna se sonrojaron al ver su abultado paquete. Al parecer no era la única que había estado rememorando. Miró al otro lado de la mesa, donde estaba sentado MacGregor. Este hizo una sutil negación con la cabeza, tras la cual ella volvió la vista de nuevo a su marido, que seguía circunspecto.

—¿Estás segura de que no es por…? Sé que echas de menos a tu familia.

Una sonrisa amarga se dibujó en sus labios.

—Los echo de menos, pero eso no significa que no sea feliz. Y mi abuelo está aquí —dijo inclinando la cabeza en dirección al jefe de los MacDougall, sentado a pocos asientos de distancia de donde estaba el rey. Bueno, donde estaba el rey hasta hacía un momento.

Una vez tomado el castillo, su madre y sus hermanas recibieron permiso para seguir a su padre y sus hermanos en el exilio, pero Bruce quería el apoyo de su abuelo. Si sería capaz de ganárselo o no era algo que Anna no sabía, pero estaba contenta de tener al menos a uno de sus familiares con ella el día de su boda.

Y por supuesto estaba Escudero. Un día de aquellos obligaría a Arthur a que le contara cómo había conseguido sacar al cachorro del castillo mientras este estaba bajo asedio. Anna se puso a lloriquear como una idiota al verlo y tuvo que explicarle a un confuso Arthur que lloraba de felicidad. Desde entonces, no hubo un solo día que no jurara que se arrepentía en cuanto la mascota lo perseguía, pero ella sabía que en realidad no le importaba ni la mitad de lo que decía. La aceptación, o mejor dicho, la confianza en el afecto le resultaba ahora más fácil. Y que Arthur se esforzara tanto por verla feliz era algo que la conmovía hasta el extremo. Cuando hizo lo mismo con su hermano Alan, antes de que el castillo cayera y de que su familia huyera a Inglaterra, casi se había muerto de la alegría. Ver a su hermano, sabiendo que no compartía la decisión de su padre y que no cortaría las relaciones con ella completamente, era más de lo que Anna habría podido esperar. Alan era leal a su padre, pero esa lealtad no estaba reñida con su amor por ella.

Sí, tenía mucho que agradecerle a su nuevo marido.

—¿Y qué hay de ti, Arthur? Sé que seguramente te dececiona que no estén aquí todos tus compañeros de la guardia.

A Anna no le habían confiado todos los detalles de la guardia de élite de Bruce, ni tampoco preguntó, consciente de que ese secreto preservaba la seguridad de su marido. Pero sabía que se trataba de los mejores guerreros de élite en Escocia, lo mejor de lo mejor en todas las disciplinas de la guerra. Siempre pensó que había algo especial en Arthur, pero nunca imaginó cuán especial era.

También había desvelado algunas de las identidades por su propia cuenta. Su tío. Los dos hombres que le acompañaban y habían ayudado a liberar a Arthur, Gordon y MacKay. El guapo hasta la desfachatez Gregor MacGregor, que había formado parte del ataque tantos meses atrás. Su rostro era difícil de olvidar. Y le parecía acertado sospechar que el isleño de fiero aspecto Tor MacLeod era otro de ellos, así como ese nórdico extremadamente encantador, Erik MacSorley. Ambos hombres habían estado sentados junto al rey con sus esposas, aunque en ese momento solo ellas permanecían allí.

Puede que no se le hubieran confiado todos los detalles, pero Anna sabía lo suficiente para comprender cuánto significaban esos hombres para Arthur, aunque no fuera consciente de ello. Sin embargo, lo sería.

Arthur se encogió de hombros como si aquello no le importara realmente.

—Hay paz en el norte, pero en las fronteras continúan las revueltas. Estoy seguro de que habrían venido si hubieran podido hacerlo. Gordon se casará pronto. Tal vez consiga verlos a todos ese día. Hay mucho que hacer antes de que el rey atienda a su primer Parlamento en la próxima primavera —continuó, tras una pausa—. Estoy contento de que mis hermanos puedan estar aquí. Es la primera vez que estamos todos juntos en la misma estancia desde hace años.

Sir Dugald y sir Gillispie se rindieron junto a su abuelo y Ross. Sorprendentemente, no parecían guardarle rencor a Arthur; sin embargo, por la expresión de sir Dugald mientras discutía con sir Neil, no se podía decir que sus sentimientos fueran los mismos hacia su hermano mayor.

—Pues por lo que parece, podrían haber esperado más tiempo.

Arthur sonrió.

—Siempre han sido así. Rivales encarnizados, incluso de pequeños. Yo creo que esa es la razón por la que Dugald se alineó junto a los ingleses durante tanto tiempo, para no tener que acatar órdenes de Neil. Ya lo arreglarán. A su debido tiempo.

Anna advirtió que Arthur volvía a mirar en rededor.

—¿Estás listo para bailar? —preguntó con inquietud.

Arthur enarcó una ceja.

—Estoy listo para ir a la cama.

La mirada de ella se volvió de nuevo hacia Gregor MacGregor de manera inconsciente. Para su consuelo, esa vez el guerrero asintió. Sin embargo, cuando volvió la vista hacia Arthur este tenía los ojos entornados.

—¿Te importaría decirme por qué cada vez que menciono la cama miras a MacGregor? —Anna se ruborizó—. ¿Vas a decirme de qué va todo esto? —exigió con enfado—. Estás tramando algo. Y no me digas lo contrario, porque puedo presentirlo.

Anna alzó la barbilla, molesta con su agudeza.

—Creía que tu talón de Aquiles era yo.

—Y lo eres —dijo Arthur con un gesto brusco de la mano—. Pero no el de él.

No resultaba fácil sorprender a alguien que estaba pendiente de cada matiz, que se percataba de cualquier cambio y advertía cualquier movimiento a su alrededor. Incluso había percibido los cambios de su cuerpo antes que ella y la informó de que sería mejor que adelantaran la boda o su hijo se vería demasiado grande para tener solo dos meses de vida.

Anna le obsequió con una mirada de suficiencia.

—Estás celoso. —Dejó que su mirada volviera a recaer sobre el fondo de la mesa y se quedó mirándolo de manera pausada, como si lo estuviera apreciando—. Es bastante guapo ese amigo tuyo.

Su mala cara empeoró más si cabe.

—Pues no lo será por mucho tiempo, si continúas mirándolo así. Y no me has contestado.

Anna resopló y se dio por vencida.

—Está bien, pero quería que fuera una sorpresa.

—¿Qué querías que fuera una sorpresa?

Tras un breve paseo más allá de las puertas del castillo Arthur descubrió la razón para tanto subterfugio. De pie en un claro del bosque, con el halo naranja del sol del atardecer tras él, se erguía el rey Robert Bruce ante un obelisco, investido con toda la ceremonia real que se le suponía. Junto a él, alineados como un telón de hierro, con sus rasgos enmascarados bajo los yelmos con nasal cubiertos de brea, esperaban los otros diez miembros de la guardia secreta de Bruce.

Arthur se detuvo sobre sus pasos y le dirigió una rápida mirada de incredulidad.

—¿Has tenido algo que ver en esto?

Anna negó con la cabeza.

—Fue idea del rey Capu… —comenzó, deteniéndose al ver la cara que ponía su marido—. Fue idea del rey Robert —se corrigió, aunque ese título aún no salía de sus labios con naturalidad—. Mi misión era distraerte —dijo haciendo una mueca—. Una misión en la que, al parecer, he fracasado.

Arthur la cogió en brazos y la besó.

—Pues yo creo que la has cumplido de manera admirable.

Anna rebosó de alegría.

—Márchate. Te están esperando.

Al fin Arthur tendría la ceremonia de la que nunca pudo gozar. La ceremonia que se le había negado por su papel como espía. Aquellos hombres eran tan parte de él como ella misma. Anna se cruzó de brazos sobre su vientre. Y como pronto lo sería su bebé.

—No tardaré mucho —dijo Arthur tras besarla de nuevo.

—Te estaré esperando.

«Siempre.» Del mismo modo que él regresaría siempre a ella. Aquel hombre que en su momento miraba a la puerta como si quisiera huir, había encontrado el lugar al que pertenecía. Y en un mundo en el que la paz era tan frágil como un trozo de cristal, Anna había encontrado la roca en la que apoyarse.

Lo observó dirigirse hacia ellos con el pecho henchido por el orgullo y la felicidad. Una vez que estuvo allí, Anna comenzó a alejarse. Sin embargo, apenas hubo recorrido unos metros más allá del círculo de árboles cuando dos mujeres la detuvieron.

—¿Adónde vais? —preguntó en un susurro Christina, la mujer de Tor MacLeod.

Anna intentó no sentirse intimidada por su belleza, pero resultaba imposible. Christina era tan exquisita y refinada como una princesa de cuento de hadas, sobre todo al compararla con el aspecto aterrador de su esposo, que parecía sacado de las páginas arrancadas de algún libro antiguo sobre mitología nórdica.

—Yo… pensaba que no se podía mirar.

La segunda de las mujeres sonrió. Aunque no era tan increíblemente hermosa como Christina Fraser, había algo sereno y agradable en Elyne, la esposa del descarado marino Erik MacSorley. Anna se quedó perpleja cuando descubrió que era la hija del conde de Ulster, un amigo íntimo del rey de Inglaterra. Pero también era hermana de la esposa encarcelada del rey Robert, Elizabeth. Otra familia dividida, al parecer.

—Se supone que no —dijo Elyne—. Pero eso no va a detenerme. No tuve oportunidad de ver la de mi marido. No me lo perdería por nada del mundo.

—¿No se enfadarán? —preguntó Anna.

Christina le dirigió una sonrisa insolente.

—Lo superarán. Además, quiero ver qué tipo de marca le ponen.

Anna la miró con sorpresa.

—Ya tiene una. El león rampante. Pensé que todos los hombres lo tenían.

—Así es —contestó Christina—. Pero decidieron añadir otra por la araña de la cueva. ¿Conocéis la historia?

Anna asintió. La historia de la araña de Bruce en la cueva formaba ya parte de la leyenda.

—Para honrar la ocasión, Erik decidió añadir una banda en forma de gargantilla alrededor de su brazo que parece una tela de araña —dijo Elyne—. Como es marino, incorporó también el *birlinn* en él —añadió con una sonrisa—. Una vez que los demás lo vieron, todos decidieron hacerse uno. —Elyne, entre risas, alzó la vista al cielo como diciendo: «Hombres».

—Venid —dijo Christina, agarrándola del brazo y arrastrándola de nuevo hacia los árboles—. Ya han comenzado.

Las tres mujeres contemplaron juntas desde las sombras cómo Arthur se arrodillaba ante el rey y tomaba el sitio que le correspondía por derecho propio entre sus compañeros de la guardia, sus amigos.

«Inquebrantable», decía la leyenda en la espada que Bruce le entregó. Anna no podía estar más de acuerdo.

NOTA DE LA AUTORA

La batalla del Paso de Brander fue clave en las guerras de independencia de Escocia. No solo representa un ejemplo del cambio de estrategias de Bruce, pues este tendió una emboscada a quienes pretendían tendérsela, sino que también señala la precipitada caída en desgracia de los MacDougall y el cambio de poderes en la política de las Highlands Occidentales hacia otra rama de descendientes de Somerled, los MacDonald, y también hacia los Campbell, que se beneficiarían del infortunio de los MacDougall.

Hay cierto desacuerdo entre los historiadores a la hora de datar la campaña de Bruce en Argyll tras la cual John de Lorn huyó a Escocia y la caída del castillo de Dunstaffnage. Me decanté por la fecha más convencional de verano del año 1308, pero hay quienes opinan que la capitulación final de Argyll no tuvo lugar hasta el año 1309.

Aunque la forma en que narro la batalla es ficticia, he incorporado muchos de los acontecimientos reales, entre los que se incluye a John de Lorn dirigiendo a sus hombres desde un *birlinn* a orillas del lago, ya que se suponía que estaba recuperándose de esa enfermedad que había propiciado la tregua del año anterior. Se dice que al fallar su ataque, se retiró a uno de sus castillos.

Pero hay un detalle en particular de la batalla que fue el que me dio la idea para la historia. Leí algo acerca de un explorador que supuestamente había advertido a Bruce de la emboscada, con lo que les salvó el pellejo. Aquello sonaba como un trabajo perfecto para mi rastreador de élite Arthur Campbell.

El personaje de Arthur Campbell está inspirado vagamente en Arthur de Dunstaffnage, el hermano, o puede que el primo de Neil Campbell. Tal y como sugiere su apodo, fue nombrado gobernante del castillo de Dunstaffnage tras la guerra. Algo que encajaba a la perfección con mi heroína MacDougall, aunque Anna es un personaje ficticio y el nombre de la esposa de Arthur, si es que la hubo, no ha trascendido. Curiosamente, sí existió un compromiso de matrimonio entre Arthur y Christina de las Islas MacRuairi, aunque nunca llegaron a casarse.

Lo que también se adecúa a la perfección con Arthur, y asimismo con su hermano Dugald, es que se decía que estuvo en el bando de los ingleses durante un tiempo y más tarde se pasó al de Bruce. Arthur de Dunstaffnage no es, probablemente, el mismo Arthur progenitor del clan MacArthur. Parece más plausible que este Arthur proviniera de otra rama de la familia, posiblemente más antigua, los Campbell de Strachur (que significa «hijos de Arthur»). Pero hay mucha confusión y existen diferentes teorías respecto al linaje de los MacArthur, incluyendo la descendencia directa del rey Arturo. Un antiguo proverbio de las Highlands dice: «No hay nada más antiguo que las colinas, MacArthur y el diablo».

Neil Campbell fue uno de los partidarios de Robert Bruce más importantes y leales. De hecho, al final Neil acabaría casándose con la hermana del rey, Mary, cuando la libraron del cautiverio de la jaula en las alturas del castillo de Roxburgh, alrededor del año 1310. Mary volvería a casarse a la muerte de Neil, algo común en una época en la que había tantos viudos y viudas. A los lectores del primer libro de la serie, *El Guerrero*, tal vez les interese saber que su segundo marido fue Alexander Fraser, el hermano de Christina.

Un interesante punto y aparte en la historia de Neil da cierto colorido a la época: parece ser que su primera esposa era hija de Andrew Crawford. Neil y su hermano Dugald, que fueron nombrados guardianes de las dos hermanas Crawford, decidieron tomarlas como esposas de manera literal: las secuestraron.

John de Lorn, también conocido como John Bacach (John el Cojo) y como John de Argyll, fue una figura destacada en la política de las Highlands Occidentales, responsable no solo de la muerte de Colin Mor Campbell en la batalla de Red Ford, sino también de la de su pariente Alexander MacDonald, lord de Islay, el hermano de Angus Og.

Lorn sufrió enormemente por su lealtad a los Comyn, a quienes estaba ligado por matrimonio, y también por su odio a Bruce, algo que, dado que este asesinó a Comyn el Rojo, era una circunstancia bastante comprensible.

El uso de mensajeras femeninas por parte de Lorn es una invención mía, pero la frustración de las misivas que se perdían no lo es. A ese período han sobrevivido algunas epístolas, entre las que se incluye una carta recientemente descifrada del alguacil de Banff dirigida a Eduardo II en la que se queja de los asesinatos de sus mensajeros. Del mismo modo, la frustración de Lorn al quedarse solo frente a Bruce y la dificultad de conseguir apoyos de los barones locales está basada en la correspondencia entre Lorn y Eduardo II, en la que el primero afirma que se ve obligado a una tregua con Bruce porque está enfermo y «los barones de Argyll no me prestan ayuda alguna» (*Robert Bruce*, G.W.S. Barrow, Edinburgo University Press, Edinburgo, Escocia, 2005, p. 231).

No hay fuente que confirme la dolencia de Lorn. El ataque al corazón y los consiguientes problemas coronarios son de mi propia invención, algo que resulta ajustarse bien a su propensión a esos violentos ataques de cólera. Paralelamente, también se desconoce la fuente de la que proviene la enfermedad debilitadora que golpeó a Bruce en el invierno del año 1307. Aunque ciertos rumores históricos la identifican con la lepra, las últimas suposiciones apuntan a que debía de ser escorbuto. Cualquiera que fuera la causa, sacudió con fuerza al nuevo rey y, según se dice, estuvo a punto de acabar con él. Supuestamente, Bruce fue llevado a cuestas por sus hombres a la batalla de Inverurie.

El broche que Lorn lleva en el capítulo dos, del cual se dice que se lo arrancaron a Robert durante la batalla de Dal Righ, sigue en poder del jefe de los MacDougall, y su última aparición en escena es tan reciente que solo hace cincuenta años de ella. No obstante, algunos expertos aseguran que el broche en cuestión provenía de un período anterior.

La batalla de Red Ford ocurrió de manera diferente a como yo la he retratado. Más que una emboscada, John de Lorn se encontró con Colin Mor junto a un arroyo que desembocaba en Loch na Streinge (más tarde llamado *Allt a chomhla chaidh*, es decir, el arroyo del encuentro). La discusión degeneró en un altercado y este en una batalla. Los MacDougall se vieron superados en número, y parecía que perderían, hasta que un arquero disparó sobre Colin el Grande desde detrás de una peña y lo mató.

Hasta dónde llegaba el poder de los Campbell en las inmediaciones de Loch Awe antes de la guerra es algo que no se sabe a ciencia cierta, pero dado que lo hicieron magistrado municipal de Loch Awe cerca del año 1296, podemos presumir que no fue insignificante. Si bien se cree que los Campbell detentaron la propiedad el castillo de Innis Chonnel en fecha anterior a la de los MacDougall, cuya existencia está confirmada en el año 1308, los historiadores no están seguros de ello. No obstante, en el momento en que transcurre la novela, el castillo estaba en manos de los MacDougall. Lorn menciona en una carta al rey Eduardo los tres castillos que posee en Loch Awe.

El odio entre Bruce y los MacDougall solo rivalizaba con el de sus parientes los Comyn. El «hostigamiento de Buchan» que siguió a la batalla de Inverurie (o batalla de Barra) del 23 de mayo de 1308, la cual tiene lugar al principio del libro, parece ser una de las pocas ocasiones en las que Bruce dio rienda suelta a la venganza. La destrucción fue tan devastadora que se dice que tardaron años en recobrarse y que se habló de ella durante generaciones enteras.

Por el contrario, el rey Robert sí que aceptó la rendición de William (Uilleam II), el conde de Ross, sin tomar represalias por el papel que había desempeñado Ross en la captura y posterior encarcelamiento de las damas de Bruce (su esposa, su hija, sus hermanas y la condesa de Buchan). No mucho tiempo después de la rendición de Ross, su hijo Hugh (Aodh) se casaría con la hermana de Bruce, Mathilda.

Según cuentan, Alexander MacDougall, lord de Argyll, era muy mayor y estaba enfermo en el momento de la batalla de Brander. Se rindió ante Bruce tras el asedio al castillo de Dunstaffnage y atendió al primer Parlamento del rey en marzo de 1309, pero después acompañó a su hijo en el exilio, donde murió en 1310.

Como es habitual, algunos de los castillos que se mencionan en el libro son conocidos con otros nombres. El castillo de Auldearn se conoce también por Old Even y el castillo de Glassery (o Glassary) se conoce como castillo de Fincharn.

La tortura medieval de las ratas era mucho más truculenta de lo que sugiero. Colocaban sobre el estómago de la víctima una jaula sin suelo con una rata en su interior y después la calentaban desde arriba. La rata, en su intento por escapar, roía lentamente las entrañas del condenado. Un detalle... interesante que probablemente habría dotado a la novela de un «colorido» demasiado fiel a la época.

Finalmente, los lectores del tercer libro de mi trilogía de los Campbell, *El highlander traicionado,* tal vez adviertan la conexión entre la espada de Arthur y la de Duncan, en la que grabaron la leyenda: «Inquebrantable» que ha pasado de generación en generación desde los tiempos de Bruce. A pesar de que sea de mi propia cosecha, por supuesto que era costumbre grabar leyendas en las espadas y pasarlas al heredero.

Si no tienen suficiente, les recomiendo que visiten mi página en internet: monicamaccarty.com para obtener más información y ver álbumes de fotos con algunos de los lugares que menciono en los libros.